D1198472

Le parfum des sentiments

Cristina Caboni

Le parfum des sentiments

Traduit de l'italien
par Nathalie Castagné

ÉDITIONS FRANCE LOISIRS

Titre original : *Il Sentiero dei profumi*
L'édition originale de cet ouvrage a paru en 2014 aux éditions Garzanti Libri, Milan.

Édition du Club France Loisirs,
avec l'autorisation des Presses de la Cité

Éditions France Loisirs,
123, boulevard de Grenelle, Paris.
www.franceloisirs.com

ISBN : 978-2-298-11328-0

Dis-moi, femme, où tu caches ton mystère
femme eau pesante volume
transparent
d'autant plus secrète que dénudée
quelle est la force de ta splendeur désarmée
ton éblouissante armure de beauté...

Tomás SEGOVIA

À toutes les femmes de ma vie
ma mère, mes sœurs,
mes filles, mes amies.
Ce livre est pour vous.

Prologue

Bois de rose. Doux, fruité, avec de légères traces d'épices.
C'est le parfum de la confiance, de la sérénité.
Il évoque la douce douleur de l'attente et de l'espoir.

— Ferme les yeux, petite.
— Comme ça, *nonna* ?
— Oui, Elena. Comme ça. Et maintenant fais comme je t'ai appris.

Les mains appuyées sur la table, dans la pénombre au centre de la pièce, l'enfant garde les yeux bien clos. Ses doigts fins glissent le long de la surface et s'agrippent au rebord émoussé devant elle. Mais ce ne sont pas les essences conservées dans les flacons qui recouvrent le mur qu'elle perçoit avec le plus de force.

C'est l'impatience de sa grand-mère. C'est l'odeur de sa propre peur.

— Alors ?
— J'essaie.

La vieille femme crispe les lèvres. L'odeur de sa rage est âcre, elle rappelle la fumée que dégage le bois quand il est presque devenu cendre. Dans une minute, elle la frappera puis s'en ira. Elena le sait, elle doit tenir encore un peu, rien qu'un peu.

— Applique-toi. Allez, concentre-toi. Et ferme les yeux, j'ai dit !

La gifle lui fait à peine bouger les cheveux. Un faux-semblant, comme tout le reste. Comme les mensonges de sa grand-mère et ceux qu'Elena lui raconte à son tour.

— Alors, qu'est-ce que c'est ?

Elle s'est lassée d'attendre et lui agite maintenant sous le nez une fiole pleine d'essences. Ce n'est pas une simple réponse, ce qu'elle réclame d'elle. Elle désire autre chose. Une chose qu'Elena n'a aucune intention de lui offrir.

— Romarin, thym, verveine.

Un autre coup.

Les larmes lui brûlent la gorge. Pourtant elle ne cède pas et, pour se donner du courage, commence à chantonner un petit refrain.

— Non, non. Ce n'est pas comme ça que tu trouveras le Parfum Idéal. Ne reste pas à l'extérieur. Entre, cherche-le... Il fait partie de toi, tu dois sentir ce qu'il te suggère, tu dois le comprendre, tu dois l'aimer. Essaie encore, et cette fois-ci concentre-toi !

Mais Elena n'aime plus les parfums. Elle ne veut pas voir les prés le long du fleuve où sa mère l'emmenait quand elle était petite, à peine en dehors du village. Elle ne veut pas entendre le bruit de l'herbe tendre qui pousse, ni celui de l'eau qui coule. Elle ne veut pas sentir les yeux des grenouilles qui la fixent de sous les roseaux.

Elle ferme de nouveau les paupières et serre les dents, décidée à tout garder en dehors d'elle. Mais dans ce noir à peine piqueté de clarté explose une étincelle.

— Le romarin est blanc.

Les yeux de sa grand-mère se dilatent.

— Oui, murmure-t-elle, et l'espoir fait briller son regard. Pourquoi ? Dis-moi ce que tu en sais.

Elena ouvre la bouche, laissant les émotions se déverser en elle, remplissant son esprit et son âme.

Le romarin est une couleur à présent. Elle la sent sur le bout de la langue, cette couleur qui se répand sous sa peau, provoquant de longs frissons. Le blanc change, devient rouge, puis violet.

Elle entrouvre les yeux, épouvantée.

— Non ! Je ne veux pas ! Je ne veux pas !

Sa grand-mère, pétrifiée, la regarde s'enfuir. Le visage sombre, elle secoue la tête et se laisse tomber sur un tabouret. Après avoir poussé un long soupir, elle se relève et ouvre les volets.

La lumière lasse du soir pénètre à l'intérieur du laboratoire qui appartient aux femmes de la famille Rossini depuis plus de trois siècles.

Lucia rejoint le buffet en bois massif qui occupe le mur entier. Elle sort la clef de la poche de son tablier et la glisse dans la serrure. Tandis qu'elle déverrouille la porte du milieu, un léger arôme d'herbes sauvages se mêle à la senteur de vanille présente dans la pièce et un frais parfum d'agrumes s'y ajoute, quelques instants plus tard.

Entourée de cette symphonie d'odeurs contrastées, la femme caresse les volumes rangés devant elle, puis en choisit un, avec calme. Elle le serre un moment contre sa poitrine et, après s'être assise à la table de bois poli, elle l'ouvre, le feuilletant avec soin. Ses doigts courent sur les pages jaunies par le temps comme ils l'ont fait d'innombrables autres fois à la recherche de la trace du Parfum Idéal.

Là encore, il semble que Lucia cherche quelque chose. Mais il n'y a rien dans cette écriture régulière qui puisse l'aider à expliquer à sa petite-fille que le parfum est quelque chose qu'on ne choisit pas.

Le parfum est le sentier. Le parcourir signifie trouver l'âme qui est la vôtre.

1

Musc de chêne. Intense, pénétrant, ancestral. C'est le parfum de la constance et de la force. Il chasse la déception qui pèse sur l'âme quand la conscience de votre erreur filtre dans les certitudes illusoires. Il atténue la nostalgie de ce qui pouvait être et n'a pas été.

Elle était sèche, cette odeur qui s'élevait de l'Arno. Elle sentait la farine moisie, écœurante comme la déception qu'éprouvait en cet instant Elena Rossini.

Devant elle le fleuve coulait avec peine, tari par un été de sécheresse, où la pluie s'était bien rarement montrée.

— Il n'y a même pas d'étoiles, murmura-t-elle pour elle-même, après un long regard vers le ciel.

Cependant un rai de lumière éclaircissait de temps en temps la nuit tiède de septembre, brillant sur la surface chromée des cadenas d'amour accrochés aux grilles du parapet.

Elle étendit la main et effleura l'un de ces objets qui représentaient pour les amoureux de véritables pactes à confier à l'éternité.

Matteo avait choisi un gros cadenas robuste, l'avait fermé devant elle et avait jeté la clef dans le fleuve. Elena se souvenait encore du goût du baiser qu'il lui avait donné juste après, avant qu'il lui demande de venir vivre avec lui.

Elle se raidit.

Maintenant il était devenu son ex-fiancé... ex-associé, ex tant de choses.

Elle serra étroitement les bras autour de son buste, chassant un frisson, et se mit à marcher. Avant de s'éloigner définitivement en direction du piazzale Michelangelo, elle lança un dernier regard à la rangée de ces espérances d'amour. Il y aurait bientôt un nouveau cadenas. Un nouveau, d'un modèle inédit, doré, si elle connaissait bien son ex.

Matteo et Alessia... c'était le nom de la femme qui avait pris sa place. Celle qu'Elena avait stupidement prise pour une amie. Un instant, elle les revit ensemble, l'un incliné sur l'autre, dans une posture sans équivoque...

Quelle idiote j'ai été, se reprocha-t-elle.

Elle aurait dû comprendre. Mais Matteo semblait toujours le même, il n'avait pas changé vis-à-vis d'elle. Et cela la mettait en rage. Il avait été injuste. Il ne lui avait donné aucune chance.

Elle pressa le pas, tentant de laisser derrière elle la scène qui s'était présentée à elle ce matin-là. Mais c'était inutile, car elle ne faisait que lui revenir à l'esprit, comme une image tournant en boucle.

Elena était entrée dans le petit restaurant qu'elle tenait avec Matteo. D'habitude, il était en cuisine à cette heure-là, à organiser le menu. Mais, quand elle avait ouvert la porte, elle s'était trouvée devant un spectacle qui l'avait paralysée. Le choc l'avait obligée à se retenir au chambranle, ses genoux ne la soutenant plus.

Alessia et Matteo avaient bondi en essayant de se couvrir comme ils pouvaient.

Ils s'étaient regardés, effarés tous les trois. Le silence n'était rompu que par la respiration haletante des deux amants.

Elena était restée immobile, incapable de proférer un mot. Puis, tout doucement, les pensées étaient parvenues à se frayer un chemin dans la confusion de son esprit.

— Mais qu'est-ce que vous faites, vous êtes dingues ? avait-elle crié.

Elle devait se repentir plus tard de cette question idiote. La réponse n'était que trop claire. L'évidence aurait frappé même la femme la plus myope, et elle y voyait parfaitement. Et entendait tout aussi bien.

Matteo, qui au départ lui avait paru surpris, s'était mis en fureur. Il ne s'était même pas donné la peine de nier. Il n'y avait eu aucun « ma chérie, ce n'est pas ce que tu crois ». Aucun « je vais tout t'expliquer ».

— Qu'est-ce que tu fais ici ? Tu ne devais pas être à Milan ? avait-il éructé.

Cette réaction l'avait désarçonnée. Était-ce à elle de se justifier ? Elle s'était sentie mal, voilà pourquoi elle était rentrée. Sans toutefois prévenir.

— Comment as-tu pu me faire ça ?

Autre phrase à ne pas dire.

Silence, embarras, impuissance... Les mots n'avaient jamais été son fort et en cet instant ils s'étaient évaporés. Alors, elle avait détaché de lui son regard, le fixant sur Alessia, comme si celle-ci avait pu lui expliquer l'évidence. Elle aurait voulu la frapper, la piétiner de toutes ses forces. Comprenait-elle ce qu'elle venait de faire ?

Matteo était son compagnon depuis plus de deux ans. Ils devaient se marier, un jour ou l'autre. Non qu'il le lui ait explicitement demandé, mais n'habitaient-ils pas ensemble ? Elena n'avait-elle pas investi une grande partie de ses économies dans ce maudit restaurant ?

Et maintenant, ses rêves, ses projets. Envolés... tout était fini !

— Ne le prends pas comme ça, ça ne sert à rien. Ce sont des choses qui arrivent...

Des choses qui arrivent ?

C'est alors que son indignation avait atteint son comble et, au lieu de finir à genoux, cassée par la trahison, elle s'était sentie envahie par une rage folle qui avait brusquement flambé.

Un instant plus tard, une poêle volait droit vers le couple qui avait couru se réfugier derrière la table. Le bruit du métal contre le sol avait signé la fin de toute l'affaire.

Elena s'était détournée, s'éloignant de ce qu'elle avait cru être son avenir.

Un rire, non loin d'elle, l'arracha à ses pensées, faisant affleurer une réflexion douce-amère, à peine un souvenir, qui cependant lui procurait un petit sentiment de satisfaction.

Matteo Ferrari n'avait jamais plu à sa grand-mère Lucia.

Elle, en revanche, l'avait immédiatement adoré. Elle avait fait tout son possible pour le satisfaire. Rien ne devait compromettre leur relation. Les histoires insignifiantes, les liens privés de sens ne lui convenaient pas, ne l'avaient jamais intéressée. Matteo était ce dont elle avait besoin. Elle voulait viscéralement une famille, des enfants. C'était la raison pour laquelle, en définitive, elle l'avait choisi et avait tout fait pour maintenir sur pied leur couple sans jamais se plaindre.

Mais il l'avait tout de même trahie.

En dépit de son engagement, en dépit de tous ses efforts, le résultat avait été plus que décevant.

Un véritable désastre.

Il y avait beaucoup de monde dehors cette nuit-là. Le centre historique de Florence allait dormir à l'aube. Les places étaient pleines d'artistes, d'étudiants et de touristes qui s'arrêtaient pour bavarder sous les lumières des réverbères, ou dans un coin plus sombre mieux adapté à d'autres genres de rencontres, nettement plus intimes.

Elena marchait en se laissant aller aux souvenirs, plongée dans les odeurs familières du quartier Santa Croce. Elle connaissait chaque infime accident de terrain de ces rues, chaque pierre émoussée par des siècles de pas. Les profils des maisons se découpaient devant son regard fatigué. Les enseignes des magasins brillaient dans l'obscurité. Rien ne semblait changé. La sensation de plaisir qu'elle éprouvait à revoir ces lieux était si curieuse qu'elle en resta presque stupéfaite.

Un an, pensa-t-elle, ça faisait plus d'un an qu'elle n'était pas retournée dans la maison de sa grand-mère. Elle n'y avait plus mis les pieds après sa mort.

Et cependant ç'avait été là son monde pendant longtemps. Elle avait été au collège puis au lycée chez les religieuses, *via* della Colonna, à deux pas de la maison des femmes Rossini. De ces fenêtres, elle avait regardé jouer les autres petites filles.

Aucune d'entre elles ne savait rien des parfums. Elles n'avaient même jamais vu un alambic, et n'imaginaient pas que le gras absorbait les odeurs. Essence, concrète, absolue ou mélange étaient des mots privés de signification pour elles.

Mais elles avaient toutes un père et une mère.

Au début, elle les avait ignorées. Puis elle s'était mise à envier leur monde ordonné, à désirer en faire partie. Elle voulait être comme elles.

Les parents de ses camarades d'école avaient toujours été très gentils avec elle : cadeaux, invitations. Il n'y avait pas eu une fête où elle n'ait été conviée. Et cependant leurs sourires étaient fuyants. Comme les choses à faire dont on se débarrasse. Comme les devoirs accomplis et oubliés.

Et alors elle avait compris.

Le goût amer de la honte l'avait éloignée, même des amies qui paraissaient ne pas faire attention à l'étrange maison où elle habitait et au fait que ce fût sa grand-mère qui assistait aux représentations de fin d'année, qui rencontrait les enseignants.

Il y avait d'autres enfants orphelins, naturellement... mais le hic, c'était qu'elle, en revanche, avait une mère.

Elle repoussa avec force ce souvenir. Cela faisait des années maintenant qu'elle n'y pensait plus. Pleurer sur elle-même... il ne manquait plus que cela !

Elle ravala son amertume et pressa le pas. Voilà, elle était presque arrivée.

Autour d'elle, les hauts murs de pierre des vieilles maisons semblaient l'accueillir et la réconforter. L'air était devenu froid, tandis que du pavé s'élevait une senteur âcre d'humidité. Elena la huma, en attendant le moment où elle allait s'unir à celle qui provenait de l'Arno.

L'odeur du passé, l'odeur des choses perdues.

Elle s'arrêta devant un portail massif. Elle introduisit une vieille clef dans la serrure et poussa. Elle ferma les yeux, un instant seulement, et se sentit tout de suite mieux.

Elle était revenue.

Et, bien que ce fût la seule chose sensée à faire, elle ne parvenait pas à ignorer son profond sentiment de défaite. Elle était partie décidée à changer de vie, et elle était de nouveau là, dans cette demeure qu'un jour, pleine d'espoir, elle avait laissée derrière elle.

Elle monta l'escalier en courant, évitant de regarder les deux couloirs sombres du rez-de-chaussée qui menaient à ce qui était autrefois le laboratoire et la boutique de Lucia Rossini. Elle se dirigea vers la salle de bains et, après une douche rapide, elle changea les draps et se glissa dans le lit.

Lavande, bergamote, sauge. Leur parfum flottait dans toute la maison, pénétrant, comme la solitude qui lui serrait le cœur. Une seconde avant de céder à la fatigue, il lui sembla sentir une main affectueuse lui caresser les cheveux.

Le lendemain matin, elle se réveilla comme toujours très tôt. Un instant, elle resta immobile, les yeux au plafond, le cœur battant. Elle avait laissé les volets ouverts, voilà pourquoi il y avait autant de lumière. Le soleil se répandait sur le sol et le lit. Mais ce fut le parfum de la maison qui l'atteignit dans la torpeur où elle était encore.

Elle se leva, parce qu'elle ne savait pas que faire d'autre. Elle descendit au rez-de-chaussée, s'assit à l'endroit qu'elle avait toujours occupé depuis qu'elle était enfant, derrière la grande table de bois poli. Et puis arriva le silence. Un sombre silence, oppressant. Elle s'agita sur sa chaise, mal à l'aise.

— Je pourrais allumer la télévision, murmura-t-elle.

Sauf que sa grand-mère n'en avait pas, elle l'avait toujours eue en horreur. Et, à dire la vérité, elle non plus n'en était pas fanatique. Elle préférait lire.

Mais tous ses livres étaient restés chez Matteo.

Elle regarda autour d'elle, désemparée.

Là, dans cette maison, tout lui était familier. Ces choses anciennes et étranges. Les assiettes suspendues au mur, les récipients de terre cuite émaillée dans lesquels sa grand-mère mettait les pâtes, les meubles que souvent, après avoir fait plein d'histoires, elle avait dû astiquer. Elle aurait dû se sentir moins seule, entourée de ces objets qu'elle aimait. Pourtant…

Elle se leva et, tête baissée, elle remonta l'escalier droit en direction de sa chambre. Elle allait appeler Jo, lui parler au téléphone et tout lui raconter. Matteo, ce salaud, et Alessia. Un beau couple, vraiment. Elle étouffa une imprécation. Puis, vu qu'elle était seule et qu'elle ne scandaliserait personne, elle commença à débiter une série d'injures. Elle attaqua doucement, puis avec plus d'assurance, elle se mit à crier. Elle hurla jusqu'à ce qu'elle se sente ridicule, et ne s'arrêta qu'à ce moment-là.

Un instant plus tard, assise sur le lit, elle composa le numéro de son amie. D'une main, elle s'essuya rageusement les yeux. Il ne fallait pas qu'elle pleure. Jo n'aimait pas les pleurnicheurs. Elle inspira deux ou trois fois, en comptant les sonneries.

Depuis quand n'avait-elle plus parlé avec Joséphine ? Un mois, pensa-t-elle, peut-être deux. Eh oui… elle était trop prise entre la gestion du restaurant et Matteo.

— *Oui** ?

— Jo, c'est toi ?

— Elena ? Comment vas-tu, ma belle ? Tu sais que j'étais justement en train de penser à toi ? Comment ça va ?

Elle ne répondit pas, serra dans sa main le portable et éclata en sanglots.

* Les mots suivis d'un astérisque sont en français dans le texte original.

2

Myrte. Semper virens, magique, merveilleusement beau. Intense et profondément aromatique. Rassure l'esprit, chasse la rage et la rancœur. C'est le parfum de la sérénité, de l'essence même de l'âme.

— Le parfum est émotion, c'est une vision que tu dois traduire en fragrance.

— Oui, *nonna*.

— C'est cela que nous faisons. C'est ce que nous avons à accomplir, petite. C'est notre devoir, et un privilège...

Elena baisse les yeux. Les mots de Lucia volent comme les notes délicates du jasmin, qui d'abord effleurent, apparemment inoffensives, et puis pénètrent, hypnotiques et puissantes. Elle ne veut pas les écouter, elle ne veut pas se perdre dans les rêves qu'elles évoquent, elle ne veut pas les suivre. Son cœur se met à battre fort et puis les couleurs se fraient un chemin en elle. Maintenant ce sont les parfums, ils deviennent un ciel plein d'étoiles lumineuses.

Il est facile de se perdre en eux, c'est beau. Ils la font sourire, ils la font se sentir heureuse.

Il n'y a pas de réalité, ou de devoir. Il n'y a rien qui ait d'importance, à présent... rien que les couleurs, rien que le parfum.

— Le parfum est un langage, nous parlons avec lui, petite. Souviens-toi, Elena, le parfum est vérité. La seule qui compte. On ne ment pas au parfum, il est ce que nous sommes, c'est notre essence.

Un bourdonnement strident pénétra dans le rêve d'Elena qui se dressa sur son lit d'un coup, ne sachant où elle était. Les derniers filaments du rêve s'évanouirent. Elle se passa les mains sur le visage, tout en reconnaissant les objets et le lieu où elle se trouvait. La charge de souvenirs tomba sur elle, implacable.

Ce fut un instant, un moment de détachement de la réalité durant lequel n'existaient plus le temps et l'espace. Puis elle entendit de nouveau la vibration du portable.

Elle bondit du lit, se prenant les pieds dans les draps entortillés autour d'elle. Agenouillée sur les lattes luisantes du sol, elle farfouilla au fond de son sac, le cœur sourdement battant.

— Où es-tu, merde, où est-ce que tu as bien pu passer ? bredouilla-t-elle, tandis que le contenu du sac se répandait au sol, roulant dans toutes les directions.

Enfin elle saisit le portable et l'ouvrit. Quand elle lut le nom sur l'écran, elle ferma les yeux, appuyant l'appareil sur ses lèvres, puis prit l'appel.

— Jo.

Sa voix était pâteuse de sommeil.

— Elena, mais qu'est-ce que tu fais ? Je suis ici depuis près d'une heure. Ne me dis pas que tu as oublié notre rendez-vous !

— Non, enfin… C'est juste que…

Elle fit une pause, puis soupira.

— Écoute, ça t'ennuie si on reporte ? Vraiment, aujourd'hui je ne me sens pas de sortir.

— Autant appeler tout de suite un prêtre et te faire enterrer. Tu sais, je vais finir par contacter ta mère si tu ne te bouges pas.

— Tu ne ferais pas ça ! Tu as promis de ne pas le faire, tu te rappelles ?

— Non, je ne me rappelle pas. Ce doit être l'air de Florence, le même qui t'a fait oublier notre rendez-vous de ce matin.

— Ça passera, Jo… J'ai simplement besoin de temps.

— C'est ça ! Rester seule à broyer du noir et à t'apitoyer sur ton sort améliorera sans aucun doute la situation ! Tu me désespères…

Silence, puis Elena fit une nouvelle tentative :

— Une autre fois, peut-être, ça te va ?

— Non, ce ne sera pas possible une autre fois, répliqua Joséphine. J'ai mon avion pour Paris ce soir, tu le sais très bien. J'ai besoin de toi maintenant. Tu avais promis de m'accompagner. Et puis ça ne pourra que te faire du bien. Au moins tu arrêteras de te traîner et de tourner en rond comme un fantôme à la recherche de sa tombe. Tu es où, là ?

— Chez ma grand-mère.

— Parfait ! Il faut moins de vingt minutes pour rejoindre la Stazione Leopolda. Je t'attends devant les grilles, dit-elle vivement avant de raccrocher.

Elena contempla le portable, puis se tourna vers la fenêtre à travers laquelle pénétrait un rayon de soleil qui semblait se scinder en milliers d'étincelles.

Peut-être Jo avait-elle raison, peut-être le moment était-il arrivé de recommencer à vivre. Sortir était une tentative aussi valable qu'une autre, et puis rester terrée dans la maison n'allait pas changer les choses.

Non qu'elle l'ait voulu, oh non. Il aurait été absurde de renouer une relation qui, maintenant elle s'en rendait compte avec lucidité, n'avait existé que parce qu'elle en avait décidé ainsi. Non... ce qui la dévastait était de se retrouver brusquement sans rien. Aucun projet, aucune ambition, aucune pensée, aucune certitude. À part le fait que son histoire avec Matteo était terminée, morte et enterrée.

Oui, sortir avec Joséphine n'était pas une si mauvaise idée, conclut-elle en se dirigeant vers la salle de bains.

Une demi-heure plus tard, elle faisait son entrée dans le préau de la vieille gare de Florence où se tenait maintenant Pitti Fragranze, la plus importante manifestation de parfumerie artistique internationale. Ça faisait longtemps qu'elle n'était plus allée dans cet endroit, le royaume des essences.

Joséphine la rejoignit, l'embrassa trois fois sur les joues et la traîna à l'intérieur du bâtiment. Elle portait une robe de soie noire, très simple, avec laquelle elle avait mis une paire de bottines vernies rouges. Grande et élancée, d'une beauté exotique, son passé de mannequin se devinait à sa démarche sinueuse et rapide, tandis que ses origines étaient toutes dans sa peau couleur caramel et dans une masse de petites boucles noires qui lui arrivaient jusqu'au milieu du dos. La dire belle était peu de chose.

Tandis qu'elles marchaient côte à côte, Elena observa ses tongs, sa jupe en jean et sa chemisette rose à fleurs. Triste tableau.

— J'ai déjà pris les billets. Et mets ça, lui ordonna Joséphine en lui tendant un badge.

— Narcissus ? demanda Elena après un coup d'œil au petit carton.

— *Oui*. Maintenant tu es mon... comment dit-on ? Mon assistante, voilà.

Eh, bien sûr ! Personne, en la regardant, n'aurait pu penser qu'elle ait quelque chose à faire avec Narcissus, l'un des plus prestigieux magasins parisiens de parfumerie artistique. Joséphine y travaillait maintenant depuis quelques années et était enthousiaste de cet endroit. La boutique la plus chic de Paris, comme elle disait toujours.

Justement, chic. Ce n'était pas un lieu où Elena se serait sentie à son aise. Elle s'habillait de façon simple et n'était en rien sophistiquée. Bien qu'elle ait eu presque vingt-six ans, elle était mince comme une adolescente, et ses grands yeux verts tranchaient sur sa peau très claire. Ses longs cheveux blonds accentuaient encore plus la pâleur de son teint. Son point fort, cependant, était sa bouche : peut-être un peu grande, mais quand elle se décidait à l'ouvrir en un sourire, elle devenait très belle.

Elle ne s'était jamais trop occupée de son aspect, elle aimait surtout le côté pratique ; et elle pensait avoir atteint un bon compromis avec elle-même en ce sens.

En cet instant, toutefois, elle se sentait dans une inadéquation profonde. L'une à côté de l'autre, Joséphine et elle étaient aux antipodes en fait de classe et d'élégance. Son amie semblait ne pas se rendre compte de ces détails, elle marchait à côté d'elle en lui montrant tel ou tel stand, la pressant de questions et écoutant avec attention ses réponses.

Elena regarda de nouveau autour d'elle et avec un certain soulagement remarqua d'autres personnes habillées de façon informelle. Rassurée, elle redressa les épaules et la tête. En fin de compte, ce qui comptait vraiment était l'allure, non ?

Elles venaient d'entrer dans le salon central quand Joséphine s'arrêta d'un coup, ferma les yeux et inspira profondément.

— Ce parfum a une âme, Elena, murmura-t-elle, et je la veux. Tu la sens ?

Bien sûr qu'elle la sentait. Tout le monde la sentait. Ils nageaient dedans, ils suivaient son sillage, chacun plongé dans une odeur spécifique, celle qui plus que toutes sollicitait sa part ancestrale, sa mémoire limbique. C'étaient des émotions distillées, un concentré d'action et de pensée tout ensemble. Elles évoquaient le passé de façon vive et immédiate, comme s'il était indemne du passage inexorable du temps.

Tandis que Joséphine se déplaçait parmi les stands divers séparés par des parois transparentes, Elena l'observait en silence. Alentour les parfums étaient intenses et pénétrants. Rapidement, malgré elle, elle commença à s'en laisser envelopper, à les analyser un à un, cherchant à deviner de combien de composants et desquels ils étaient formés. Cela faisait un moment qu'elle n'essayait plus, ou pour mieux dire, depuis longtemps, elle avait soigneusement évité de se laisser prendre par quoi que ce fût qui ait fait partie de ce monde qui était son passé. Mais là, maintenant, la tentation de les identifier devint très forte. Elle réfléchit et décida de donner suite à cet intérêt soudain. Elle élabora mentalement les composants, en déduisit la pyramide olfactive, l'analysa pour aussitôt la laisser de côté et passer tout de suite à une autre. Et elle se surprit à sourire.

Joséphine s'arrêta devant une composition de roses. Elena s'approcha sans pouvoir détacher le regard de ces pétales aux nuances uniques. Elle avait trouvé la source de son tourment et de sa joie : les roses centifolia – les roses cent-feuilles – de Grasse. Quand elle était enfant, le travail de sa mère Susanna l'avait entraînée dans le monde entier, mais la petite ville française était restée une étape fondamentale dans cette incessante pérégrination. Elles y revenaient tout le temps. Grasse, depuis toujours, renfermait l'essence même de la tradition du parfum.

Elena avait grandi dans la ville symbole du parfum, au milieu des laboratoires où étaient distillées les essences naturelles, petites boutiques artisanales fondées des siècles auparavant, ou encore dans les grands établissements ultramodernes où Susanna Rossini travaillait souvent. Quelles que fussent les dimensions des diverses structures, un mélange délicat ou pénétrant d'odeurs y flottait, selon la recherche du moment. Au printemps, la petite ville se transformait. Des couleurs partout, et des parfums. Chacun d'entre eux signifiait quelque chose, et tous étaient imprimés de façon indélébile dans sa mémoire.

Pour elle, les roses en étaient le symbole.

Elle tendit la main pour les effleurer. Elles étaient exactement comme dans son souvenir, avec leurs pétales soyeux au toucher et leur parfum délicat, enveloppant.

— Elles sont merveilleuses.

Dans la voix de Joséphine résonnait quelque chose comme de la déférence.

Elena se retrouva catapultée dans le passé.

Elle était à peine une petite fille et devant elle s'étendaient les immenses champs de roses centifolia qui entouraient Grasse. Du vert partout, et puis des boutons ivoire, rose pâle, rose soutenu, presque cyclamen. La fragrance qui émanait des fleurs était si intense qu'elle l'enveloppait complètement.

Sa mère avait lâché sa main et s'était avancée seule dans la roseraie. Elle s'était arrêtée presque au centre, les doigts dans les pétales, le regard lointain, comme l'était son léger sourire. Puis un homme était arrivé, il l'avait rejointe et, après un instant où ils s'étaient regardés dans les yeux, il lui avait effleuré le visage. Alors Susanna lui avait entouré le cou de ses bras et s'était abandonnée à son baiser. Quand enfin elle s'était tournée vers l'enfant en lui faisant signe d'approcher, le sourire de l'homme avait disparu, remplacé par une grimace.

Apeurée, Elena s'était enfuie.

C'était la première fois où elle avait vu Maurice Vidal, l'homme qui allait devenir son beau-père.

— En septembre, le parfum est différent. Il est plus concentré et porte avec lui l'odeur du soleil et de la mer.

— Le soleil ? Quel est le parfum du soleil, Elena ?

Elle ferma les yeux un moment, cherchant les mots justes.

— Il est sans limites, chaud, tendre. Il est comme un nid, un berceau accueillant. Il s'insinue, en laissant en même temps la plus grande liberté. Le soleil accompagne les parfums. Prends le jasmin, à l'aube son parfum est plus intense, différent de celui, léger, de midi, mais après le crépuscule, quand le soleil n'est plus qu'un souvenir, la fleur exhale son âme véritable. On ne peut pas les confondre, ce n'est pas possible.

Joséphine plissa le front, l'écoutant avec intérêt.

— Cette définition est extraordinaire... Cela faisait longtemps que je ne t'avais pas entendue parler ainsi d'un parfum.

Une sensation de danger se propagea sous la peau d'Elena, qui se sentit brusquement vulnérable. Son imagination avait pris le dessus sur la rationalité. Elle s'était laissé emporter par les souvenirs et les émotions. Une chose était de jouer avec le parfum, une autre de se faire posséder par lui : elle devait garder ça à l'esprit, elle devait être prudente.

— Allons-nous-en d'ici, Jo, viens, dit-elle en se dirigeant rapidement vers les larges portes vitrées ouvertes.

Un vertige l'obligea à s'arrêter. Qu'est-ce qui lui arrivait ? Était-il possible que ce soient les parfums ?

Elle était toujours parvenue à les tenir en respect... Elle avait vite appris à les ignorer, les reléguant à un rôle marginal. Depuis ses douze ans, c'est toujours elle qui avait décidé comment et quand leur donner de l'importance. Elle les avait aimés, craints, puis dominés.

Mais ce matin-là, elle s'en rendit compte, c'est eux qui avaient pris le dessus, l'emportant en arrière, l'obligeant à se rappeler, à regarder des choses qu'elle ne voulait pas voir. Ils la remplissaient d'émotions, ils étaient des mots qui lui murmuraient sa véritable nature, ils étaient des idées qu'elle ne voulait pas saisir. C'était comme autrefois, quand, enfant, le parfum circulait en elle et qu'elle l'avait pris pour un ami.

Joséphine la saisit par un bras.

— Ça va ? Tu as une tête à faire peur. C'est encore Matteo, hein ?

Elena essaya de retrouver le contrôle d'elle-même. Elle observa les hauts murs de pierre, en suivit les contours, s'attardant aux poutrelles d'acier. Ancien et moderne. Un assemblage qui pouvait sembler discordant mais qui en fait avait charme et caractère.

— Arrête de contempler les murs, je ne te laisserai pas tranquille tant que tu n'auras pas répondu.

Elena la regarda et émit un petit rire.

— On t'a déjà dit que tu avais tout d'un dogue ?

La jeune femme haussa les épaules et se tapota du bout du doigt la lèvre inférieure.

— Ça s'appelle avoir du caractère, *ma chère*. Donc, explique-moi ce qui te prend, tu es bizarre.

Un soupir balaya une partie de la tension entre les deux jeunes femmes.

— Ce sont les parfums… aujourd'hui je n'arrive pas à les supporter.

Joséphine, stupéfaite, éclata de rire :

— Tu plaisantes, pas vrai ?

Mais Elena ne souriait plus et ses yeux étaient embués et las.

— Écoute, lui dit Joséphine après une longue respiration, j'ai besoin de ta compétence. Il me faut un *nez*, ou quelque chose qui s'en rapproche le plus possible. Si je reviens à Paris sans une création vraiment originale, Grégoire… Les choses entre nous ne sont plus comme avant. Je voudrais le surprendre, je voudrais qu'il me respecte.

— Je ne suis pas un *nez*, Jo ! s'écria Elena en tentant de retenir la nausée qui montait de son estomac.

Son amie pinça les lèvres.

— Non, tu es bien plus. Tu ne te limites pas à sentir une essence, tu vois à travers elle. Le parfum n'a pas de secrets pour toi.

— Et tu crois que c'est un avantage ? s'exclama amèrement Elena.

Les mots lui échappèrent avant qu'elle ait pu les retenir, avant qu'elle ait pu les circonscrire et les cacher. *Nez* ou pas, Elena ne voulait pas que l'odorat gouverne sa vie. Il lui avait déjà pris son enfance, elle ne lui donnerait pas davantage.

De la rationalité : voilà ce qu'il lui fallait.

— Oui, ça le serait même si ton métier était de garder des moutons, répondit Joséphine, un brin exaspérée. Tu serais capable de flairer le loup. Mais il se trouve que tu es une parfumeuse, et même sacrément douée. Et tu connais suffisamment bien les parfums pour pouvoir m'indiquer quelque chose d'unique, une composition qui fasse réfléchir un bon moment mon patron, qui lui indique une nouvelle tendance. Quelque chose à ajouter à la production de Narcissus. Je ne plaisante pas. J'ai vraiment besoin de toi.

Elena regarda autour d'elle. Derrière elle, une brise légère transportait le parfum de Florence ; elle sentait les tuiles chauffées au soleil, les rêves et la tradition, les amours murmurées et l'espérance.

La jeune femme battit des paupières, inspira et sourit.

Elle n'était jamais parvenue à lui tenir tête. Jo lui donnait des ordres depuis que, petites, elles s'étaient défiées pour la première fois, courant les pieds dans l'eau des canaux de la campagne provençale, finissant par tomber l'une sur l'autre.

Elles s'étaient connues ainsi, au milieu des buissons de menthe sauvage, non loin des journaliers qui cueillaient les fleurs. Et depuis lors elles étaient toujours restées liées.

Joséphine l'avait emmenée chez elle. Jasmine, sa mère égyptienne, les avait grondées, séchées, embrassées, et puis, devant une tasse de thé au gingembre et une assiette de biscuits, les avait mises en garde contre les pièges qui se cachaient dans ces canaux. En fréquentant la maison de Jo, Elena avait découvert ce que signifiait avoir une vraie famille. Son amie lui avait donné accès à cette chaleur maternelle et à cette sérénité dont Jasmine disposait en abondance. Elle avait réussi à la faire se sentir une fille de la maison, une sœur.

— Alors, tu m'aideras ?

— Sincèrement, je ne comprends pas en quoi je pourrais t'être utile. Tu connais chaque étape de la création d'un parfum et tu en as produit d'extraordinaires.

Joséphine serra les lèvres.

— Arrête, nous savons toutes les deux que mes parfums sont simples, bien adaptés et populaires. Le meilleur était à peine passable. Mais toi, toi tu es un génie.

— C'est ça, bien sûr ! Un génie qui n'a même pas réussi à couvrir les dépenses...

— Ne sors pas la vieille histoire du magasin de ta grand-mère, l'interrompit Joséphine. Tu as fermé la parfumerie parce que tu es la personne la plus têtue que je connaisse. Et si tu avais suivi ton instinct au lieu d'appliquer les règles surannées de Lucia, les choses se seraient passées autrement, et tu le sais. Je ne comprends même pas comment tu as pu laisser voix au chapitre à Matteo et tenir compte de ses élucubrations. Ce type-là, il pouvait tout au plus t'apprendre à dresser une table. Tu n'as jamais rien décidé sur la gestion de la boutique, tu l'as subie, voilà. Mais tu restes malgré tout un *nez* incroyable. Les parfums que tu as créés pour moi et pour ma mère étaient vraiment uniques. Ils le sont encore. Et c'est ça que désirent les gens : un parfum hors du commun.

— Tu sais les mêmes choses que moi, répliqua Elena avec obstination. Nous avons fait les mêmes études, nous avons la même préparation.

Elle alla devant une table métallique sur laquelle était alignée une série de flacons de tailles variables. Le cristal semblait s'animer sous la lumière froide qui se déversait sur les formes géométriques.

— Peut-être, mais moi, je n'ai pas été élevée dans une boutique d'herbes médicinales. Je ne descends pas de générations de parfumeuses. Et ça fait toute la différence du monde.

Oui, c'était ça la différence entre elles.

Joséphine avait eu une enfance normale : des parents présents, un frère, deux sœurs, l'école, la maison, l'université, des petits amis, et pour finir un travail qui lui plaisait. Elle avait pu choisir.

Elena aussi, en un certain sens. Elle avait choisi la voie la plus simple, celle de l'obéissance. Elle avait fait tout ce que lui avait demandé sa grand-mère, dans les limites du tolérable. Elle avait étudié la parfumerie et s'était appliquée avec assiduité. Mais, en silence, elle avait commencé à nourrir de la rancœur à l'égard du parfum. Et elle avait fini par cultiver ce rejet comme on le fait des grandes déceptions. Avec acharnement. En lui attribuant la responsabilité de tous ses problèmes.

— Tu sais ce qu'ont été les derniers mots de ma grand-mère ?

Elle attendit un moment, puis, encouragée par le silence de son amie, elle continua :

— *Suis le sentier, n'abandonne pas le parfum.*

— Lucia n'allait pas bien, à la fin, commenta Joséphine.

Elena esquissa à peine un léger sourire.

— Quels qu'aient été les ravages de sa maladie, elle est restée lucide jusqu'au bout. Ne va pas croire un seul instant qu'elle ait dit ou fait quelque chose qui n'était pas dans ses plans. C'était une obsession qu'elle avait. La même qui a frappé toutes les autres avant elle, ma mère comprise. Elles ont toujours mis le parfum avant tout le reste.

Elle fit une pause, puis chercha la main de son amie, la serra.

— J'ai fermé le magasin parce que je voulais une vie normale, des horaires réguliers, un homme à aimer, qui m'aurait aimée à son tour, et des enfants.

— Une chose n'aurait pas exclu l'autre...

Si !

La réponse explosa à l'intérieur d'elle-même. Le parfum n'était pas comme ça, était-il possible que même Joséphine ne comprenne pas ? Il était tout, ou rien.

Et elle le détestait. Elle le détestait parce qu'elle ne pouvait s'empêcher de l'aimer.

Et puis elle avait décidé.

Le parfum n'était pas conciliable avec la vie qu'elle avait choisi de mener avec Matteo. C'est pour cette raison qu'elle avait fermé le magasin. Tôt ou tard, le parfum l'aurait ensorcelée, comme il l'avait déjà fait avec les autres femmes de sa famille, compromettant ainsi ses plans pour l'avenir.

— Mais moi je ne voulais pas prendre de risques, répondit-elle.

— Il ne me semble pas qu'avoir renoncé à ce que tu es t'ait rendue heureuse.

Elena pâlit.

— Ce que je suis ?

Elle secoua doucement la tête.

— Non... tu te trompes, murmura-t-elle.

— Réfléchis... Depuis que tu as fermé le magasin et que tu es allée vivre avec Matteo, as-tu jamais été vraiment heureuse ? Tu as renié tout ce que tu sais et qui fait partie de toi pour poursuivre une chimère. Et tu es passée d'un extrême à l'autre... C'était ça la vie que tu voulais ?

Non, ça ne l'était pas.

— J'ai essayé. J'y ai cru et j'ai essayé ! s'exclama-t-elle.

Joséphine la regarda. Elle pinça les lèvres, puis sourit.

— Ce n'est pas ça que je t'ai demandé. Mais peu importe, maintenant arrêtons de parler de ces choses tristes et concentrons-nous sur ce que nous devons faire, parce que tu vas m'aider à trouver ce parfum pour Narcissus, pas vrai ?

— Oui, bien sûr, acquiesça mécaniquement Elena.

Mais ce que lui avait dit Joséphine continua à résonner en elle.

Elle avait vraiment renoncé à ce qu'elle était ?

3

Benjoin. Comme le grand arbre dont la résine sombre est extraite, il insuffle de la sérénité, de même que l'essence balsamique, dense et pénétrante, chasse l'angoisse et les préoccupations. Il permet à l'énergie spirituelle de trouver la force, il prépare à la méditation.

Le premier souvenir d'Elena était le soleil aveuglant de la côte d'Azur, le second une étendue illimitée de lavande. Vert, bleu, rose, lilas, et puis blanc encore et encore... et puis il y avait l'obscurité de la boutique, celle où sa mère travaillait penchée sur les tables couvertes de flacons de verre et d'aluminium.

C'est en Provence que sa mère travaillait une bonne partie de l'année. Elles avaient là une maison. Et Susanna avait retrouvé un homme, son premier amour. Maurice Vidal.

C'est dans les champs fleuris qu'Elena avait appris les premiers rudiments de la parfumerie : quelles herbes cueillir, lesquelles destiner à la distillation, lesquelles transformer en *concrètes* dont tirer les *absolues*. Des pétales de toutes couleurs et dimensions volaient transportés par le mistral, ou encore descendaient comme de petites cascades roses des coursives sur lesquelles ils étaient conservés. Ensuite, les cueilleurs les entassaient dans de grands silos pouvant contenir des centaines de kilos de fleurs qui, une fois pleins de pétales, étaient fermés. Alors commençait le travail ou, comme on les appelait dans le jargon des parfumeurs, « les lavages ». La concrète était ce qu'on tirait de ce procédé : une substance cireuse, concentrée, extrêmement parfumée. Enfin un dernier lavage à l'alcool la transformait en absolue, la séparant de la partie impure.

Chaque moment de ces diverses phases était imprimé dans son esprit d'enfant comme une image nette. Dans son existence solitaire, le parfum était devenu le langage à travers lequel elle pouvait communiquer avec sa mère silencieuse, qui la prenait toujours avec elle, mais lui parlait rarement. Elena aimait contempler le parfum liquide, elle adorait sa couleur. Certains conteneurs étaient aussi petits que sa main, d'autres en revanche étaient si grands qu'il fallait l'aide de Maurice pour les soulever.

Maurice était grand et fort. C'était le propriétaire du laboratoire et des champs, et il adorait Susanna. Autant qu'il détestait sa fille.

Elena le savait parce qu'il ne la regardait jamais. Elle était l'enfant d'un autre.

Elle ignorait ce que cela signifiait précisément, mais il s'agissait assurément d'une vilaine chose. Qui avait fait pleurer sa mère.

Un jour, elle était rentrée chez elle pour prendre son goûter et elle avait entendu sa mère se disputer avec Maurice. Ça se produisait souvent, elle n'y avait pas fait attention au début. Elle avait pris un biscuit et allait retourner jouer, quand elle avait pensé en prendre un autre pour Joséphine.

— C'est le sosie de son père, hein ? Avoue-le... elle ne te ressemble en rien. Je n'arrive même pas à la regarder. Comment peux-tu me demander de la garder avec moi ? Avec nous ?

Alors Elena s'était arrêtée. L'estomac brusquement noué. C'est le ton de la voix de l'homme qui l'avait retenue. Maurice parlait à voix basse, comme on fait avec les secrets. Mais elle l'avait bien entendu.

Elle était revenue sur ses pas. La porte de la chambre à coucher était ouverte. Maurice était assis sur une chaise, la tête penchée, les mains dans les cheveux.

— Que veux-tu que je fasse ? Quand je suis revenue avec elle, tu as dit que tu te fichais du passé, que tu voulais tout recommencer. Essaie de comprendre. C'est quand même ma fille.

Oui, elle était sa fille. Susanna avait prononcé ce mot d'une façon étrange. Était-ce parce qu'elle pleurait ? Elle n'aimait pas ces mots, avait pensé Elena. Ils lui irritaient la gorge et les yeux.

Maurice s'était levé d'un bond.

— Ta fille ! La tienne, et celle de qui ? Qui est son père ?

— Personne, je te l'ai dit mille fois. Il ne connaît même pas son existence.

Maurice avait secoué la tête.

— Je ne le supporte pas, Susanna. Je te l'ai promis, je sais, mais je n'y arrive pas.

À cet instant, il s'était aperçu de la présence d'Elena.

— Qu'est-ce que tu fiches ici ? lui avait-il hurlé.

Elena, incapable de dire un mot, avait reculé, puis était partie en courant. Elle avait seulement un peu pleuré en retournant vers chez Joséphine. Puis elle s'était bien séché le visage. Pleurer ne servait à rien. Son amie le lui répétait souvent, et c'était vrai. La douleur restait là, dans la gorge. Mais se confier, ça oui, cela pouvait aider.

Et tout en parlant avec Jo elle avait compris que Maurice s'était trompé. Elle n'avait jamais eu de père. Peut-être devait-elle le lui dire, comme ça les choses iraient mieux.

Mais quand bien même elle avait essayé les jours suivants, le regard sévère de l'homme lui faisait peur. Les mots s'étaient refusés, restant enfermés dans sa bouche, incapables de sortir, collés à sa langue. Alors elle avait pensé à un portrait de famille.

Elle avait eu besoin de la feuille entière parce que Maurice était très grand, mais elle était parvenue à l'y faire entrer. Les voici, tous les trois ensemble : lui, Susanna, et elle-même au milieu, entre eux deux... elle les tenait par la main. Il n'y avait aucun autre papa. Et ils étaient heureux.

Un jour que Maurice était vraiment très fâché, Elena avait décidé de lui offrir le dessin pour lui faire plaisir. Elle avait ignoré cette expression sombre qui l'intimidait, s'était armée de courage et lui avait donné la feuille. Lui l'avait prise sans rien dire, puis après un coup d'œil rapide avait reporté son attention sur elle, le visage contracté de fureur.

Instinctivement, Elena avait reculé, les paumes moites, les doigts refermés sur le tissu de sa robe.

Maurice s'était tourné vers Susanna qui était en train de préparer le dîner, en brandissant la feuille.

— Tu crois peut-être que ce truc résoudra les choses entre nous ? avait-il demandé, parlant bas, presque dans un murmure. La petite famille parfaite... Toi, moi et la fille de... de ce type ? Tu te mets à utiliser la gamine pour me convaincre, maintenant ?

Susanna avait fixé le dessin, puis avait pâli.

— C'est juste un dessin, arrête, lui avait-elle répondu avec un filet de voix.

— Tu sais parfaitement ce que j'en pense ! avait-il crié en froissant la feuille avant de la jeter dans un coin. Pourquoi diable ne veux-tu pas comprendre ?

Le sanglot d'Elena avait brisé le silence pesant qui était descendu sur eux.

Comme s'il ne s'était rendu compte qu'à ce moment-là de ce qu'il avait fait, Maurice avait regardé la petite, puis, lentement, avait ramassé la feuille, la lissant de ses doigts.

— Tiens, lui avait-il dit en la lui tendant.

Mais elle avait secoué la tête. Maurice avait posé le dessin sur la table, avait haussé les épaules ; et brusquement il avait éclaté de rire.

Si elle y mettait du sien, si elle se concentrait, Elena parvenait à se rappeler encore, après tant d'années, ce son violent et forcé.

Susanna était intervenue et l'avait envoyée jouer chez Joséphine. Au moment où elle sortait, Elena avait entendu le début de la dispute et alors elle s'était mise à courir. Jasmine avait essuyé ses larmes en l'assurant que Maurice n'était pas arrivé à comprendre ce qu'elle avait dessiné. Les adultes ne comprenaient pas toujours tout et avaient peur. Après, elle l'avait prise par la main et reconduite chez elle.

Maurice n'était plus là, Susanna avait les yeux rouges et gonflés. Jasmine avait préparé le thé et leur avait tenu compagnie jusqu'à une heure avancée de la nuit. Le matin suivant, Susanna avait fait leurs bagages et elles étaient parties. Elles étaient restées loin tout le printemps. Puis elles étaient revenues.

Elles revenaient toujours, et Maurice était là. Et là, pour la première fois, Elena avait senti l'odeur de la haine. Froide, comme l'odeur d'une nuit sans étoiles quand il a plu et que le vent continue à siffler.

L'odeur de la haine fait peur.

Quelques mois plus tard, Elena avait eu huit ans. En automne, elles étaient parties une fois encore, et elle était restée à Florence avec sa grand-mère.

— Celles-ci me plaisent, dit Elena, brisant le fil du souvenir.

Les bouteilles de cristal brillaient sous les spots, elles étaient originales, pleines d'arêtes vives et de caractère.

— Non, trop carrées. Grégoire veut quelque chose de plus harmonieux.

— Mauvaise réponse ! L'harmonie est un concept subjectif et ne crée pas la tendance. S'il y a quelque chose de nouveau à quoi tu aspires, tu dois dépasser ça. Tu dois oser, Jo.

— Que choisirais-tu, toi ?

— Moi ?

— Oui, toi, Elena ! Bon, tu sais ce qu'on va faire ? On se sépare une petite heure pour chercher chacune de notre côté un parfum. Ça doublera mes chances auprès de Grégoire. Et ensuite on va bruncher au Four Seasons ! Et tu me feras le plaisir d'effacer cette tristesse de ton visage. Allez, allez... tu as perdu un mec, la belle affaire. Tu as idée du nombre d'hommes qui feraient des folies pour toi si seulement tu le voulais ? Un tas ! Une file entière d'hommes !

— C'est ça, bien sûr !

Elena soupira, elle se sentait comme vidée. Elle n'avait même pas l'énergie de se mettre en colère contre Jo, et puis, pourquoi ? Le tact n'avait jamais été le point fort de son amie, elle le savait bien. Enfant aussi, elle lui avait toujours dit ce qu'elle pensait sans jamais se préoccuper des conséquences.

— Tu veux vraiment que nous y allions séparément ?

Elle éprouvait soudain le besoin d'être seule. Cette trêve lui paraissait presque irréelle.

Joséphine fit une grimace.

— Je ferai semblant de n'avoir pas entendu ce ton plein d'espoir ! s'exclama-t-elle. Allez, vas-y, rassemble tes idées et essaie de te calmer. Mais souviens-toi que je veux ce parfum. C'est une question de vie ou de mort ! Vite, vite ! On se retrouve dans une heure.

Elena n'avait fait que quelques pas quand elle se rendit compte qu'elle n'avait pas la moindre idée de ce que voulait Grégoire. Elle savait tout juste que c'était le propriétaire de Narcissus, le magasin dans lequel travaillait Joséphine, qui appartenait à une ancienne et illustre famille de parfumeurs, et que son amie avait eu avec lui une brève et intense liaison. « Le meilleur coup de ma vie », lui avait-elle confié.

Elle se retourna et la chercha dans la foule. Protégés par de hauts murs de pierre, surmontés d'une armature de poutres d'acier et de bois, les stands étaient pleins de gens occupés à contempler avec curiosité ces lieux saturés d'odeurs. Les diverses essences se mélangeaient entre elles, créant une seule et persistante harmonie qui variait selon la distance entre les présentoirs. Elena ne parvenait pas à voir son amie, jusqu'à ce qu'elle la découvre à côté d'une énorme orchidée, une *Phalaenopsis* blanche, devant une table recouverte de bouteilles de cristal. Tout en la rejoignant, elle observa les liquides contenus dans ces flacons luxueux. Les diverses nuances allaient du rose pâle aux tonalités variées de gris opalescent, jusqu'au jaune ambre le plus vif.

— Jo, tu ne m'as pas dit précisément ce que désire Grégoire, fit-elle après s'être arrêtée à côté d'elle.

La jeune femme se tourna à peine, les doigts autour d'une bouteille carrée, aux formes lisses et aux angles nets.

— Non, c'est vrai. Mais peu importe, lui répondit-elle en reportant son attention sur le petit chef-d'œuvre de cristal, le parfum n'est pas pour lui. Grégoire désire une fragrance nouvelle, énergique, qu'il puisse insérer dans son catalogue et vendre chez Narcissus. Il veut créer une tendance capable de satisfaire les femmes dynamiques de Paris, rien de trop attendu et en même temps quelque chose empreint de féminité et d'harmonie.

— Bref... un truc de rien du tout, grommela Elena.

Joséphine lui sourit.

— Tu le surprendras, enfin *je* le surprendrai. Je m'accorderai tout le mérite, vu que tu n'en as rien à faire !

— Si c'est une façon de me faire prendre en considération l'idée de retravailler dans les parfums, je t'avertis, ça ne marche pas.

Et cependant, tandis qu'elle s'éloignait, marchant entre les divers présentoirs, effleurant les étuis et sentant l'énergie libérée par les divers arômes, Elena se rendit compte que le malaise qui l'avait toujours accompagnée quand elle cherchait une nouvelle essence s'était dissipé. Ce n'était désormais que l'ombre d'une indisposition dans un coin de son esprit, présente mais indolore, comme une cicatrice ancienne.

Maintenant s'agitait en elle quelque chose de différent, un besoin qui la poussait à remplir ses poumons de tel ou tel arôme. Même la nausée avait disparu. Elle ne savait pas quand c'était arrivé : tout à coup, simplement, ce n'était plus. Il ne restait que cette espèce de nécessité. Elle était soudain pleine de curiosité. Elle voulait sentir, comme si c'était la première fois qu'elle humait une essence, comme si elle ne connaissait pas ce monde qui avait fait partie de sa vie depuis l'enfance. Cette excitation était presque ridicule. Ridicule et déplacée... mais Elena ne pouvait l'ignorer.

Ses certitudes venaient de s'écrouler, comme ses plans, si soigneusement conçus. Autant se laisser aller à l'instinct.

Elle se trouvait maintenant devant le stand d'une jeune parfumeuse indienne. Elle l'écouta, en restant à l'écart. La jeune femme avait des idées très claires. La description qu'elle faisait de ses parfums plut à Elena. Il y avait en elle à la fois la technique de qui connaît son métier à la perfection, et les mots simples capables de parler à l'imagination de qui s'était arrêté pour écouter.

Et parmi ces parfums exotiques elle découvrit celui qu'elle cherchait – d'abord une explosion de fleurs : patchouli, gardénia, jasmin, et puis un cœur épicé, avec des notes mystérieuses de clous de girofle et de coriandre. Enfin du bois, qui, en plus d'harmoniser la composition, la rendait crémeuse. Elle l'imagina sur sa peau et il lui sembla qu'elle s'y fondait, libérant élégance et raffinement. Et elle comprit que c'était le parfum voulu. Féminin, un brin frivole.

Elle ne savait pas s'il plairait à Grégoire, mais c'était comme si ce parfum lui parlait, lui racontait son histoire, les lieux où il était né, les femmes en saris turquoise, rouge et or pour lesquelles il avait été conçu, la ville moderne, la métropole qu'était devenu Delhi. Et s'il convenait à l'exotique capitale de l'Inde, Paris l'adorerait. Elle décida de l'écouter et l'acheta.

Le parfum dans son sac, elle continua à se promener dans les allées avant de rejoindre Joséphine. Bien sûr, la douleur des derniers jours restait là, mais, tandis qu'elles montaient dans le taxi qui allait les conduire au Four Seasons, elle sentait quelque chose frémir en elle, une sensation d'attente et d'excitation.

Et elle avait une faim de loup.

Bien plus tard, quand la nuit était déjà tombée sur la ville, Elena suivit du regard les lumières de l'avion qui ramenait son amie à Paris. Avant de se séparer, elles s'étaient promis de s'appeler bientôt. Et cette fois Elena avait l'intention de le faire.

4

Bergamote. Vive, pétillante, elle donne énergie et légèreté quand toute attente s'étiole sous le poids de la monotonie. Elle éclaire le chemin et aide à découvrir les solutions.

La maison du borgo Pinti appartenait depuis toujours à la famille d'Elena. On disait qu'elle avait été acquise grâce à un parfum hors norme, parti en secret de Florence pour la France. Son essence extraordinaire avait envoûté une femme, l'avait fait se sentir spéciale. Séduite, la dame avait accordé sa main et sa dot princière à l'homme qui le lui avait offert, le rendant immensément riche. La parfumeuse, à son tour, avait été somptueusement récompensée.

Voilà ce qu'on racontait. Voilà d'où venait la légende du Parfum Idéal.

On savait que celle qui l'avait créé était Beatrice Rossini, qui dans la première moitié du XVIIe siècle, alors que deux reines florentines se succédaient sur le trône de France, avait laissé sa ville pour accepter une commission particulière. C'était une parfumeuse exceptionnelle. Les dames les plus en vue de Florence espéraient être de ses clientes, peu nombreuses et bien sélectionnées. Pour chacune d'entre elles Beatrice avait conçu un parfum unique. Les nobles et les puissants se disputaient eux aussi ses faveurs. Tous désiraient se distinguer, avoir une odeur à nulle autre pareille, digne de leur grandeur.

Sa renommée était si étendue que souvent Beatrice devait partir pour rejoindre la cour de quelque prince qui réclamait ses services. On disait que durant l'un de ces voyages elle avait créé un parfum si merveilleux qu'il était resté gravé pour toujours dans les souvenirs et l'imagination de ceux qui avaient eu le privilège de le respirer. Il conquérait tout de suite, il était brillant comme une étoile lumineuse, équilibré comme la plus pure des eaux parfumées, simple comme le souffle du vent. Ses notes créaient une harmonie irrésistible, et délicate à la fois. Il était persistant et sensuel. Un arôme différent de tout ce qui avait existé jusque-là.

Quand elle était revenue à Florence, riche comme peu d'autres femmes, Beatrice n'avait voulu rien dire à personne de cette création particulière qu'elle avait faite. Elle avait changé. Elle semblait absente, silencieuse. Elle avait cessé de fréquenter la cour, abandonné les fêtes, délaissé ses amis. À la grande déception de ses prétendants fortunés, elle avait épousé un garçon d'extraction modeste, dont elle avait eu une fille, Laura. Dans le contrat de mariage, le jeune homme lui avait concédé le privilège de garder son nom de famille et de le transmettre à ses héritiers.

Ainsi naquit-elle et resta-t-elle pour toujours Beatrice Rossini. Et depuis lors toutes les femmes de la famille allaient hériter de ce nom, comme d'une marque ancienne et prestigieuse.

Devenue veuve au bout de deux ans à peine, elle n'avait pas pris le deuil. Ça n'avait pas été nécessaire, la seule couleur dont elle s'était constamment vêtue depuis son retour de France avait été le noir. Satin, velours, dentelle d'Irlande, peu importait l'étoffe, pourvu qu'elle soit de cette teinte sombre.

Elle n'avait jamais révélé à personne le secret sur les origines de sa fortune. Elle ne s'était pas non plus remariée malgré les nombreuses propositions. Elle avait vécu en composant des parfums, en créant des savons et des crèmes pour qui désirait quelque chose de spécial.

Spécial comme ce parfum que quelquefois, durant les longues nuits d'été, dans la seule compagnie de son propre souffle, elle sortait d'un compartiment secret de son coffret à bijoux. Elle ne le humait pas, ni n'ouvrait la fiole d'argent. Jamais. Elle se limitait à le tenir sur son cœur. Et c'était aussi le seul moment où elle s'accordait le soulagement des larmes.

Le Parfum Idéal était la source de sa joie et de sa douleur.

Une nuit de décembre, alors que désormais ses magnifiques cheveux noirs s'étaient couverts de fils d'argent et que sa respiration se bloquait de plus en plus souvent, elle avait compris que son heure était venue. Elle avait alors demandé à sa fille, Laura, de lui apporter le coffret et, après avoir jeté de côté les bijoux, elle lui avait montré le parfum. Il lui fallait le faire. Car la formule du Parfum Idéal était une part du legs qui revenait à sa seule héritière. Mais la fatigue et l'émotion lui avaient été fatales. Elle avait attendu trop longtemps et elle était morte dans les bras de Laura, devant l'âtre, en se rappelant le passé, en lui parlant de son secret sans, en réalité, lui révéler toute l'histoire. Beatrice n'était pas parvenue à dicter la composition du parfum à sa fille, mais elle lui avait dit l'avoir cachée. Elle devait se trouver dans ses livres, parmi ses notes, parmi les choses qu'elle avait le plus aimées. Pour la trouver, il suffirait de suivre le sentier du parfum.

Mais Laura n'avait pas trouvé la formule, ni n'avait réussi à la recomposer à partir du peu de parfum resté dans la fiole. Beatrice avait laissé trop de formules à réaliser, trop de livres à lire, trop de douleur à affronter.

Après quoi, les autres parfumeuses de la famille Rossini avaient continué les recherches, poussées par la certitude que toutes les recettes des compositions avaient été rigoureusement transcrites, toujours. C'était là la règle numéro un, qu'on apprenait avant même de savoir que le parfum était un mélange d'extraits de fleurs, de bois et animaux, dilués dans l'alcool ou dans des substances huileuses. C'était un pacte, une promesse. Tous les parfums étaient enregistrés et conservés avec soin.

La formule se trouvait là, dans les archives. Elles en avaient toutes été intimement convaincues, mais c'était comme chercher une pièce de monnaie dans un coffre-fort rempli à ras bord.

Comment arriver à distinguer la formule que les Rossini cherchaient depuis toujours avec tant de passion parmi les milliers d'autres soigneusement conservées dans les archives de Beatrice ? Laquelle d'entre elles était celle du Parfum Idéal ? Il y avait des caisses pleines de papiers dans lesquels fouiller, avec notes, études, réflexions que chacune d'elles avait méticuleusement retranscrites. Et puis, naturellement, le journal.

Le destin de toutes ces femmes était resté solidement lié à cette recherche. Chacune, à sa façon, avait approfondi les études sur la parfumerie. Certaines avaient expérimenté de nouvelles alchimies, proposé des transitions audacieuses, osé ce qui aurait été défini par tout le monde comme folie, ou hérésie. Mais toutes savaient que les connaissances communes dont elles disposaient ne suffiraient pas à trouver ce qui avait été perdu.

Lucia Rossini, elle aussi, comme toutes celles qui l'avaient précédée, avait consacré son existence entière à la recherche du Parfum Idéal. Une année après l'autre, elle avait expérimenté les formules transcrites sur les papiers de Beatrice, sans succès : aucun de ces parfums ne lui semblait si extraordinaire. Se fondant sur ses propres connaissances et sur l'expérience accumulée par ses ancêtres, elle était persuadée qu'il y avait un moyen de sentir le parfum en lisant simplement sa composition. Elle-même, par exemple, arrivait à percevoir le résultat de l'union de deux essences ou davantage. Mais son talent était minime et n'aurait pas suffi à reconnaître le Parfum Idéal : sa formule était assurément très complexe.

Ses espoirs s'étaient alors concentrés sur sa fille, Susanna, mais la jeune fille n'avait pas la moindre intention de suivre le sentier. Elle était fascinée par les multiples possibilités qu'offraient les substances synthétiques, elle refusait la tradition et les enseignements de sa mère.

Et puis Elena était née.

À un certain moment de sa vie, quand le temps avait rigidifié ses doigts au point de ne plus lui permettre de déboucher les conteneurs des essences, Lucia avait décidé de transmettre ses connaissances à celle qui, elle en était convaincue, possédait la capacité et la passion, la profondeur et l'intuition nécessaires pour rendre vie au Parfum : sa petite-fille.

Et ainsi elle lui avait tout laissé.

Les murs de pierre et de briques cuites dans les fours de la vieille ville s'élevaient, sombres et massifs, sur trois niveaux. Au rez-de-chaussée, il y avait toujours eu la boutique, le laboratoire et la cour intérieure sur laquelle donnaient les pièces des étages supérieurs. Au premier, il y avait la cuisine et le salon, au second les chambres à coucher. La demeure n'avait pas beaucoup changé à travers les siècles, même les plantes aromatiques dans un coin du jardin étaient toujours les mêmes.

Il y avait aussi dans cette maison un atelier secret, car les Rossini étaient parfumeuses depuis l'époque où l'alchimie était l'extension naturelle de cette profession. Il se trouvait dans les sous-sols et personne n'y descendait plus depuis maintenant des décennies.

La maison était en excellent état, grâce aux matériaux de prix avec lesquels elle avait été construite : bois de navires trempés par les tempêtes et le vent marin, pierres creusées dans la roche, briques forgées par des températures infernales. Elle avait été témoin silencieux de naissances et de morts, de découvertes extraordinaires, de joie, de larmes et de sang. Et elle gardait son charme intact, son caractère et un petit piment de mystère.

Lucia Rossini avait vécu de parfums, le reste n'avait aucune importance pour elle. Un jour, elle avait accueilli un homme dans son lit, et ç'avait été là le lien le plus fort qu'elle ait jamais eu avec le monde extérieur. Quand Giuseppe Rinaldi était mort, elle avait élevé leur fille Susanna, lui enseignant tout ce qu'elle savait et conservant, comme le voulait la tradition, le nom de Rossini.

Mais Susanna n'avait rien à faire ni du nom illustre ni du Parfum Idéal. Elle ne partageait pas les ambitions de sa mère. Elle s'intéressait aux parfums et c'est tout. Elle voulait apprendre les techniques d'avant-garde, elle en avait assez de ces vieilleries que Lucia s'obstinait à lui proposer, de ces papiers poussiéreux. Le passé ne l'intéressait pas, seul le futur comptait pour elle. Alors elle était partie. Elle avait envoyé des cartes postales d'Alexandrie, d'Athènes, de Bombay, et à la fin de ce vagabondage elle s'était installée à Grasse, en France.

Un jour, bien des années plus tard, elle s'était présentée chez sa mère avec une petite fille.

— Je ne peux plus la garder avec moi, avait-elle seulement dit.

Les deux femmes s'étaient longuement regardées, et puis Lucia avait ouvert grande la porte et pour la première fois avait souri à sa petite-fille.

— Viens, Elena, entre. Ici, ce sera désormais ta maison.

Mais l'enfant s'était agrippée à la jupe de Susanna, de toutes ses forces. Elle avait fermé les yeux et penché la tête. Il pleuvait fortement ce jour-là, c'était la fin novembre. Susanna portait un parfum d'amande, de violette et d'iris que Maurice avait élaboré pour elle. Un cadeau de mariage.

Depuis lors, Elena détestait la pluie.

À partir de ce moment-là, Lucia Rossini avait transmis toutes ses connaissances à cette enfant si silencieuse et réservée. Et bien que la petite fille n'ait eu que huit ans, elle s'était tout de suite montrée incroyablement réceptive. Elle avait un rapport extraordinaire avec les parfums, elle les maniait avec dextérité, elle savait doser les essences à la perfection. Elle entendait ce qu'ils disaient, les parfums, et en exprimait la substance en mots.

Pour la première fois, Lucia Rossini avait vu se concrétiser ses espérances. Cette enfant allait retrouver le Parfum Idéal, elle en était certaine ! Elle s'était donc consacrée corps et âme à sa formation. Pas de jeux stupides, pas de perte de temps pour elle. L'envoyer à l'école chez les religieuses en lui donnant la meilleure éducation possible était plus que suffisant.

D'ailleurs Elena n'était pas une petite fille comme les autres, elle était un espoir. Elle était *l'*espoir.

Les visites de Susanna à sa fille, au moins au début, avaient été régulières, puis intermittentes. Enfin, elles avaient complètement cessé.

Comme l'intérêt d'Elena pour le parfum.

Déconcertée, sa grand-mère l'avait interrogée sur les raisons qui avaient déclenché cet absurde refus, mais la petite fille était restée silencieuse. Plus tard, Lucia avait compris. Le problème était Susanna, ou plutôt... l'homme qu'elle avait épousé, ce Maurice Vidal qui ne supportait pas la vue de sa belle-fille, comme si la pauvre pouvait être responsable des erreurs de sa mère.

Lucia commençait à croire ce que Susanna lui avait dit quand, des années plus tôt, elle lui avait laissé Elena : « C'est pour son bien. »

Oui... il était possible que ce fût vraiment un bien pour la petite de rester loin de cet homme.

Les hommes ! Qu'on pût leur laisser tant de pouvoir était quelque chose que Lucia ne parvenait pas à comprendre. Mais Susanna avait toujours eu un faible pour ce Maurice qu'elle avait connu quand elle était étudiante... et pourtant elle aurait dû le chasser de sa vie à coups de pied et s'occuper d'Elena.

Peut-être le moment était-il arrivé de dire deux mots à cette fille irresponsable. Mais, si Susanna avait repris Elena, le projet qu'avait Lucia pour sa petite-fille, la recherche du Parfum Idéal, serait tombé à l'eau.

L'enfant était la seule à pouvoir le retrouver.

Et Lucia avait fait un choix.

— C'est mieux comme ça, lui avait-elle dit, en cherchant à la consoler. Il faut du temps et on doit avoir l'esprit libre pour arriver à sentir les parfums dans sa tête, pour les comprendre. La création est un moment très délicat. On ne peut se permettre un seul instant de distraction. Une goutte de trop et tout votre travail peut être compromis. Tu comprends, petite ?

Elena s'était essuyé les yeux et avait acquiescé. Mais le parfum n'était déjà plus son ami. Il était devenu douleur et défaite.

— Un jour, tu comprendras. C'est ton destin, lui avait assuré sa grand-mère en lui caressant les cheveux.

Seule chez elle à laver le vieux pavement de marbre de la boutique le lendemain du départ de Joséphine, Elena frottait une tache particulièrement obstinée et repensait au passé. Un épisode en particulier émergeait parmi ses souvenirs, et il lui semblait éprouver encore une souffrance intense au fond de sa poitrine. Encore froide, coupante.

Elle était grande maintenant, elle avait eu douze ans et durant tous ces mois passés elle avait élaboré un plan, un projet. Sa grand-mère disait continuellement que le parfum était le sentier, qu'il était vérité. Alors elle avait essayé d'un préparer un spécial, rien que pour sa mère. Elle voulait qu'il lui dise combien elle se sentait seule, comme il lui manquait ne serait-ce que de la regarder. Être avec sa grand-mère, c'était bien, mais fatigant. Tous ces noms à apprendre et ces choses à chercher dans les livres… et puis elle voulait sa maman et c'est tout. Un parfum pouvait expliquer ce qu'elle avait dans le cœur plus qu'aucune autre chose. Sa grand-mère le lui répétait sans cesse.

— Le message est dans le parfum.

Elle y avait mis de la tubéreuse. Cette fleur était blanche, comme les vêtements qu'aimait porter Susanna. Et puis Elena avait choisi le gardénia, humide et vert. Elle y avait ensuite ajouté cuir et bois, pour en atténuer la luminosité et la douceur fruitée. Dans cette composition, toutefois, il y avait quelque chose de discordant. C'était la douleur de l'abandon, c'était sa façon de demander à Susanna de la reprendre avec elle.

Elle avait élaboré ce parfum avec un soin extrême, en tenant compte de tout ce que lui avait appris sa grand-mère, puis l'avait mis dans une bouteille de cristal. Enfin les vacances de Noël étaient arrivées, et, la gorge serrée, elle avait attendu le moment où elle l'offrirait enfin à sa mère.

— C'est pour moi ? lui avait demandé Susanna. Un parfum ? C'est toi qui l'as fait, ma chérie ?

Elena aimait le son de cette voix. Un son léger et délicat. Peut-être parce que Susanna ne l'utilisait que très peu. Ce ton plein de gentillesse la faisait se sentir bien. Et depuis qu'elle était arrivée, la veille au soir, même Maurice avait été gentil. Peut-être allaient-ils la garder avec eux, cette fois.

— Oui, maman, je l'ai fait toute seule.

Alors Susanna l'avait ouvert avec précaution, humant son contenu. Elle l'avait essayé en souriant sur son poignet et avait acquiescé.

— C'est très réussi, ma chérie. Il me plaît, il est délicat et en même temps il a du caractère.

Il lui avait plu ! Le cœur d'Elena éclatait dans sa poitrine, elle ne parvenait plus à penser à autre chose. Alors, elle s'était approchée de Susanna. Un pas après l'autre, comme si elle craignait que ce moment parfait puisse s'évanouir. Mais Susanna continuait à sourire et à parler.

Le soleil qui pénétrait par les fenêtres illuminait le parquet lustré. Sa mère s'était assise sur le divan et avait mis le flacon de parfum au centre de la table basse, en continuant à la féliciter.

— Une composition originale, je n'arrive pas à reconnaître les notes de fond... Oh, mais ne me les dis pas, mon amour, je veux les deviner. Mais est-ce croyable, ma petite fille a fait un parfum rien que pour moi ! Maurice, viens voir, regarde ce qu'a fait Elena !

L'homme s'était approché. Il souriait, mais son regard était froid. Il avait saisi le flacon et après avoir reniflé l'avait remis à sa place.

— Tu ne devrais pas l'encourager comme ça. Il y a de grosses erreurs, les notes de tête sont dissonantes et pour finir, peux-tu me dire ce que tu penses de cet affaissement dans la structure ? Non, Susanna. Tu ne fais aucun bien à ta fille en lui donnant des illusions de cette façon. Ce n'est pas un bon parfum, et tu le sais. Arrête de te moquer d'elle.

— Mais qu'est-ce que tu dis..., avait murmuré Susanna. Elle n'a que douze ans !

Maurice s'était alors tourné d'un seul mouvement, cognant la petite table. Le flacon avait roulé sur la surface brillante, était tombé sur le sol. L'odeur s'était propagée dans la pièce, imprégnant l'air.

— Peu importe. Ce n'est pas son âge qui fait la différence. Seule compte la vérité, celle que tu n'as pas le courage de lui dire. Ce parfum est complètement raté, il ne vaut rien.

Un silence tendu était tombé sur eux, brisant les rêves d'Elena, réduisant en miettes ses espoirs.

— Ce n'est pas la peine de crier, avait répondu Susanna.

Puis elle s'était baissée et avait ramassé le flacon, l'avait fermé et s'était tournée vers Elena.

— Compromettre une composition en insérant des notes aussi audacieuses est une erreur très commune chez les débutants. Garde bien à l'esprit la pyramide olfactive et les familles de parfums. Pour oser, il faut des connaissances que tu ne possèdes pas encore. Quoi qu'il en soit, je te remercie. Tu as eu une très gentille pensée.

Elle s'était alors levée, était sortie de la salle de séjour et s'était enfermée dans sa chambre. Maurice l'avait immédiatement suivie. Le jour suivant, Elena était allée s'installer chez Joséphine et Susanna avait approuvé sa décision ; elle y avait transporté ses bagages.

Bien plus tard, Elena avait compris ce qui n'allait pas dans ce parfum. Il y avait en lui trop de douleur.

Par la suite, elle avait vu de moins en moins sa mère, et seulement pour les fêtes les plus importantes. Mais les rapports entre elles, à partir de ce moment-là, étaient devenus très formels. Par bonheur, Maurice avait fait en sorte de trouver toujours quelque occupation durant les brèves périodes qu'Elena passait à Grasse et elle-même arrivait à inventer mille prétextes pour partir s'installer chez Joséphine.

Elle n'avait pas encore dix-sept ans quand, dans le laboratoire où Susanna et Maurice étaient en train de travailler, une fuite de gaz avait provoqué une petite explosion. Sa mère avait presque atteint la porte, mais une grande flamme l'avait obligée à reculer vers la fenêtre. Le feu s'était propagé en quelques secondes, alimenté par les liquides hautement inflammables présents dans la pièce. Quand Maurice était parvenu à s'emparer de l'extincteur, l'incendie était déjà incontrôlable. Le laboratoire était complètement envahi par la fumée. L'homme avait alors pris sa femme dans ses bras et s'était jeté par la fenêtre. Cet accident lui avait valu des brûlures sur le visage et de graves lésions à la colonne vertébrale.

Elena soupira et s'essuya les yeux. Était-il possible que ces derniers temps elle n'ait fait rien d'autre que se rappeler le passé ? Le moment n'était-il pas venu de se préoccuper de l'avenir ?

Ce matin-là ses pensées tournaient en rond et elle finissait de toute façon par se retrouver devant une seule question : que diable allait-elle faire maintenant ?

Et elle ne songeait pas à une notion profonde comme le sens de la vie. Non, elle n'arrivait pas jusque-là. Sa préoccupation était pratique, immédiate.

Elle se redressa et regarda autour d'elle. Les murs de la boutique étaient hauts et sobres, en net contraste avec le plafond entièrement couvert de fresques. Des fleurs, une profusion de fleurs qui recouvraient la voûte entière, comme un pré suspendu à l'envers.

Les couleurs étaient fanées, le rouge des coquelicots n'était plus qu'un pâle vermillon, de même que la chaude tonalité de poudre des roses damascènes, presque indéfinissable, pour ne rien dire des petites lézardes qui ourlaient le bord des pétales. Le bleu des iris, le violet encore soutenu des anémones étaient eux aussi témoins du passage continu du temps. Sa grand-mère n'avait jamais permis que la Surintendance des Beaux-Arts y touche.

— Cela changerait l'odeur. Est-il possible que vous n'arriviez pas à le comprendre ? s'était-elle exclamée une fois, exaspérée par l'insistance du fonctionnaire de la Ville à vouloir faire mettre l'immeuble sur la liste de ceux à restaurer.

C'était vrai, l'harmonie des parfums qui animaient cette pièce se serait perdue pour l'éternité. Les vernis modernes auraient rendu à la peinture sa brillance originelle, une vraie joie pour les yeux. Mais qu'en aurait-il été du parfum de cet endroit, une fois contaminé ? La table en bois de cèdre aux pieds massifs, les délicates crédences marquetées qui contenaient les essences, la bibliothèque avec les livres aux reliures de cuir, l'armoire vénitienne où étaient conservés les divers ustensiles avaient toujours fait partie de ce lieu. Chaque objet portait avec lui son odeur spécifique et rien ne devait changer.

Il y avait une autre chose encore dans cette vaste pièce au sol de marbre. Elena la chercha du regard et la vit, là, comme une certitude. Elle se trouvait dans l'angle le plus reculé de la salle. Elena la rejoignit, l'effleura du bout des doigts.

Le cadre du paravent était écaillé, la soie dont il était tendu un peu fanée. Mais tout compte fait il était encore en bon état, juste un peu empoussiéré. Il était aussi haut qu'une porte et, ouvert, il se déployait, créant un coin protégé. Il était ancien, très ancien. On disait qu'il avait le même âge que la maison et qu'il avait appartenu à Beatrice Rossini en personne. Mais les légendes sur son ancêtre étaient trop nombreuses pour qu'on les prenne toutes au sérieux. Les origines du paravent importaient peu à Elena, elle aimait la sensation de chaleur et d'intimité qu'on éprouvait en s'y enfermant et l'odeur qui se dégageait de la soie. Autrefois, il avait servi de cloison de séparation pour les clients désireux de ne pas révéler leur identité. Et de temps à autre, quand l'atmosphère devenait insupportable, ou qu'elle avait commis quelque sottise, Elena en faisait son refuge.

Elle se surprit à le humer plus attentivement et avec surprise elle se rendit compte qu'émanait de lui la légère senteur d'un véritable parfum, comme si le paravent y avait été jadis plongé. Et probablement en avait-il été réellement ainsi. Dans la maison, il y avait d'autres objets anciens que ses ancêtres avaient soumis à des expérimentations pour tenter de conserver la persistance des fragrances. Dans le coffret d'acajou de sa grand-mère, dans la chambre à coucher de celle-ci, il y avait diverses paires de gants en cuir espagnol encore vaguement parfumés. Il y avait aussi des pantoufles, elles aussi confectionnées dans ce même matériau tombé en désuétude depuis des décennies, qui exhalaient une essence de rose bulgare. Et puis divers jeux de cartes, chacun avec une odeur spécifique et tous marqués d'un cachet.

Mais de tous ces objets bizarres son préféré restait le vieux paravent.

Il y avait aussi d'autres choses, en réalité, qui la surprenaient, comme cette sensation de confortable bien-être. Elle se sentait de retour chez elle. Et elle n'arrivait vraiment pas à se l'expliquer.

Cette maison n'avait jamais été la sienne. Elle ne l'avait jamais considérée comme telle. Il n'y avait jamais eu un lieu où elle s'était sentie à sa place. Jasmine avait été magnifique avec elle, chez elle Elena avait respiré de l'amour et avait été heureuse, mais elle avait également connu l'exacte mesure de ce qu'elle ne possédait pas. Ce petit immeuble ancien, lui, avait toujours été la maison de sa grand-mère, pas la sienne. Elle n'y était revenue que parce que, après sa séparation d'avec Matteo, elle n'avait pas d'autre endroit où se réfugier. Mais elle ne l'avait pas fait avec plaisir.

Et puis, presque traîtreusement, la sensation de chaleur qu'elle avait éprouvée la première nuit s'était répétée.

Elle savait que tôt ou tard il lui faudrait faire le point avec elle-même, avec ces sensations qui étaient les siennes. Mais ce n'était pas le moment.

Matteo venait juste de lui rapporter ses affaires. Cinq gros cartons amassés au milieu du vestibule, lui rappelant une année de vie commune et un tas de rêves stupides, qui n'avaient jamais été que les siens.

Et en fin de compte c'était là toute la question. Elle avait placé dans cette relation ses besoins et ses désirs d'une façon obstinée et aveugle. Après quoi elle avait prétendu que cette sorte de lien fonctionnait.

— Tu as fait une erreur de jugement, Elena. Tu as oublié la seule chose dont une femme doit tenir compte, ma chérie, lui avait dit Jasmine au téléphone peu auparavant.

— Tu as parlé avec Jo ? lui avait demandé Elena, après s'être laissé consoler par la personne qui depuis des années maintenant lui tenait lieu de mère.

— Oui, elle ne sait pas garder les secrets. Ne te mets pas en colère contre elle.

— Tu sais bien que je ne le ferai pas, avait répondu Elena.

— Pas même si je te dis que je suis contente que cet idiot soit sorti de ta vie ?

Elena avait souri à travers ses larmes.

— *Non, maman**.

Le soupir de satisfaction de Jasmine l'avait fait pleurer à nouveau.

— Continue, avait-elle articulé après s'être mouchée.

— Tu ne peux pas tout miser sur un seul cheval, *ma petite**. Il te faut absolument diversifier. Appelons ça plan B. Tu dois avoir un plan B, Elena, une femme doit toujours en avoir un.

— Et si on n'a même pas un plan A ?

— Sottises. Tu as une belle maison, précieuse, pleine d'objets merveilleux. Tu as un métier ; que ça te plaise ou non, tu es une parfumeuse : tu sais créer les parfums, tu sais les reconnaître et, si tu ne veux pas en faire, tu peux toujours les vendre comme le fait Joséphine, tu ne crois pas ? Et puis, ma chérie, tu as une famille qui t'aime.

Nouveaux sanglots, impossibles à réprimer.

Jasmine s'était inquiétée.

— Je ne t'ai jamais entendue pleurer autant, même quand tu étais enfant. Tu es sûre que tu te sens bien ? Pourquoi ne viens-tu pas t'installer chez nous à Grasse quelques jours ? Changer d'air te ferait du bien.

Elena avait séché ses larmes.

— Tu sais bien que je ne peux pas.

— Pourquoi ? Depuis son accident, Maurice ne sort jamais de chez lui, tu ne le verras même pas. Quant à ta mère… je ne pense pas que ça te fasse du mal de la revoir. Tu sais bien qu'au fond Susanna en serait heureuse.

Le nœud qui serrait la gorge d'Elena s'était resserré encore un peu plus.

— Tu le penses vraiment ? Je n'en suis pas aussi sûre. Elle n'est jamais venue me voir.

— C'est vrai, mais tu sais pourquoi elle ne l'a pas fait. Elle se sent responsable de ce qui est arrivé à Maurice, elle ne veut pas le laisser seul dans l'état où il est.

— C'est absurde, ce n'est absolument pas sa faute. Ça pouvait tomber sur n'importe qui, avait murmuré Elena.

— Mais c'est tombé sur Susanna. Et, quoi qu'il en soit, Maurice l'a sauvée, avec de lourdes conséquences pour lui, et cela, elle ne l'oubliera jamais.

Un silence plein de considérations diverses s'était installé entre elles, puis Jasmine avait soupiré.

— Je ne suis pas en train de justifier ce qu'il t'a fait, que ce soit clair, mais je pense que tu devrais être plus indulgente. Il serait temps que tu mettes de côté ton ressentiment. Susanna a fait de mauvais choix et l'a payé cher. Mais malgré tout elle reste ta mère.

Oui... malgré tout elle restait sa mère. Mais à présent ça ne l'intéressait plus. Depuis bien des années maintenant elle ne faisait plus partie de sa vie. Un jour elle avait tout simplement cessé d'espérer que Susanna pût l'aimer. Et puis ce n'était pas si simple.

Jasmine avait raison, bien sûr, mais elle n'avait aucunement l'intention de penser à Maurice ou à sa mère, elle ne voulait rien affronter de tout ça, et il ne s'agissait pas seulement d'eux. Son esprit était un mouvement désordonné de pensées, son cœur lui faisait mal, les émotions l'écrasaient, l'emportant dans un tourbillon de sensations auxquelles elle ne savait pas comment se soustraire.

— Je vais voir, avait-elle répondu avant de raccrocher.

5

Lavande. Son parfum complexe séduit et envoûte. Il rafraîchit et purifie l'esprit, chasse la fatigue, la peur et l'angoisse.

Paris, de jour, était riche, fascinant au-delà de tout ce qu'on pouvait imaginer, mais c'était de nuit que la ville montrait son âme véritable. Joséphine l'avait toujours pensé. Tandis qu'elle la survolait en observant les lumières des hauts immeubles, la tour Eiffel et les longs rubans d'or des boulevards illuminés qui quadrillaient les quartiers les plus élégants, elle songea que c'était aussi un hymne à l'apparence. Ces lumières, là en bas, qui brillaient comme des diamants n'étaient rien d'autre que les phares des milliers d'automobiles qui filaient dans les rues de la ville. Mais du ciel, on aurait dit des joyaux.

Grégoire lui avait envoyé un message. Il ne viendrait pas la chercher à l'aéroport. Il avait eu un contretemps soudain, quelque chose de très important. Mais sa voiture l'attendrait.

Joséphine soupira : depuis quelque temps, il y

avait de plus en plus de contretemps, des choses de plus en plus importantes à faire.

Elle se remit à regarder la ville qui brillait gaiement, repoussant avec fermeté cette petite poussée d'auto-apitoiement qui avait tenté de percer au fond de son âme, puis le pilote réclama l'attention des passagers. Ils allaient atterrir d'ici peu. La voix vaguement déformée recommanda de garder les ceintures attachées jusqu'à l'ouverture des portes, donna les dernières recommandations avant l'atterrissage et termina par un expéditif « bienvenue à Paris ». Quand les roues touchèrent terre, des applaudissements fatigués s'élevèrent autour d'elle. Joséphine détacha la ceinture de sécurité, prit son sac et se mit dans la file pour descendre.

— Réveille-toi, *mon amour**. De toute façon je ne te laisserai pas dormir.

Joséphine ouvrit les yeux, se redressa d'un bond, les doigts de Grégoire encore sur elle.

— Enlève tout de suite ta main.

L'homme sourit paresseusement. Il se leva du lit et arrangea sa cravate. Son expression était imperturbable.

— Nerveuse, chérie ?

La jeune femme se passa les mains sur le visage. Puis elle serra les poings, pour en maîtriser le tremblement.

— Qu'est-ce que tu fais chez moi ?

Grégoire lui sourit de nouveau : les cheveux parfaitement peignés en arrière, les yeux noirs pénétrants, avec l'expression de l'homme sûr de lui, conscient d'avoir le monde entier à ses pieds.

Immobile au centre du petit loft de Joséphine, il semblait le maître de tout. Il était plein d'assurance, déterminé, tout devait se passer comme il l'avait prévu.

Dieu qu'il était beau ! Joséphine dut faire un effort pour rester loin de lui. Elle serra le drap, elle s'y cramponna comme s'il s'agissait d'une planche de salut. Le désir de le supplier de continuer ce qu'elle lui avait ordonné d'interrompre était quasiment irrésistible.

— Je voulais me faire pardonner. Je n'ai pas été gentil avec toi, lui répondit-il en déboutonnant sa veste.

— C'est un euphémisme, grommela Joséphine.

Grégoire lui sourit, puis s'arrêta devant les fenêtres et tira les rideaux. Le soleil envahit la pièce, l'illuminant. Joséphine se protégea les yeux, mais s'habitua presque tout de suite à cette lumière soudaine.

— Alors, comment était Florence ?

— Archaïque, merveilleuse, décadente.

— Oui. C'est une ville fascinante. La prochaine fois je viendrai avec toi.

Il le dit comme s'il le pensait vraiment.

Mais, s'il y avait une chose que Joséphine avait apprise de leur relation, c'est que Grégoire disait beaucoup de choses. Des mots, des phrases, des promesses qu'ensuite il oubliait régulièrement. Ce n'étaient que des ornements pour lui, comme les vêtements qu'il portait, ses bijoux, son élégance. Il n'y avait jamais rien de vrai là-dedans, même s'il lui laissait entendre le contraire. Il y avait des moments où Joséphine pensait que c'était un sorcier, un prestidigitateur des sentiments.

Grégoire la dévisagea. Des yeux menteurs, qui envoûtaient et trompaient en même temps. C'est si facile de le croire, pensa Joséphine, de s'imaginer qu'on est vraiment importante pour lui. Trop gentil, trop beau, trop...

Elle fronça les sourcils, puis inspira profondément. Elle sortit du lit. Elle ne s'aperçut pas du regard d'admiration de son amant. Tout en marchant vers l'armoire, elle s'efforça d'ignorer l'expression avide qui le rendait irrésistible. Le désir qu'elle éprouvait pour lui vibrait en elle. Un instant, elle fut tentée de le croire. Peut-être lui avait-elle vraiment manqué, peut-être voulait-il s'excuser de s'être comporté comme le dernier des salauds.

Un regard sur la table basse du séjour la ramena à la réalité. Les deux paquets qu'elle avait rapportés de Florence étaient ouverts. Une petite bande de papier, une *mouillette,* était posée à côté du parfum choisi par Elena, une autre gisait au sol, froissée. L'espoir faiblit, jusqu'à disparaître entièrement, laissant place à une conscience glacée.

— Tu ne pouvais pas attendre demain ? lui demanda-t-elle en essayant de cacher son irritation.

— Pourquoi ? Ça aurait changé quelque chose ? Tu as trouvé ce que je voulais. Habille-toi, je t'emmène. Je veux fêter ça. Le parfum que tu as choisi est celui qu'il fallait. Tu es un génie.

Joséphine le laissa approcher. C'était Elena, le génie. Elle allait le lui dire quand il la prit dans ses bras. Les mots moururent sur ses lèvres.

Grégoire l'étreignit, puis ses mains remontèrent sur son corps.

Elle ferma les yeux, goûtant la sensation de cette peau chaude qui la caressait savamment. Une chaleur intense lui arracha un gémissement. L'homme lui pressa les lèvres sur le cou, Joséphine soupira.

— Ce n'est pas moi, ton génie.

Elle aurait pu mentir, elle le savait. Elena ne lui en aurait pas voulu. Au fond, elle s'en moquait, de cette affaire de parfums. Mais quel bénéfice aurait-elle tiré de savoir que ces regards admiratifs, la considération que soudain Grégoire lui montrait, étaient en réalité le fruit d'une supercherie ?

Grégoire se raidit.

— Quelle sottise, murmura-t-il, tout près de sa peau, avant d'y plonger les dents, la mordant avec douceur.

C'était le meilleur. Personne ne la faisait se sentir liquide et chaude comme lui. Le paradis ou, mieux, les délices de l'enfer n'étaient rien, comparés à ce que savait faire Grégoire.

— Et si c'était vrai ? Si j'avais demandé à quelqu'un d'autre de chercher le parfum à ma place ?

Elle se repentit presque aussitôt de ce qu'elle venait de dire. Elle aurait pu garder le silence, et il l'aurait aimée. Quand Grégoire se détacha, recula, elle comprit que le doute s'était insinué dans l'esprit de son amant. Et alors, sous ces strates d'illusion, d'espoirs et de mensonges, quelque chose s'agita qui avait le goût amer de la honte. Elle se fit pitié.

Vraiment, elle était réduite à mentir pour garder Grégoire ? Quelle sorte de femme était-elle devenue ?

Elle baissa la tête. Elle tenta de retrouver son orgueil, ou ce qui en restait. Elle inspira, et de nouveau le parfum délicat, doux et enveloppant de l'ambre gris la happa. Mais cette fois elle ne sentit aucun frémissement, elle ne vit pas la mer, ni ne perçut le soleil.

D'un geste sec, elle rassembla ses cheveux en une queue-de-cheval. Sans un regard pour Grégoire, elle se dirigea vers la salle de bains, le souffle bloqué derrière ses dents.

— Quand tu t'en iras, laisse la clef sur le guéridon à côté de la porte. La prochaine fois que je te trouve chez moi sans t'avoir invité, j'appelle la police.

Elle n'attendit pas sa réponse et referma la porte derrière elle.

Il fallut un peu de temps, mais quand elle sortit de la salle de bains Joséphine était de nouveau tranquille.

Elle n'avait pas besoin de vérifier pour savoir que Grégoire n'était plus là. Elle percevait son absence.

Elle laissa un peu de la rage qui couvait en elle filtrer en surface et elle l'accueillit presque avec joie : tout, pourvu que Grégoire et ses stupides simagrées soient chassés de ce recoin pathétique de son âme où existaient encore des rêves.

— Va te faire voir, tempêta-t-elle contre le billet qu'il lui avait laissé sur le lit.

Elle le saisit et le froissa, le jeta sur le parquet.

— Tu parles si je vais t'appeler.

Elle était prête à parier qu'il avait pris les parfums, – les deux. Grégoire était quelqu'un qui se laissait toutes les voies ouvertes. L'essence de la manufacture indienne qu'avait choisie Elena était ce qu'il cherchait, mais l'autre, celle qu'elle-même avait trouvée, était également une bonne option. Joséphine était une parfumeuse suffisamment experte pour connaître sa propre valeur.

Le loft, meublé et décoré avec minimalisme dans des tons crème, contrastait avec le raffinement des vêtements qu'elle gardait dans sa vieille armoire en bois de rose. Elle choisit une robe de soie vert bouteille et mit avec un petit chandail violet de laine légère. Un peu de maquillage et les cheveux attachés. Je devrais les couper, pensa-t-elle. Mais elle ne s'y décidait jamais. En cela elle était comme Elena. Toutes deux accrochées à quelque chose qui avait fait partie d'elles depuis toujours.

Elle allait l'appeler, lui parler de Grégoire, lui dire que son intuition formidable avait fait mouche.

Que cela lui plaise ou non, Elena était un nez. Elle l'était depuis toujours. Ou plutôt, elle était bien plus, parce que cette fille savait capter les émotions contenues dans les odeurs et les traduire en mots. Pour Elena, l'odorat était ce qu'était la vue pour le reste du monde. Le fait qu'elle n'ait pas voulu l'admettre, qu'elle ait refusé ce don, ça, c'était une autre affaire.

Joséphine soupira, se considéra un instant dans le miroir, puis prit son sac. Dans une poche intérieure, elle avait glissé une carte de visite. Elle était en papier épais, couleur ivoire intense, délicieusement parfumé. Joséphine était certaine qu'il s'agissait de musc et de santal. En arrière-fond, elle percevait l'amertume d'une autre note, peut-être un bois. Elle réfléchit un peu là-dessus, essayant de l'identifier. Non que ce fût important… et alors elle laissa tomber, se bornant à en respirer le parfum, un mélange vraiment envoûtant.

Alain Le Nôtre, de la maison La Fougérie, était un homme sophistiqué, élégant, et il lui avait fait une bonne offre. Le moment était arrivé de vérifier à quel point cela pouvait lui convenir de changer de travail.

6

Myrrhe. Plus terrienne et concrète que l'encens, représente le lien entre l'esprit et la réalité. Forte, solide, sans incertitude. C'est le parfum de la constance et de la transparence des sentiments.

La rangée d'arbres partait d'un côté de la rue et continuait presque à perte de vue pour brusquement s'arrêter et reprendre du côté opposé. Sur la place Louis-Lépine, les arbres suivaient le tracé des bâtiments, tandis qu'un peu plus loin, à l'intérieur du marché aux fleurs, des buissons de lavande, myrte et romarin pointaient des boutiques, ébouriffés comme par protestation.

Les mains enfoncées dans ses poches, Caillen McLean se dirigeait d'un pas rapide vers le magasin où il trouverait les roses. Ses épais cheveux collés sur son front par la pluie tombaient lourdement sur son visage émacié. De ses yeux bleus, pénétrants et froids, partaient de fines rides d'expression. Ce n'était rien en comparaison de la cicatrice profonde et irrégulière qui lui parcourait la joue, mais c'était assez pour inquiéter qui le voyait pour la première fois.

Il bifurqua sur la droite, ignorant les étals de lilas qui sentaient le caramel, les tulipes à peine écloses et les freesias. Il se tourna pour examiner une curieuse combinaison de seaux pleins de roses couleur crème ourlées de rouge et de jaune, puis fit une grimace. L'un d'eux, juste au centre, contenait un bouquet de roses bleu électrique.

— Bonjour, Cail, comment vas-tu ? Je peux t'aider ?

Un homme d'âge moyen s'essuya les mains sur son tablier sali de terre. L'apparente placidité de son physique florissant était démentie par l'expression pleine de vivacité de ses yeux d'un bleu très clair.

Cail ignora le salut cordial de l'homme et lui montra les roses bleues.

— Il y a vraiment quelqu'un qui achète ces... choses ?

L'autre se gratta le front.

— J'en ai quelques-unes vertes et dorées, tu veux les voir ?

— Tu plaisantes, n'est-ce pas ?

Le vendeur haussa les épaules.

— Elles ne sont pas si mal, en fin de compte.

Cail ne répondit pas, se limitant à un coup d'œil froid. Puis il détourna le regard, comme s'il ne supportait pas la vue de ces fleurs.

— Liliane est à l'endroit habituel ?

Sa voix était profonde, avec un léger accent écossais. Son ton traduisait à peine un brin d'impatience.

Lambert inclina la tête.

— Oui, du côté opposé du marché, à côté de l'étal de Louise. Celle des hibiscus.

Cail le remercia d'un signe de tête et, après avoir lancé un ultime regard méprisant aux fleurs, reprit son chemin. Lambert suivit la haute silhouette de l'homme tandis qu'il pénétrait dans le marché, puis il secoua la tête.

— Les roses suivent les modes, comme tout le reste en ce monde. Les clients veulent des pétales bleus ? Je fais des roses bleues. Ils les veulent vertes ? Et qu'elles soient vertes, grommela-t-il en retournant à sa place.

Il considéra les fleurs aux pétales ratatinés, avec cette note métallique qui donnait des frissons.

— Il n'a pas tout à fait tort de vous détester, dit-il pour lui-même.

Et un instant plus tard il affichait un sourire éblouissant en direction d'une dame qui s'était approchée avec un vase de pétunias bariolés de violet dans les mains.

Cail avait presque rejoint le fond du bâtiment qui abritait le marché aux fleurs quand il aperçut les revendeurs de roses. Il examina avec attention les fleurs à l'aspect fatigué au bout des tiges épineuses. De loin, il n'y avait aucune différence entre elles et les gros boutons des pivoines. Mais à un observateur plus attentif n'aurait pas échappé la grâce délicate et un peu décadente des fleurs en forme de calice, aux pétales dépliés et mollement couchés l'un sur l'autre. Il s'agissait de roses Claire Austin. Incomparable, une légère senteur de myrrhe semblait s'amalgamer avec celle de l'ulmaire, acquérant de la puissance et donnant du caractère à la douceur de leur aspect.

Cail en souleva une délicatement, puis se pencha, plongeant le visage dans la fleur. Il n'aurait pas dû le faire, ça ne servait à rien. Le parfum se répandait tout autour, clair et bien défini. Mais il y avait quelque chose de profondément sensuel dans le contact délicat de ces pétales d'un blanc de perle. Et Cail entendait en profiter. S'il paraissait bizarre aux yeux des passants, il s'en moquait.

— Salut, Cail.

Une assez jeune femme s'approcha de lui.

Lentement, avec grâce, il se redressa.

— Tu as mon paquet ? lui demanda-t-il sans préambule.

Liliane le fixa un instant, puis secoua la tête, résignée.

— Oui, je vais bien, merci, toi aussi tu as très bonne mine, lui dit-elle, brusque, avant de retourner derrière le comptoir et de revenir avec une boîte marron.

Ce jour-là, Liliane portait une robe bleue sans manches au grand décolleté carré, qui lui avait valu, à parts égales, de sales coups d'œil et des compliments de ses clients. Elle savait que Cail allait venir retirer le paquet et, malgré le froid, elle ne regrettait aucunement son choix. Elle aurait même mis un maillot de bain si ça avait servi à ce qu'il la remarque.

Mais Cail ne parut pas faire attention à son aspect. Il se borna à lui prendre le paquet des mains et lui donna en échange une centaine d'euros. Quand il vit son expression perplexe, il désigna la boîte.

— Garde le reste. J'aurai encore besoin de matériel la semaine prochaine.

La femme acquiesça.

— Je peux faire autre chose pour toi, lui dit-elle.

Et ce n'était pas une question.

Cail resta silencieux un instant, puis il lui adressa un geste d'au revoir.

— Non. À samedi prochain.

Liliane pinça les lèvres, ravalant sa frustration.

Alain Le Nôtre. Rien que le nom faisait peur.

Joséphine lissa sa jupe. Assise sur un inconfortable petit fauteuil d'époque, elle observait avec détachement ce qui pouvait avoir été le bureau de quelque souverain français et qui maintenant appartenait au responsable des ressources humaines de La Fougérie. Marqueteries, frises, nacre et bois de rose. Pourquoi les hommes devaient-ils montrer leur pouvoir de cette façon ?

Elle se leva et rejoignit la baie vitrée. Paris somnolait sous une petite pluie fine qui rendait la journée toute grise. Seuls quelques touristes courageux se traînaient dans leurs imperméables de plastique coloré conçus pour protéger les appareils photo de dernière génération. Joséphine fixa les gouttes qui perlaient sur la vitre, l'estomac noué d'angoisse. Et si Le Nôtre retirait son offre ? Que ferait-elle alors ?

Elle secoua la tête. Elle devait arrêter de penser aux conséquences de ce qui n'était pas encore arrivé. On aurait dit sa mère ! Elle se demanda si finalement Elena avait accepté l'invitation de Jasmine. Non qu'elle-même ait été d'accord. Son amie n'avait pas besoin de se complaire dans le passé. S'amuser, voir des gens, voilà ce qu'elle devait faire. Et surtout elle devait accepter sa vraie nature. Une fois qu'elle aurait compris le talent qu'elle avait, elle deviendrait l'un des nez les plus recherchés du monde. Oui... sauf qu'Elena détestait se trouver au centre de l'attention.

Celle qui avait besoin des feux de la rampe, c'était elle, Joséphine. Comme elle était forte pour résoudre les problèmes des autres ! Dommage qu'avec les siens ç'ait été un véritable désastre.

Un soupir encore. Elle lissa de nouveau sa jupe. Et puis elle entendit la porte s'ouvrir derrière elle.

— Monsieur Le Nôtre, dit-elle en se retournant.

— C'est un plaisir de vous revoir, mademoiselle.

Les yeux d'Alain Le Nôtre étaient d'un gris froid, mais en cet instant ils brillaient, amusés. Il pouvait avoir dans les quarante ans, mais son physique mince et athlétique le situait dans cette catégorie d'hommes d'âge indéfinissable qui savent encore manipuler la réalité, en l'exploitant à leur avantage. Il était grand, élégant et sophistiqué. Il avait la peau hâlée. La voile, Joséphine l'aurait parié. Alain Le Nôtre était quelqu'un qui faisait du bateau.

— Benjoin, bergamote, vétiver, santal et un mélange de bois de cèdre. Et fève tonka.

Elle ne savait pas ce qui lui était passé par la tête, mais le parfum que portait cet homme, elle le connaissait. C'était l'une de ses créations. Rien d'extraordinaire, n'importe quel parfumeur aurait pu créer une essence de ce genre pour un homme décidé et raffiné comme il l'était.

Il sourit, révélant une rangée de dents très blanches.

— Venez, mademoiselle, asseyons-nous.

Il la conduisit à un petit canapé et s'assit à côté d'elle. Ce n'était pas la première fois que Joséphine le rencontrait. Elle avait déjà pu apprécier sa conversation.

— J'aime votre façon de travailler.

Le Nôtre lui sourit, puis continua :

— Vous avez une intuition que j'estime formidable, vous parvenez à trouver des mélanges compacts, originaux, à des prix abordables. Et ce sens pratique est ce que je désire pour une nouvelle ligne qui laisserait de côté les séductions inutiles. Je veux de l'action, de la sûreté, de l'énergie. Et qui soit accessible à un large public. Vous pensez pouvoir me satisfaire ?

Joséphine retint son souffle.

— Il faut que j'y réfléchisse, répondit-elle posément, tandis que son cœur battait avec violence dans sa poitrine.

Cet homme avait mesuré ses limites, ce qui la rendait ordinaire, et les avait transformées en une force. Elle était émue, elle était si profondément frappée par ce qu'il avait dit qu'elle en oublia presque de respirer. Elle était stupéfaite et incrédule.

Alain Le Nôtre la fixait de son regard pénétrant, intense. Il émanait de lui une telle vitalité... Il était pareil aux mots qu'il venait de prononcer.

Le parfum flottait entre eux, comme un lien.

— Je... pense que nous pourrions en discuter, murmura-t-elle, cette fois avec plus d'assurance.

Puis elle redressa les épaules et lui rendit son regard.

— Bien, mademoiselle. Dans ce cas, que diriez-vous de passer maintenant à l'aspect administratif ?

Joséphine inclina la tête, en essayant de ne pas laisser transparaître trop d'enthousiasme.

— Je vous écoute.

C'était ridicule, cette attente sous la pluie. Il était complètement trempé, son jean et son tee-shirt collés à la peau, les cils frangés de gouttes d'eau. Pourtant Cail ne se serait pas écarté de ce buisson, même si le ciel lui était tombé sur la tête.

Il regarda un instant autour de lui. Les anciennes remises rénovées autour de la grande cour commune, cœur de ce qui avait été l'hôtel particulier de l'une des plus riches familles aristocratiques de Paris, étaient encore plongées dans l'obscurité.

Cail déplaça son parapluie de façon que la tige reste au sec. Au sommet de la branche épineuse un gros bouton semblait vouloir éclore d'un moment à l'autre.

Il entrouvrit les yeux. La pluie tombait sans trêve, s'amassant dans ses cheveux, lui coulant sur le visage et finissant par tremper sa barbe de quelques jours. Il s'ébroua avec décision, tout en faisant attention à ne pas donner un coup à la rose.

Il ne connaissait pas les effets que pouvait avoir un excès d'humidité sur un bouton à ce stade de maturation : en général, il menait ce type d'expériences à l'intérieur d'une serre, mais cette fleur était née d'une série de circonstances qui étaient la négation de tout manuel de technique d'hybridation et il n'entendait pas courir le risque de mettre en danger des mois de tentatives à cause d'une brusque ondée. C'était un rosier de trois ans, avec son premier bouton arrivé à maturité.

Il se pencha en avant, attentif à protéger la fleur. Puis il posa un genou sur l'herbe. Il frémissait d'impatience. Il était excité, il lui tardait que l'aube éclaire enfin le ciel. La pluie allait bientôt s'arrêter, on le sentait.

— *Shit*, grogna-t-il. C'est quoi ce temps pourri ?

John, son chien, se leva d'un bond et le rejoignit.

Cail sourit et de sa main libre caressa le manteau fauve de l'animal.

— Retourne dans ta niche. Tu vas être trempé.

Le chien lui lécha la main, puis fit comme il lui avait été commandé.

Paris s'éveillait. Le bourdonnement des voitures se transformait rapidement en vacarme. On aurait dit un ruisselet qui se gonflait d'eau en arrivant dans la vallée. Les lumières des appartements disparaissaient, elles aussi, supplantées par une aube de plus en plus affirmée.

Cail savait que bientôt la cour allait se remplir de gens. Il serra la mâchoire. Il valait mieux pour eux qu'ils se tiennent à distance.

Il se fichait bien des regards curieux des voisins, qui plus d'une fois l'avaient surpris tandis qu'il conversait avec le buisson. Aucun d'entre eux n'aurait eu le courage de se moquer de lui, de toute façon. Ou de parler derrière son dos. C'était l'avantage de dépasser le mètre quatre-vingt-dix pour un poids de quatre-vingts kilos. Même si lui aurait plutôt misé sur l'effet dissuasif de la cicatrice.

— Bonjour, Caillen. Je ne te demanderai pas ce que tu fabriques sous la pluie, à mettre à l'abri des gouttes un buisson de roses. Donc, s'il te plaît, essaie de refréner ton sale caractère.

— Va te faire foutre, Ben !

L'éclat de rire de son ami lui arracha une grimace. Ben lui fit un signe de la main et s'élança pour son jogging quotidien.

Qu'il aille au diable ! Il savait bien qu'il avait l'air ridicule avec ce parapluie à carreaux qu'il tenait au-dessus d'une rose. Sa mère Elizabeth l'avait oublié lors de l'une de ses visites. Ce serait le bon prétexte pour revenir le voir. Mais Cail le lui réexpédierait à la première occasion : ainsi en décida-t-il. Il secoua l'eau de ses vêtements et attendit encore, les yeux fixés sur le bouton de rose.

Le ciel noir s'éclaircit enfin. Lentement, la pluie se fit moins forte, jusqu'à devenir un lent égouttement. Des tas de feuilles mouillées dans les coins de la cour montait une pénétrante odeur végétale, musquée.

Cail respira cette senteur vive, condensée dans l'air froid, puis se concentra de nouveau sur la fleur. C'était la seule survivante d'un semis auquel il tenait beaucoup mais qui avait très mal marché. Pendant un certain temps, elle s'était développée régulièrement ; quand elle avait commencé à faiblir, Cail avait décidé de la transplanter dans le sol, l'enlevant du pot où elle avait grandi. C'était un geste hasardeux pour un hybride aussi jeune, il le savait. Cependant, bien que la procédure courante ait suggéré un traitement sélectif, cette solution avait renforcé la plante, qui avait grandi vigoureuse grâce à ses attentions, et maintenant Cail était impatient de voir le résultat de l'hybridation.

Il lui semblait que tous les mois qu'il avait consacrés à cette plante se réduisaient à un unique instant. La rose allait éclore aux premiers rayons de soleil et lui saurait s'il avait perdu son temps ou pas.

La pluie s'arrêta. Le ciel devint rapidement limpide, balayé par un vent froid qui fit frissonner Cail. Il faudrait au moins une heure de plus avant que la fleur puisse se réchauffer et décide d'ouvrir ses pétales. Maudissant cette brusque chute de température, Cail ferma le parapluie.

— Désolé, John, il va nous falloir encore un peu de patience.

Il regarda le chien qui s'était approché de lui et puis fixa la rose. Il ne bougerait pas de là tant qu'il ne saurait pas avec certitude s'il avait donné un coup d'épée dans l'eau.

Joséphine attendit que le chauffeur lui ouvre la portière. Elle aurait pu aller à pied, La Fougérie n'était pas si éloignée de Narcissus, mais il pleuvait de nouveau. Alain Le Nôtre avait aimablement offert de la faire accompagner et elle avait accepté. Elle n'avait pas l'intention d'arriver trempée à ce qui devait être son dernier jour de travail.

Elle contempla le magasin, commodément installée sur la banquette de couleur crème, respirant l'odeur de cuir et de luxe. C'était quelque chose à quoi elle pourrait s'habituer, pensa-t-elle.

— Puis-je faire quelque chose d'autre pour vous, madame ?

— Non, merci, vous pouvez y aller, répondit-elle au chauffeur qui, parapluie ouvert, l'accompagnait à la porte de Narcissus.

Dès qu'elle fut entrée, l'homme regagna sa voiture.

— Bonjour, Philippe. Grégoire est ici ? demanda-t-elle au responsable du magasin.

L'homme lui sourit.

— Mademoiselle, vous êtes revenue d'Italie ! Vous nous avez trouvé quelque chose d'intéressant ?

Philippe Renaud était un homme attaché au travail de façon quasi maniaque, mais c'était aussi quelqu'un de sympathique, quoique un peu snob. En général, Joséphine aimait rester à converser avec lui ; mais là, elle était nerveuse. Son accord avec Alain Le Nôtre avait été signé et à quelques jours de là elle allait entrer dans le staff de La Fougérie. Et cela, Grégoire ne le lui pardonnerait jamais.

— Oui. Un *brief* original, très efficace, il vous plaira. Savez-vous où je peux trouver Grégoire ?

Le sourire de Philippe perdit un peu de son éclat. L'homme indiqua la porte derrière lui.

— Monsieur est occupé au laboratoire. Voulez-vous que j'aille l'avertir ?

Elle aurait dû se douter qu'il se mettrait tout de suite à l'ouvrage.

— Non, merci, je m'en charge.

Elle le contourna et s'engagea dans un couloir. Elle ne frappa pas, elle se contenta d'ouvrir lentement la porte. Elle n'était pas habillée de la façon voulue et n'entendait pas contaminer l'endroit.

— Je voudrais te parler, annonca-t-elle.

Grégoire l'accueillit froidement.

— Entre, mais tiens-toi à distance. Je ne veux pas que ton odeur compromette la formule. À propos, qu'est-ce que c'est ? Je ne l'ai jamais senti sur toi.

Il lui avait parlé sans même se retourner.

Joséphine portait une fragrance inédite, un parfum que venait de lui offrir Alain Le Nôtre. Il serait bientôt lancé sur le marché, lui avait-il expliqué, ce serait leur produit de pointe pour tout l'automne et l'hiver. Et elle avait accepté ; ce parfum avait un goût de nouveaux horizons.

— Tu ne l'aimes pas ? demanda-t-elle.

Il ne prit pas la peine de répondre ; il avait les yeux fermés, le nez sur une *mouillette*. Joséphine savait que Grégoire ne s'intéressait qu'à son profit personnel, elle le savait, mais elle n'en fut pas moins blessée. Elle inspira profondément et décida que couper court était la seule chose à faire.

— Sois tranquille, je n'ai aucune intention d'entrer. Je suis juste venue pour clarifier quelques petits détails.

— Si c'est pour le parfum, j'ai conclu aujourd'hui même l'accord avec Shindia. Nous vendrons leurs produits... Ton second choix est bon, mais l'autre est meilleur. Naturellement, je te donnerai ce qui te revient pour l'avoir découvert...

Comment parvenait-il à la faire se sentir une nullité en quelques mots ? Joséphine reprit souffle et courage, tandis que Grégoire prenait enfin la peine de la regarder. Un instant, elle songea à lui répliquer qu'il pouvait se mettre son argent où l'on pense, mais elle n'en aurait pas tiré grand-chose, à part fermer les portes de Narcissus à Elena.

— J'ai demandé à une amie de m'aider, à Florence. Comme je te l'ai dit, ce n'est pas moi qui ai choisi ce parfum.

Quelques secondes de silence, puis un petit rire ironique.

— Et qui est cette magicienne des essences, ce... nez ?

Le sarcasme contenu dans ces mots convainquit Joséphine d'aller jusqu'au bout. Ce n'était qu'un salaud. Et de la pire espèce. Elle serait bien, sans lui.

— Je démissionne, je suis venue te le dire.

Silence encore, plus long cette fois.

— Tu n'as pas l'impression d'être un poil excessive ? Je ne te croyais pas si susceptible.

Grégoire portait sa blouse de laboratoire. Son expression était concentrée, ses yeux froids. Devant lui, une rangée de petites bouteilles d'aluminium qui contenaient les huiles essentielles. Le reste des ingrédients se trouvait dans des conteneurs de verre, des éprouvettes et des alambics de diverses formes et dimensions. Sur la table d'acier, il y avait beaucoup de compte-gouttes et d'entonnoirs de papier, et au centre un cylindre gradué dont s'échappait un parfum intense. Il ouvrit la bouche pour continuer, puis regarda le cylindre, comme s'il venait tout juste de se souvenir de ce qu'il était en train de faire.

— Attends. Je note la dernière étape, et on en parle.

Il se pencha sur la table et marqua sur un bloc-notes posé à côté du parfum le nombre exact de grammes des essences qu'il venait d'utiliser.

Joséphine sourit avec tristesse.

— Il y a toujours quelque chose de plus important, murmura-t-elle très bas.

Elle patienta encore quelques minutes. Grégoire s'était tourné vers le PC sur la table à côté et, après avoir introduit un code, il prit son temps pour lire quelque chose, puis revint au bloc-notes et se remit à écrire.

— Adieu, Grégoire.

Le bruit de la pointe du crayon qui se cassait rompit le silence.

— Je ne peux pas t'écouter maintenant. Tu le sais parfaitement.

Bien sûr, que s'était-elle mis en tête ? Avait-elle vraiment attendu de lui quelque chose de différent ? Une déception absurde, soudaine, couvée avec une sorte de désespoir, s'empara d'elle.

— Tu trouveras ma lettre de démission sur ton bureau, dit-elle après un long moment, avant de refermer la porte derrière elle.

Elle espéra entendre ses pas, elle pria qu'il la rejoigne, qu'il lui parle. Elle attendit encore une minute, immobile devant la sortie du laboratoire, comptant les secondes. Elle lui donnerait encore un peu de temps. Puis elle poussa la porte du magasin des deux mains, entrant dans la salle principale de Narcissus, élégante, splendide, pleine de clients.

Elle salua quelques collègues, prit rapidement ses affaires derrière l'un des comptoirs et partit.

Les yeux rivés à l'écran de la caméra de surveillance, Grégoire la suivit. Quand elle disparut de l'écran, il jura violemment et se passa la main dans les cheveux, en se laissant tomber dans un fauteuil.

Oxydé, celui-là encore !

Elena fit la grimace et éloigna vivement le flacon. L'odeur était piquante, rance. Elle avait écarté une cinquantaine d'huiles essentielles qui avaient tourné, il lui faudrait les jeter. Il n'y avait aucune possibilité qu'elle parvienne à récupérer quelque chose.

Elle n'aurait pu rouvrir la boutique de sa grand-mère, même si elle l'avait voulu. Elle s'était décidée à descendre au sous-sol pour vérifier en quel état se trouvait ce qui était resté là en bas après la fermeture du magasin. Elle n'était pas encore certaine de vouloir parcourir cette voie, elle n'en était pas arrivée là. Mais cela restait tout de même une hypothèse et, du moment qu'elle n'avait pas la moindre idée de ce qu'elle allait faire de sa vie, c'était mieux que rien. C'est amusant, songea-t-elle avec amertume. Maintenant qu'il n'y avait plus aucun empêchement à l'ouverture de la parfumerie, elle ne pouvait plus y procéder.

Pas d'essences, pas de parfums. Pas de parfums, pas de gain. Et puis qu'est-ce qui lui était passé par la tête ? Une activité de ce genre ne pouvait pas reprendre rien que parce que brusquement les parfums ne lui donnaient plus la nausée.

Elle soupira. À dire la vérité, c'était une formulation exagérée. Ce n'était pas du dégoût qu'elle ressentait quand elle travaillait à la boutique. Il s'agissait d'autre chose, mais elle ne voulait pas y penser en ce moment.

Son portable vibra, Elena l'ouvrit, reconnut le numéro et sourit.

— Tout s'est bien passé ? demanda-t-elle à Joséphine.

— Définis ce que tu entends par « bien ». Ou plutôt non, laisse tomber. Quoi qu'il en soit, j'ai eu le poste. Le Nôtre est un vrai monsieur. Parle-moi plutôt de toi, comment se passe l'inventaire ?

Elena se frotta la main sur sa blouse.

— Tout est à jeter. Il ne me reste que quelques flacons que j'avais préparés pour un hôtel et que personne n'est venu prendre, et quelque chose de très ancien, rien qui puisse convenir maintenant.

— Comme des parfums d'une autre époque ?

Elena rejoignit une armoire de bois noir, patiné par le temps, et en poussa un peu les battants, les laissant tourner sur leurs gonds.

— Oui, ma grand-mère les conservait dans l'obscurité et la température est constante au sous-sol, entre ces murs…

— Tu veux dire que tu es descendue tout en bas, dans l'atelier secret ?

La voix de Joséphine était incrédule et pleine d'enthousiasme à la fois.

Elena acquiesça.

— Tu n'as pas idée de ce qu'il y a ici. Je pourrais y ouvrir un musée, il y a des alambics et des extracteurs qui semblent avoir des siècles.

— Tu as jeté un coup d'œil sur les formules ?

— Absolument rien n'a changé depuis la dernière fois où nous les avons regardées ensemble. Le Parfum Idéal de Beatrice Rossini n'est qu'une légende, Jo.

— Son journal dit bien autre chose....

— Nous l'avons lu de la première à la dernière page, il n'y a rien qui puisse indiquer une formule. Ce n'étaient que les divagations d'une femme désespérée.

C'était vrai, aussi bien elle que Joséphine avaient lu le journal de Beatrice d'innombrables fois, mais si les symboles dessinés sur les pages étaient intrigants, elles n'avaient rien trouvé de marquant pour la production d'un parfum spécifique. Poèmes, rimes... le contenu du journal faisait essentiellement allusion à une histoire d'amour à sens unique. Beatrice avait aimé l'homme qu'il ne fallait pas. Et elle l'avait désiré au point de se laisser détruire par ce qui était devenu une obsession. Ce parfum était le distillat de l'illusion et de la trahison. C'était une apparence, c'était une tromperie. Voilà à quelle conclusion en étaient arrivées les deux amies.

Lui, l'illustre client, avait payé le parfum en monnaie sonnante. Il n'y avait rien eu d'autre pour Beatrice Rossini : des larmes et de l'argent, une quantité de florins en or telle qu'elle lui avait garanti, à elle et à ses descendants, l'aisance pour très longtemps.

— L'amour peut faire cet effet, murmura Joséphine.

— Je ne saurais te dire. Je n'ai pas les idées très claires sur ce sujet. À part la nausée qui me prend à chaque fois que je repense à Matteo et Alessia, une espèce de vide m'est resté en plein milieu de la poitrine.

Elena garda le silence un moment.

— Tu sais comme j'ai désiré une famille normale, un mari, des enfants. Une situation stable. J'ai presque trente ans, Jo, je ne peux pas attendre éternellement. Et maintenant je suis seule... Je n'ai pas de travail...

— Du calme, tu as encore tout le temps devant toi. Tu ne peux quand même pas épouser le premier crétin qui passe !

Elena inclina la tête. Un frisson lui fit décider de quitter cet endroit sombre et froid.

— Tu sais, ça n'était pas si mal avec Matteo, à deux, trois détails près, répondit-elle en éteignant la lumière et fermant la porte derrière elle.

— Lesquels par exemple ? Rien que le fait de devoir déjeuner chaque dimanche avec sa mère, j'aurais pas pu... Elle était horrible ! Ultra snob, agressive, et bête en plus ! Elle me fichait la trouille.

— Ne m'en parle pas. Elle me lançait de ces regards...

— Moi, je me serais enfuie. Je t'assure, j'aurais inventé quelque chose. Franchement, qu'est-ce qui t'a pris de sortir avec ce type ?

Comme toujours, Joséphine était directe. Elena s'assit sur le banc à côté de l'escalier. Elle avait besoin de reprendre son souffle.

— Les enfants... il en voulait plein. Il disait que pour lui c'était la chose la plus importante. Et moi je désirais avoir un enfant. Et puis... je ne sais pas... je me demande comment j'ai pu ne pas comprendre quel homme c'était.

— Écoute, arrêtons de parler de lui, venons-en à toi : tu as décidé d'aller à Grasse ?

Elena ferma les yeux.

— Je ne peux pas, pas maintenant. Je n'ai pas envie...

— Alors que dirais-tu de venir à Paris ? Mon poste à Narcissus est vacant. Si Grégoire savait qui tu es, il t'engagerait immédiatement.

Joséphine s'allongea sur son lit, la carte de visite de Le Nôtre dans les mains.

Elena fronça les sourcils.

— Qu'est-ce que tu dis ? Allez, ne plaisante pas. On parle de Narcissus, là, pas d'une parfumerie quelconque.

Son amie se tut un instant, pensive.

— Admettons que le poste soit libre, tu viendrais ? Il y a mon ancien appartement. Tu pourrais t'y installer. Il est dans le Marais, il y a plein d'Italiens, c'est à vingt minutes de métro de chez moi. Alors ?

Sa voix était soudainement déterminée et anxieuse, comme si une idée avait peu à peu pris consistance jusqu'à devenir quelque chose de concret.

— Je ne sais pas, un poste de ce genre, enfin, je veux dire... Et puis il faudrait que je m'organise, que je ferme la maison...

Joséphine s'assit d'un mouvement vif.

— Allons, Elena, penses-y. Un travail à Paris, une nouvelle vie. Bien sûr, l'appartement n'est pas parfait, il faudra une couche de peinture, quelques meubles neufs, mais ce sera un beau changement. Un endroit différent où tu pourras repartir de zéro. Pour mettre de l'ordre dans tes affaires, il ne faudra pas plus d'une semaine ou deux, non ?

Elena se leva. Autour d'elle, le silence de la maison augmentait la sensation de solitude qu'elle éprouvait depuis quelques jours. La mélancolie qui l'avait prise lui serra la gorge, mais elle s'obligea à la repousser. Elle imagina Paris, les ruelles étroites du Marais, les hôtels particuliers et les jardins fleuris, les musées. Et puis un travail... Elle pourrait gagner de l'argent, rentrer dans le circuit qu'elle avait abandonné depuis deux-trois ans, renouer avec ses contacts. Et si tout allait bien, elle pourrait rouvrir le magasin. Pas tout de suite, non... mais peut-être un jour.

Elle s'aperçut à cet instant que tout cela n'était rien d'autre que des espoirs, elle n'y croyait pas vraiment. C'était comme des rêves, juste peut-être un peu plus concrets.

Et puis quelque chose changea en elle. Ce fut un mouvement imperceptible, mais décidé. C'était la volonté.

Depuis quand ne décidait-elle plus de quoi que ce soit ? Elle se rendit compte que tous ces derniers temps la satisfaction qui provenait du fait d'avoir accompli quelque chose pour elle-même, sans autre raison que de satisfaire ses attentes personnelles, lui avait manqué.

Elle irait à Paris, elle voulait y aller, elle voulait changer, elle voulait, c'est tout.

— Je dois dire que... ça me semble une bonne idée. Mais je ne suis pas sûre... Je ne sais rien des nouvelles techniques, je ne suis pas à la page.

Joséphine rejoignit la table où était resté l'emballage du parfum indien.

— Prends ton billet. Je m'occupe du reste. Envoie-moi un mail avec le numéro de ton vol et laisse-moi faire.

Elle raccrocha, prit la mouillette qui conservait encore un léger parfum et la respira lentement. Puis elle sourit.

Elle ouvrit son portable et composa un numéro.

— Je vous envoie un CV, annonça-t-elle peu après à Philippe.

7

Hélichryse. Doux comme le miel et amer comme une aube sans repos. Le parfum est intense, puissant comme la bonté. À utiliser avec parcimonie, en le mélangeant à des senteurs délicates comme la rose, capables d'en accueillir le sentiment. Unit le cœur et l'esprit, la passion et la raison. Évoque la compassion.

Le Marais était l'un des rares quartiers de Paris à avoir conservé le caractère de la ville du XVIIe siècle. Chéri par l'aristocratie qui avait préféré loger à côté plutôt qu'à l'intérieur de la cour royale, il s'était sorti indemne de la Révolution, avait survécu aux visions urbanistiques d'Haussmann, aux crues de la Seine, qui s'était répandue dans les zones de la ville plus au sud, aux rois et à Napoléon.

Elena allait et venait dans les petites rues étroites, à la recherche de l'appartement où elle allait commencer sa nouvelle vie. Malgré la pluie, il y avait des dizaines de touristes qui continuaient avec obstination à photographier, regarder en détail et chercher une chose ou une autre. Elena les avait laissés rue des Rosiers pour s'engager plus avant dans le dédale de ruelles : ici le décor changeait et on avait l'impression d'être dans un autre lieu, dans un petit village au temps suspendu.

Elle s'arrêta devant l'enseigne d'une boulangerie, regardant pour la énième fois le bout de papier sur lequel elle avait marqué l'adresse. Douze rue du Parc-Royal. Elle continua à marcher comme par habitude. Brusquement, les petites roues de la valise cessèrent de collaborer. Elena marmonna quelques gros mots, avant de s'apercevoir qu'elle était arrivée à destination.

— Enfin ! s'exclama-t-elle peu après devant une arche en pierre marquée du numéro douze.

L'arche était fermée par une grille de fer forgé. Elle se pencha, essayant de distinguer au-delà des barreaux un mécanisme d'ouverture. Dans l'obscurité à peine éclairée par quelques cônes de lumière, elle parvint à entrevoir un jardin, quelques bicyclettes et deux voitures.

Joséphine lui avait dit qu'elle n'avait pas besoin de clefs. Était-il possible qu'elle se soit trompée ? Elle consulta de nouveau le papier qu'elle avait à la main, puis le froissa avec irritation et s'appuya contre le mur humide. Il sentait la brique, la peinture. La fatigue, aussi. La même que celle qui pesait sur ses épaules. Le voyage depuis Florence n'avait pas été facile. L'avion avait eu du retard, elle n'avait pas trouvé de taxi disponible à l'aéroport et avait dû prendre la navette.

Transie par la pluie et d'une humeur exécrable, Elena passa de nouveau en revue toutes les portes, toutes les fenêtres de la rue, allant et venant sous une pluie de plus en plus insistante. Tout à coup, entendant un bruit soudain, elle se tourna. Quelqu'un avait actionné l'ouverture automatique de la grille devant laquelle elle s'était arrêtée peu avant. Elle attendit un instant, regardant avec attention la voiture qui entrait dans la cour intérieure. La grille resta ouverte. Elena soupira. Elle était trempée, des frissons la secouaient à chaque rafale de vent, lui donnant la tentation de tout laisser en plan et de trouver un refuge adéquat. Elle rêvait d'un bain chaud.

Elle serra les dents, décidée à se plonger dans une baignoire dans les dix minutes, le monde dût-il s'écrouler.

Elle tira derrière elle la valise à roulettes et entra dans la cour. La première porte à sa droite était marquée elle aussi du numéro douze. Le soulagement l'envahit. Voilà, elle y était !

Joséphine lui avait envoyé un SMS pour lui dire qu'elle était passée déposer quelques provisions dans l'après-midi et avait laissé la porte entrouverte. Elle n'aurait qu'à pousser avec un peu d'énergie.

Les deux mains sur le battant, Elena fit comme son amie lui avait indiqué. Mais il ne se passa rien. Une mince fente laissait filtrer une odeur sourde, de moisi et de renfermé, pas désagréable, mais ancienne, assurément. Comme si à l'intérieur il y avait un entassement de vieux livres, de plantes et de mousse.

Les yeux fermés, les mains sur le bois, Elena se trouva projetée dans un autre monde : celui des odeurs. Des restaurants s'élevait la fumée des grillades : poisson à la braise, avec légumes grillés. Courgettes et poivrons, et puis le glaçage d'un gâteau au chocolat. Semoule et pain tout juste sorti du four. Le vent charriait le parfum des arbres, des cèdres aux feuilles alourdies de pluie, et des fleurs : gardénias, asters, et puis celui, séduisant, délicieux, des roses ; enfin l'odeur d'une journée difficile passée à voyager.

Et puis ce fut une explosion de couleurs, rouge, vert, violet. Elle ouvrit tout grands les yeux. Les émotions la submergeaient. Elle les sentit glisser en elle comme des spires. Elles l'effleuraient, pour ensuite tourbillonner, se concentrer et éclater.

Il fallait qu'elle les arrête, il fallait qu'elle cesse de sentir.

Alors elle poussa, de toutes ses forces. La porte s'ouvrit toute grande d'un seul coup, la catapultant en avant. Elle tenta de reprendre son équilibre, les mains devant elle, la respiration haletante. Elle poussa un cri quand l'obscurité sembla l'engloutir, cependant que sa course s'achevait contre un obstacle et que ses genoux fléchissaient.

— Qu'est-ce qui... ?

Un bras robuste la saisit à la taille, freinant sa chute.

— Tout va bien ?

Il fallut quelques secondes à Elena pour se rendre compte de ce qui s'était passé. Par bonheur, cet homme l'avait attrapée avant qu'elle ne se retrouve par terre. Il ne lui manquait plus que ça, pensa-t-elle, un peu sonnée.

— Oui, merci, murmura-t-elle.

L'homme ne répondit rien. Elena s'agita, nerveuse.

— Vous pouvez me laisser maintenant, lui dit-elle un peu embarrassée, tandis que lui la tenait toujours solidement.

Soudain l'homme la laissa aller, et s'écarta vivement.

— Je ne voulais pas vous effrayer, fit-il avec brusquerie.

Elena s'accrocha à la voix de l'inconnu, à la note douloureuse au fond de cette phrase. Les émotions qui l'avaient oppressée un instant auparavant s'étaient dissoutes. Elles avaient été remplacées par d'autres, infiniment plus intéressantes.

Il y avait de la douleur dans les mots de cet homme. Une souffrance ancienne, injuste. Elena se demanda pourquoi et ressentit une frustration inexplicable en pensant qu'elle ne pourrait avoir une réponse.

— Je n'arrive pas à vous voir, lui répondit-elle en s'agrippant à lui, le tenant fort comme si elle avait voulu le consoler de cette absurdité.

Il ne l'avait pas effrayée. Pourquoi, d'ailleurs ?

La lumière des réverbères dessinait la silhouette massive de l'homme, tout en le laissant dans l'ombre. Elena ne parvenait à distinguer rien d'autre qu'une silhouette robuste. Il était très grand, avec une voix un peu rude, mais en même temps courtoise, profonde.

— Je n'ai pas peur de vous, dit-elle. Vous avez un bon parfum.

Cet aveu fut une impulsion, les mots s'échappèrent tout simplement de sa bouche.

Tout de suite après, elle rougit. Mon Dieu, elle avait l'air de vouloir le draguer ! Joséphine aurait été fière d'elle.

— Pardon, vous allez croire que je suis folle. Mais j'ai eu une journée horrible et la première chose positive qui me soit arrivée a été votre... sauvetage. Si vous ne m'aviez pas retenue j'aurais terminé étendue par terre, une fin digne de cette journée épouvantable. J'étais simplement déconcertée parce que la porte s'est ouverte brusquement...

— De quoi ?

Elena en resta muette.

— De quoi... quoi ?

— Vous avez dit que j'ai un bon parfum. De quoi ?

— Ah, oui, fit-elle avec un petit rire, qui rendait un son léger, velouté. C'est un peu une déformation professionnelle.

Mais lui ne riait pas, il continuait à la fixer intensément. Elena sentait ce regard sur elle, elle percevait l'importance de cette réponse et des mots que cet homme, quel qu'il fût, attendait. Elle se concentra, alors, et laissa son parfum lui parler, lui racontant des choses qu'elle seule était capable de saisir.

— Il sent la pluie, le froid, mais aussi le soleil. Les mots pensés, les longs silences et la réflexion. Il sent la terre et les roses... Vous avez un chien et vous êtes quelqu'un de gentil, d'empathique et de sensible.

Un autre long silence. Puis l'homme s'écarta, presque brutalement.

— Il faut que j'y aille maintenant. Laissez la porte ouverte, la lumière de l'entrée ne marche pas. Faites attention.

Il la laissa, reculant un pas après l'autre, sans la quitter du regard. Ce n'est que la porte une fois rejointe qu'il se tourna et sortit.

Elena réprima l'irrépressible désir de le rappeler. Les yeux fixés sur l'entrée, elle serra les bras sur sa poitrine et puis se mit à rire. Elle s'était comportée comme une folle. Pour un peu elle lui aurait demandé son numéro de téléphone. Qu'est-ce qui lui était passé par la tête ? Elle s'était accrochée à cet homme et... En réalité, c'est lui qui l'avait attrapée. Elle continua à y réfléchir, un peu amusée, un peu scandalisée par son propre comportement. Toutefois, ces considérations furent vite balayées par les émotions qui s'agitaient en elle. Elle leva le visage et chercha encore ce parfum. C'était une promesse tenue, c'était la douceur de la confiance, le poids et la responsabilité tout ensemble. C'était action et besoin. Elle chercha encore dans la nuit, humant l'air, tentant de retrouver cette chose impalpable qui était en train de disparaître. Mais quelque désir qu'elle eût de la retenir, elle avait disparu, laissant en elle une sorte d'ardente nostalgie.

Elle revint sur ses pas. Elle s'était maintenant habituée à cette espèce de pénombre. Elle battit des paupières ; l'entrée était vaste, les plafonds très hauts. Dans un coin, à côté d'une fenêtre, il y avait une plante, probablement un ficus benjamina. Une volée de marches menait aux étages supérieurs. Au rez-de-chaussée, il y avait une seule porte avec un paillasson, et cela semblait correspondre à la description de Joséphine.

Elena poussa la porte, qui après une légère résistance s'ouvrit, grinçant à peine. C'était donc ça l'appartement. Elle chercha l'interrupteur et sous le premier éclat de lumière vit une grande salle dépouillée aux hauts murs ; quelqu'un avait essayé de crépir les vieilles briques, inutilement, vu le résultat. Alors il s'était replié sur la peinture.

Elle rejoignit le centre de la pièce. Le carrelage bougea sous la pression de ses pas. Elle fronça les sourcils. Il devait être très ancien. Certains carreaux étaient arrachés, pitoyablement amassés dans un coin, et dessous on entrevoyait un pavement plus ancien encore. À sa droite, il y avait une fenêtre et une porte qui devaient donner sur la rue principale, mais elles semblaient hermétiquement closes depuis des années. Joséphine lui avait dit que sa famille avait hérité de l'appartement, mais aucun d'entre eux n'avait eu l'intention d'y vivre, et quant à le vendre, il n'en était pas question, car il avait appartenu au père de Jasmine, Ismaël Ahdad, immigré de la première génération. L'homme avait mis son existence entière à l'acheter. Jasmine en était profondément fière. Mais, malgré cela, les Duval n'appréciaient pas réellement l'endroit. Joséphine ne l'avait utilisé comme pied-à-terre que quelques mois lors de son installation à Paris et, dès que ça lui avait été possible, elle était allée habiter dans une autre partie de la ville.

Au fond du mur décrépi il y avait une ouverture, comme une niche. Elena s'approcha. Un escalier grimpait vers un étage supérieur où devaient se trouver la chambre à coucher et la salle de bains. Elle pressa un vieil interrupteur et un flot de lumière illumina le palier du haut.

Joséphine lui avait dit qu'elle avait acheté des draps neufs, une couette, des serviettes. Et Elena voulait prendre un bain puis se coucher.

Elle commença à monter l'escalier, et, une fois rejoint l'étage supérieur, regarda autour d'elle. Il y avait trois pièces : un petit séjour avec cuisine, une salle de bains, une chambre à coucher. Peu de meubles, des livres amoncelés un peu partout. Dans la cuisine, quelques vieux appareils électroménagers, une desserte en formica rouge, trois sièges, une table sur laquelle était posé un sac en plastique, dont provenait un parfum délicieux.

— Tu es un ange, ma Jo, marmonna-t-elle en farfouillant dedans.

Elle mordit dans un morceau de baguette et se remit à explorer la maison.

Une fois les fenêtres ouvertes, une brise légère apportait d'autres odeurs, d'autres bruits, le son d'une ville qu'Elena était impatiente de revoir.

Elle aurait dû appeler Joséphine, lui dire qu'elle était arrivée. Où avait-elle mis son portable ? Oh mon Dieu ! Et son sac ?

Elle redescendit l'escalier avec affolement et, quand elle le vit à côté de la porte, reprit enfin son souffle. La valise aussi était là. Elle se souvint soudain qu'elle les avait laissés devant la porte d'entrée... Était-il possible que l'inconnu qu'elle avait rencontré à son arrivée les ait portés à l'intérieur ?

La pensée de cet homme la fit soupirer. Qui sait de qui il s'agissait. Un voisin, sans doute ? L'idée lui plut.

Elle s'était sentie bien auprès de lui. Et ça la stupéfiait. Elle n'avait jamais abordé quelqu'un avant cela...

Elle ferma la porte et retourna à l'étage. Enthousiaste et excitée, elle se plongea dans la baignoire pleine d'eau bouillante.

Un instant, Matteo fit irruption dans son esprit, mais elle l'en repoussa aussitôt. Elle avait trop de choses à faire et à organiser. Ce n'était pas le moment de ruminer le passé.

— Je suis trop occupée à aimer pour avoir le temps de haïr, murmura-t-elle, se rappelant une phrase qui régulièrement circulait sur Facebook.

Ce n'était pas tout à fait vrai. Il y avait eu des moments où elle aurait voulu crever les yeux d'Alessia et donner un bon coup de poignard à Matteo. Toutefois, l'idée était vraiment intéressante et elle décida qu'elle s'y tiendrait le plus possible : elle remplirait ses journées de belles choses.

Les pensées affluaient dans son esprit, se rejoignaient pour se séparer et vite repartir dans de nouvelles directions.

Détendue et affamée, Elena sortit de la baignoire. Et quand après avoir mangé elle se jeta sur le lit, il lui sembla presque être heureuse.

Cail contemplait la fleur que quelques jours plus tôt il avait protégée de la pluie. Rose bonbon, avec un cœur abricot.

Ses pétales s'étaient agrandis, maintenant. Sur leurs bords de petites perles brillaient, comme autant de larmes. Une légère senteur de pomme et de thé était tout ce qui s'exhalait de cette rose. Trop peu, trop banal, à peine passable. Elle était belle, certes, elle était mignonne, avec une forme en calice qu'il n'avait pas prévue. Mais cela ne changeait rien. Elle était trop commune.

Bien sûr, le travail ne serait pas perdu. Ses clients allemands l'insèreraient sans problème dans leur catalogue. Ils le paieraient convenablement et les royalties lui resteraient.

Il fourra les mains dans ses poches. En remontant l'escalier, il repensa à cette fille qu'il avait rencontrée dans l'entrée. D'après son accent, elle semblait italienne. Elle lui avait dit qu'il sentait la pluie. Il se répéta ses mots, les faisant tourner dans sa tête, les repêchant et les soupesant, jusqu'à ce que son chien le rejoigne et se frotte contre lui.

— Combien de fois t'ai-je dit que tu es un chien, et pas un chat ? maugréa-t-il en lui caressant le poil.

Pour toute réponse, John lui lécha la main.

Cail sourit.

— Tu as faim ? Viens, entrons à la maison.

L'appartement que Cail avait loué résultait du réaménagement des chambres autrefois destinées aux garçons d'écurie de l'ancien hôtel particulier. On y accédait par un escalier intérieur qu'il partageait avec les autres locataires et il se terminait par une terrasse. Cail avait dû payer un supplément pour pouvoir en disposer librement, mais ça en valait la peine. Après l'avoir entourée d'une structure de bois en nid d'abeilles, il y avait planté une *Banksiae lutea*. En deux ans, la plante, avec ses longues branches sans épines, avait pris possession de tout l'espace disponible, recouvrant la grille et faisant écran à tout ce qui l'entourait. Elle fleurissait une seule fois dans l'année, en petits bouquets parfumés qui ne duraient que quelques semaines. Dans cette zone protégée, Cail cultivait des roses particulières : les mères, autrement dit les fleurs qu'il utilisait ensuite pour son travail. Une petite serre de nylon, au centre de la terrasse, contenait les jeunes hybrides sur lesquels il comptait pour trouver de nouvelles variétés de roses. Autour, tout était bien organisé et parfaitement en ordre, outils, terreau, engrais. À côté de l'entrée de l'appartement, il y avait la niche de John.

Avec le chien sur les talons, Cail entra chez lui, alluma les lumières et se dirigea vers la cuisine. Il coupa en tranches des légumes qu'il fit sauter dans une poêle avec un peu d'huile d'olive, y ajouta une gousse d'ail et quelques feuilles de basilic.

Il choisit un CD, le retira avec soin de son boîtier et l'inséra dans le lecteur.

Couché sur le tapis du séjour, John somnolait paresseusement, un œil toujours sur son maître. Quand Cail sortit sur la terrasse, après avoir rangé la cuisine et mis son couvert dans le lave-vaisselle, il le suivit jusqu'à l'entrée, puis s'arrêta.

L'air était froid, piquant. Les nuages s'étaient effilochés, permettant à une poignée d'étoiles de briller. Cail les contempla un moment, tandis que le piano de Ludovico Einaudi adoucissait ses pensées. Il resta ainsi quelques minutes, puis décida que tout de même ça en vaudrait la peine. Il retourna à l'intérieur et sortit de nouveau sur la terrasse en traînant un long cylindre métallique. Il l'installa sur un support et le régla. Un instant plus tard, alors qu'il était penché sur le télescope, son monde devint lointain, noir, et, d'une certaine façon, lumineux.

— Tu as tout trouvé ? Les provisions, les draps ? Tu as bien dormi ?

— Oui, sois tranquille. J'ai tout trouvé et j'ai dormi comme une souche. Mais parle-moi un peu de cette maison... Elle date de quand ?

Joséphine soupira.

— Elle est vieille, très vieille. Elle doit avoir deux ou trois siècles, je crois. Elle appartenait à un noble qui a perdu la tête.

— Pour une femme ?

— Non, sur la guillotine.

Un frisson parcourut Elena.

— Ce n'est pas drôle !

— Ça ne voulait pas l'être. C'est comme ça, ce n'est pas ma faute ! Je ne saurais pas t'en dire plus... Mais de toute façon tu n'es là que pour quelques mois, et puis les appartements des maîtres se trouvaient dans une autre aile du bâtiment. Il n'y a aucun esprit errant dans cette partie de la maison, crois-moi.

— C'est pour ça que tu préfères payer un loyer plutôt que de vivre chez toi ? Tu n'as pas encore dépassé la peur des fantômes ?

Joséphine fit entendre un petit bruit agacé.

— Ne sois pas bête ! Je n'aime pas l'atmosphère qu'on y respire, c'est tout. Et de toute façon, dès que tu auras trouvé un travail nous chercherons quelque chose de plus adéquat.

— Non. Je suis bien ici, vraiment. Et puis, pour l'instant, je pense qu'il faut laisser les choses comme elles sont. Faisons comme si j'avais pris des vacances. Ça ne me convient pas de faire des projets à long terme. Si je trouve du travail, je reste à Paris. Autrement je retourne à Florence.

Silence. Joséphine n'avait pas encore de nouvelles sûres à lui donner. Philippe ne lui avait rien fait savoir quant à la sélection et elle ne voulait pas appeler Grégoire. Elle était certaine que parmi ses connaissances elle dénicherait tôt ou tard un travail décent pour Elena, mais ce n'était pas suffisant. Joséphine avait espéré si longtemps être comme Elena, elle ne pouvait pas permettre que soit sous-employé un talent comme celui de son amie. Narcissus était l'endroit qu'il lui fallait. Elle devait trouver le moyen de convaincre Grégoire.

Un long soupir, puis elle acquiesça.

— OK, pas de pression. Je passe te prendre dans la soirée. Vers sept heures, ça te va ?

Elena s'étira, encore enveloppée dans la couette en plumes d'oie.

— À sept heures ce sera parfait.

— En attendant, tu devrais sortir un peu. Il y a de tout dans le Marais. Va rue des Rosiers, achète-toi de quoi manger et savoure !

— Allez, d'accord. Aujourd'hui je ferai la touriste, répondit Elena en observant la lumière blême du matin qui pénétrait par les fenêtres sans rideaux. On se voit à sept heures alors. Passe une bonne journée.

Elle referma le portable et se redressa en position assise. Une brutale crampe d'estomac lui arracha un gémissement. Elle mit la main devant sa bouche, puis jaillit hors du lit. Elle resta à genoux devant la cuvette après même que ses haut-le-cœur eurent cessé. Puis elle se rinça le visage et se traîna sous la douche.

— Mais qu'est-ce qui m'arrive ? gémit-elle.

Peut-être ne s'était-elle pas assez protégée du froid la veille. Elle avait l'estomac dérangé. La nausée qui l'avait prise était passée, mais les crampes qui lui tenaillaient l'estomac étaient violentes, comme si elle n'avait rien avalé depuis des jours.

Elle ouvrit le robinet et se glissa sous la douche chaude. Dix minutes plus tard, pendant qu'elle se séchait les cheveux, elle décida de sortir quand même. Elle pouvait prendre son petit déjeuner dans l'un des bistrots qu'elle avait repérés le soir précédent. Puis elle achèterait de l'aspirine, ou quelque chose de ce genre. Elle choisit une paire de jeans commode, une chemise de lin blanc et un chandail rouge. Elle laissa ses cheveux libres sur ses épaules, mit une fine couche de crème hydratante, un peu de mascara, puis une touche de rouge à lèvres.

— En l'honneur de Paris, dit-elle au miroir.

Elle prit son sac et descendit dans la pièce du dessous. Tandis qu'elle traversait le salon et rejoignait la porte, elle imagina ce que pourrait devenir cet endroit. Et elle en resta surprise. C'étaient les pensées de quelqu'un qui voulait rester, organiser et créer. C'était une sensation étrange, proche de l'enthousiasme.

— Ne fais pas de projets à long terme, ça ne te réussit pas, se reprocha-t-elle en refermant la porte derrière elle.

À la lumière du jour, le hall de l'immeuble lui parut très semblable à beaucoup d'autres. Peut-être juste un peu plus sombre. La seule fenêtre était masquée par les branches touffues d'une plante. Le plafond était voûté. Elena rejoignit la porte d'entrée et, quand le battant s'ouvrit sans difficulté, elle fronça les sourcils. Elle doutait d'avoir acquis une force extraordinaire pendant la nuit : ces gonds avaient été huilés.

— À huit heures du matin ? se demanda-t-elle. Surprenant. Un service de manutention vraiment efficace.

Elle allait sortir quand une pensée lui vint à l'esprit. Elle étendit la main et la pressa sur l'interrupteur. La lumière blanche du plafonnier s'éclaira. Elle le regarda quelques secondes, puis éteignit. C'était lui qui avait fait ça. Elle était prête à le parier.

Quand elle se retrouva dehors, il lui sembla être retournée en arrière dans le temps. À l'angle de la rue Payenne et de la rue du Parc-Royal, se dressait l'entrée d'un charmant petit square, avec des parterres divisés en compartiments colorés. Les feuilles des arbres, encore mouillées, gouttaient sur les enfants qui se poursuivaient à travers les sentiers de cette jolie création. On se serait cru à l'intérieur de la cour d'un château.

Le ciel était dégagé à présent, bandes bleu cobalt entre les rangées bien ordonnées des toits. Air froid, parfums d'un matin à peine commencé, gâteaux secs, pain tout juste sorti du four, café. Elle avait faim.

Elle rejoignit la rue des Rosiers et s'arrêta dans un bar où elle mangea avec appétit. Elle ne put s'empêcher de rire quand, en réglant l'addition, elle découvrit qu'Antoine, le propriétaire, était en réalité un certain Antonio Grassi, né à Naples, et qui y avait vécu jusqu'à quelques mois auparavant. « Revenez nous voir, madame, qu'un cappucino bon comme celui-ci, personne n'en fait à Paris », lui dit-il, comme elle partait, avec un accent napolitain à couper au couteau.

Elle continua à se promener dans les rues du quartier, attentive à ne pas trop s'éloigner, perdant puis retrouvant son chemin. C'était réconfortant, de marcher ainsi sans but, sans horaires, sans personne à avertir, ou de qui tenir compte. Elle se sentit libre, profondément et totalement libre. Elle pouvait faire ce qu'elle voulait, elle pouvait s'arrêter, regarder le ciel, la Seine ou les vitrines autant qu'elle en avait envie. Personne ne la jugerait, personne ne la connaissait. C'était comme si quelqu'un avait lâché la ficelle du ballon qu'était sa vie.

Pour la première fois, être seule ne lui pesait pas. Avoir quelqu'un à côté d'elle n'était plus une nécessité, ce n'était même plus un besoin.

Pour la première fois elle se trouvait bien avec elle-même.

8

Rose. Essence difficile à obtenir, douce, légère, symbole de l'amour, des sentiments et des émotions. Favorise l'initiative personnelle et les arts.

« Bonjour, ma chérie. J'ai bien eu le CV de ton amie, nous en parlerons ce soir. Mon chauffeur viendra te chercher. Je ne te cache pas que je suis intéressé, mais j'aimerais te rappeler que Narcissus n'est pas une agence de placement. Il faudra que tu me convainques. Prépare-toi. »

C'était la troisième fois que Joséphine écoutait le message que Grégoire lui avait laissé sur son répondeur. La fureur se déversait en elle par vagues, bouillonnait, se calmait puis revenait à l'assaut.

Comment osait-il la traiter de cette façon, la convoquer ainsi ?

Elle inspira et expira, puis prit son sac et sortit. Il voulait qu'elle le convainque ? Très bien. Il ne serait pas déçu !

— Tu es prête ? Je t'emmène, je veux te présenter quelqu'un, dit Joséphine en entrant dans l'appartement.

— Je croyais que nous serions toutes les deux seules, répondit Elena en l'embrassant. Je me trompe ou tu es de mauvaise humeur ?

— Excuse-moi, c'est Grégoire. Il me donne des envies de meurtre. Je sais que je t'avais promis une soirée entre filles, mais c'est important, il s'agit de ton futur travail.

— Jo... Je ne suis pas sûre que ce soit une bonne idée d'obliger ton patron – ton ancien patron plus exactement – à m'engager. Surtout maintenant qu'entre vous l'atmosphère n'est pas très amicale.

— Depuis quand es-tu devenue si... perspicace ?

— Ne te méprends pas, je te suis très reconnaissante pour tout ce que tu es en train de faire, mais je suis également assez sûre que je pourrais trouver un travail toute seule.

— Je n'ai jamais prétendu le contraire, répliqua Joséphine, irritée. Mais je ne pense pas que t'enfermer dans une cuisine et faire le marmiton soit le meilleur des choix.

— Et qui te dit que c'est ce que je compte faire ? riposta sèchement Elena.

Son ton était plus violent qu'elle n'aurait voulu. Un silence embarrassé tomba sur elles.

— Pourquoi nous disputons-nous ? lui demanda brusquement Joséphine.

Elena soupira.

— Je ne sais pas, mais en tout cas discuter dans l'entrée n'est pas une bonne idée, viens à l'intérieur, nous nous chamaillerons mieux, dit-elle en refermant la porte.

Joséphine eut un petit rire, puis l'embrassa de nouveau.

— Oh là là, pardonne-moi, je suis vraiment de très mauvaise humeur. Mais j'ai un plan, tu sais.

— Arrête, tu me fais peur !

— C'est ridicule. Écoute-moi... Le parfum que tu as choisi a fait crever Grégoire de curiosité, il te veut, même s'il mourrait plutôt que de l'admettre. Ce travail serait un excellent tremplin pour toi. Essaie de voir un peu plus loin et imagine : un magasin tout à toi, où tu déciderais de tout, de la disposition du mobilier au rapport avec les clients. Moderne et lumineux, comme tu aimes. Et derrière toi tu aurais un passé chez Narcissus. Le succès serait pratiquement garanti.

— Je ne suis pas stupide, Jo, j'y ai pensé, mais je ne le sens pas ce type. Tu comprends ? Je ne suis pas sûre d'être prête à négocier avec quelqu'un comme lui.

Joséphine haussa les épaules.

— Tu n'en auras pas besoin. Je t'emmène avec moi ce soir, et il se rendra compte qu'il serait fou de ne pas te retenir.

Posé ainsi, ça semblait vraiment facile, mais Elena en avait trop subi dernièrement. L'enthousiasme de Joséphine n'était nullement contagieux. D'après ce qu'elle lui avait dit, ce Grégoire était un manipulateur.

— Je ne sais pas... Je pourrais peut-être chercher quelque chose ailleurs. Narcissus n'est pas la seule parfumerie de Paris, non ?

— Non, mais c'est celle qu'il te faut. Chez Narcissus on crée, Elena, on ne se limite pas à vendre les parfums des autres.

— Je ne sais pas...

La patience de Joséphine avait atteint ses limites. La jeune femme commença à faire les cent pas nerveusement, cherchant les mots qui convaincraient Elena de l'écouter. Puis elle se passa les mains dans les cheveux et ce qu'elle avait gardé en elle-même pendant toutes ces années sortit d'un coup, irrépressible.

— Est-il possible que tu n'arrives pas à comprendre ? Je donnerais n'importe quoi pour être comme toi ! Mais je n'ai pas ton don ! Je dois m'adapter, je dois me contenter de ma médiocrité. Tu ne peux pas tout foutre en l'air !

Elena ouvrit de grands yeux.

— Non, mais tu as perdu la tête ? Comment tu peux dire des bêtises pareilles ? Tu es aveugle ? Tu m'as bien regardée ? Il y a quelques semaines tu m'as pratiquement ramassée à la petite cuillère et m'as offert une nouvelle vie à Paris !

Maintenant elle était vraiment en colère.

Joséphine ne l'avait pas vue aussi pleine de vie depuis tellement longtemps qu'elle en resta frappée.

— Ça n'a rien à voir. Tu avais besoin de changer d'air, c'est tout. Tu aurais fait la même chose pour moi.

— Bon, écoute, ce n'est pas le sujet. Il faut juste que tu comprennes que je ne peux pas te laisser mener mes combats, lui dit Elena après un long silence.

— Ça n'est pas mon intention, tu sais. Et de toute façon, même si Grégoire t'embauche, ce sera à toi de faire le nécessaire pour garder ce travail. Mais si tu laisses passer cette occasion, tu commettras une grave erreur.

C'était vrai. Elles le savaient toutes deux. Être disposée à l'admettre, cependant, était difficile. Trop d'émotions à la fois, trop de choses à reconsidérer.

Joséphine soupira, puis décida de laisser tomber la discussion, pour le moment du moins ; il fallait une trêve, de façon que toutes deux se calment un peu.

— Cet endroit est terrible, maman devrait vraiment s'en débarrasser, commenta-t-elle avec un regard circulaire.

— Il me plaît, à moi. Tu te souvenais que la fenêtre et la porte qui donnent sur la rue ont des barreaux et un énorme verrou ? Comme si quelqu'un avait voulu tenir éloigné le monde entier.

Joséphine se tourna, ouvrit la bouche pour répondre, puis secoua la tête et se dirigea vers la cuisine.

— Ces parfums que tu as trouvés dans l'atelier de ta grand-mère, tu les as pris avec toi ? demanda-t-elle à Elena en effleurant un bouquet de tulipes que celle-ci avait acheté au marché. C'est incroyable, ce que des fleurs et une nappe peuvent changer un lieu, murmura-t-elle.

La cuisine était toujours la même, mais Elena l'avait nettoyée de fond en comble, elle avait également mis quelques bibelots qu'elle avait sans doute trouvés dans le cagibi.

— Oui, j'ai même pris avec moi le journal de Beatrice.

Joséphine ouvrit de grands yeux.

— Vraiment ? Magnifique ! Tu pourrais te faire plein d'argent. Tu te rends compte de ce que ça signifierait, de ramener à la vie des parfums d'il y a des siècles ? Tu aurais une ligne unique en son genre et absolument authentique. Personne ne pourrait te concurrencer.

— Je ne dirais pas ça. Les goûts de l'époque étaient différents. Un peu comme les parfums des années soixante : qui les mettrait aujourd'hui ?

— Un bon nombre de gens, lui répondit Joséphine tout en continuant à fureter partout. Le N° 5 de Chanel est de 1921.

— Mais là il s'agit d'une innovation de l'époque, protesta Elena. On a utilisé pour la première fois les aldéhydes pour donner plus de force à un parfum. Ça continue à être un classique. Personne ne pourrait le dire obsolète.

— Alors, que dirais-tu de Shalimar ou Mitsouko de Guerlain ? Tu sais mieux que moi à quel point ils sont encore actuels. En fin de compte, ça dépend de toi, de renouveler ces compositions. Tu crois que ce serait si difficile ?

Non, ça ne le serait pas. Bien que ce fût Joséphine qui avait soulevé la question, quand elle était encore à Florence Elena avait commencé à penser aux variantes possibles des parfums créés par les Rossini.

— Plus les parfums sont particuliers et difficilement reproductibles, plus les gens en voudront. Et seront disposés à débourser un sacré tas d'argent, ajouta Joséphine.

— Tu crois ? Je ne sais pas, murmura Elena, pensive.

— Moi, j'en suis sûre. Et de toute façon le journal a une valeur énorme, que ce soit du point de vue historique ou financier. Tu résoudrais tous tes problèmes.

C'était vrai. Ces formules devaient valoir une fortune. Elles étaient infiniment précieuses, elles étaient son héritage.

Brusquement, Elena se sentit la bouche sèche.

— Quand nous étions ensemble, Matteo voulait que je vende la maison. Mais je n'ai jamais accepté.

Elle fit une pause et s'assit.

— Je n'ai pas l'intention de vendre, Jo, lui dit-elle en la regardant dans les yeux. Je ne sais pas pourquoi ma vie est sens dessus dessous, ni pourquoi ce que j'ai désiré faire pendant des années, c'est-à-dire me libérer des parfums, des Rossini et de leurs obsessions, est maintenant hors de question. Je sais seulement que c'est comme ça.

Joséphine sembla réfléchir aux propos d'Elena, puis inclina la tête.

— Je pense qu'il est normal de tenir à ses racines, à son passé. Regarde ma mère. Elle a détesté cet endroit de toute son âme et maintenant elle ne parvient pas à s'en séparer. On paraît ne pas faire attention à ce qu'on possède, on en arrive même à le haïr. Et puis quelque chose change. Au fond, la vie n'est qu'une question de perspectives.

Chez une femme décidée comme Joséphine, la capacité de s'arrêter pour écouter pouvait sembler paradoxal. Mais Elena avait toujours aimé cet aspect du caractère de son amie. Il lui avait permis de se sentir à son aise avec elle. Malgré son apparente agressivité, Jo savait quand lui laisser l'espace dont elle avait besoin pour parvenir à s'exprimer.

— C'est plus compliqué que ça, je le crains, murmura Elena en étendant les bras sur la table.

Puis elle se leva.

— Je ne t'ai même pas proposé quelque chose. Je te prépare un peu de thé ?

— Non, merci. Assieds-toi plutôt, et finis de parler.

— Bon, tu le sais déjà, mais je ne voulais pas devenir parfumeuse. Jamais ! s'exclama-t-elle peu après, la bouche tremblante. La recherche de ce maudit Parfum Idéal et les parfums en général ont toujours été source de douleur pour moi. Et maintenant, on dirait que ce dégoût, la rage que j'avais en moi ont tout simplement disparu. Tu te rends compte ? C'est incohérent, ça me donne l'impression d'être une fille qui ne sait pas ce qu'elle veut.

L'indignation d'Elena était si manifeste, si profonde et si totalement dénuée de logique qu'elle arracha un sourire à Joséphine.

— Tu ne crois pas à ce que tu dis. Nous en avons déjà discuté bien souvent. Ton problème, ce ne sont pas les parfums, mais l'obsession de femmes qui n'avaient rien dans leur vie et qui ont décidé de remplir ce vide avec ce par quoi elles pensaient obtenir prestige et richesse. C'étaient elles qui commettaient une erreur, les parfums n'y sont pour rien. Tu as hérité d'un don particulier, mais pas nécessairement de leur malédiction.

— Ce n'est pas si simple. Tu sais que la première chose qui me frappe chez quelqu'un que je rencontre est son odeur ? Tu te rends compte ? Et les émotions, tu en dis quoi, de ça ? Ça te semble normal de pleurer devant l'harmonie d'un *bouquet*, ou encore de n'avoir pas de paix jusqu'à ce qu'on soit arrivé à énoncer tous les éléments qui composent un mélange ? À leur donner à tout prix une couleur, à les écouter quand ils te parlent à travers leur essence ? J'ai l'impression d'être une pauvre folle.

— Folle... Aux yeux des gens ordinaires, sans doute ? Bien sûr que tu l'es, Elena. Nous sommes tous un peu dingues, tu ne crois pas ? Mais souviens-toi qu'il n'y a pas grand monde qui possède ta sensibilité, tes capacités olfactives. Il y en a encore moins qui ont eu le privilège d'être initiés à l'art de la parfumerie comme on le faisait autrefois, avec l'esprit, le cœur et l'âme tout entière. On ne peut pas faire entrer un cube dans un rond. Pourquoi n'essaies-tu pas de te laisser aller ? Écoute tes émotions, fiche-toi des autres. D'ailleurs, qui sont « les autres » pour toi ?

Oui, qui étaient les autres ? Sa grand-mère, qui l'avait aimée en vertu de ce qu'elle redécouvrirait un jour. Sa mère, qui l'avait abandonnée pour vivre sa vie avec un homme qui ne pouvait pas la supporter. Matteo et ses mensonges. Elle se passa la main sur les yeux comme pour chasser les traces de fatigue, et après un instant de silence chercha le regard de son amie.

— J'ai rêvé du magasin, avoua-t-elle subitement. Il était là, ici même, à l'étage au-dessous. Et il était magnifique, dans des tons crème et rose poudré. Petit, avec un comptoir en bois et en cristal, une table où pouvoir converser, un petit canapé et des lampes.

Joséphine sourit. Même au bout d'un million d'années, elle ne serait pas parvenue à trouver beau cet endroit. Jasmine ne lui avait pas dit grand-chose sur son enfance, mais elle sentait que sa mère avait été très malheureuse, et cela suffisait.

— Alors faisons le premier pas vers la réalisation de tes rêves, Elena.

Ce n'était pas le Ritz, mais aucun restaurant n'était à la hauteur de celui où Grégoire avait réservé. À tous les sens du terme, étant donné que le Jules Verne se trouvait au sommet de la tour Eiffel.

En arrivant sous le monument, Elena ne savait plus où donner de la tête ; avide de détails, elle marchait lentement, essayant de se disperser le moins possible, mais c'était difficile. Sons, images, lumières et parfums. C'était un ensemble extraordinaire et elle voulait tout voir, tout sentir. Elle inspirait lentement, à petits coups, cherchant parmi les parfums les notes qui avaient été pour elle, dans le passé, source de malaise ou de douleur, et qui ce soir-là, au contraire, complétaient la perception de ce qui l'entourait. Et c'était une sensation étrange, parce qu'elle connaissait déjà Paris ; elle y avait été, petite, avec sa mère. Sauf que maintenant la ville lui paraissait différente.

— S'il te plaît, Elena ! On contemplera le paysage une autre fois. Là, on doit vraiment y aller.

— Mais comment peut-on ignorer tout cela ? C'est impossible !

Joséphine ne répondit pas. Elle se borna à lui prendre la main et la traîna derrière elle jusqu'aux ascenseurs de la Tour, de crainte qu'Elena ne décide de prendre les escaliers. Toutes ces marches ! Non, c'était hors de question. Elle n'avait aucune envie de se présenter à Grégoire toute rouge et transpirante. Il lui avait fallu des heures pour retrouver la tranquillité. Elle s'était habillée et maquillée avec soin parce qu'elle avait l'intention de le mettre K-O, ce soir. Elle ne lui concéderait pas le moindre avantage. Elle avait peut-être le cœur en miettes, mais ça, c'était son problème à elle. Grégoire ne devait rien en savoir. Et quand elle le vit elle s'obligea à sourire.

— Le voilà, c'est celui qui est assis à la table du coin.

Elena aperçut un homme élégant occupé à contempler le panorama.

— Il est très attirant.

— Certains serpents le sont aussi.

— Écoute, lui répondit Elena en retenant un sourire, il ne me semble pas qu'il ait réservé pour trois. Il vaut peut-être mieux que je m'en aille.

— N'essaie pas de te défiler, la menaça Joséphine. Tout cela a commencé à Florence avec ce parfum que tu as choisi pour lui. Bien, il a eu ce qu'il voulait et maintenant tu auras le poste qui te revient. Il s'agit d'affaires, rien de plus, rien de moins.

Elena n'était pas très convaincue de la justesse de ce raisonnement. Mais elle était curieuse de voir comment l'histoire allait se conclure, même si elle avait comme l'idée que, avant la fin de cette soirée, Grégoire se repentirait d'un certain nombre de choses. Joséphine vibrait de colère contenue.

— Tu l'aimes encore ?

La question lui échappa avant qu'elle ait pu y réfléchir. Ce n'était pas une simple curiosité, elle voulait comprendre. Elle, par exemple, n'éprouvait plus rien pour Matteo. Et cela l'étonnait profondément.

Joséphine ne quittait pas Grégoire des yeux.

— Oui, mais je ne veux pas. C'est comme une malédiction, tu sais ? Je voudrais ne pas l'aimer, je voudrais qu'il disparaisse de ma vie. Et puis, quand je ne le vois pas, je voudrais qu'il soit là à me prendre dans ses bras. Tu croyais être la seule cinglée de la terre ? Raté ! Bon, tu me laisses mener la conversation, d'accord ?

Non, elle n'était pas d'accord.

— Absolument pas : si je reste, je dois me débrouiller. Seule.

Elle n'ajouta rien de plus. Ce ne fut pas nécessaire. L'expression décidée de son regard convainquit Joséphine de ne pas exagérer, de lui laisser l'espace dont elle avait besoin.

Joséphine baissa les yeux, soupira, puis inclina la tête.

— OK, mais je serai tout de même là pour te soutenir, ça te va ?

— Bien sûr, mais c'est moi qui m'arrangerai avec lui.

C'était important pour Elena, c'était fondamental que ce soit elle qui parle avec Grégoire Montier. Elle était restée trop longtemps en marge, à observer et laisser les autres prendre les décisions pour elle. Et le résultat ne lui plaisait pas, il ne lui plaisait pas du tout. Peut-être était-ce la prise de conscience de tout ce qu'avait d'insensé un comportement de ce genre, ou peut-être était-ce la solitude dans laquelle elle avait vécu ces dernières semaines qui lui donnaient la force de réagir ; en tout cas, elle avait décidé de changer, et cela signifiait négocier toute seule son avenir. Elle allait ajouter quelque chose, mais Grégoire les avait vues et rejointes.

— Bonsoir, Joséphine, j'imagine que ton amie est Elena Rossini.

— Oui, comme tu le vois, je me suis préparée.

Elena écarquilla les yeux et se couvrit la bouche d'une main, étouffant un petit rire d'un toussotement. Joséphine avait été directe comme un coup de fusil. Dire qu'elle était furieuse contre cet homme était un euphémisme.

Une fraction de seconde de plus que nécessaire, puis le visage sévère de Grégoire se détendit en un sourire.

— Naturellement. Heureux de vous connaître, mademoiselle. Le parfum que Joséphine a rapporté de Florence est très intéressant. Je vous fais mes compliments pour votre choix. Nous avons décidé de le commercialiser ici chez nous.

Il lui prit la main et la retint un instant dans les siennes.

— Bien, répondit Elena avec un sourire un peu hésitant.

Elle ne s'était pas attendue à tant de galanterie.

Tandis qu'il les escortait à la table à laquelle un serveur s'était empressé d'ajouter un couvert, Elena commençait à comprendre pour quelle raison Joséphine s'était impliquée à ce point dans cette relation. De Grégoire Montier émanaient une énergie et une assurance telles que n'importe qui ne pouvait qu'en être impressionné. Une femme devait se sentir protégée par cette façon de faire. Ou oppressée.

Instinctivement, elle s'écarta, évitant de le toucher, même quand, très courtoisement, il tira sa chaise pour l'aider à prendre place. Et puis elle la sentit, l'odeur de sa colère. Elle était âcre et bien cachée sous le délicat arôme du bois de chêne, base du parfum qu'il portait. Et il y avait autre chose, méfiance, peut-être un brin de curiosité. Il sentait la résine, pénétrante et balsamique. Elena se demanda si Joséphine aussi la sentait, cette odeur, tant elle était perçante et presque désagréable. Puis elle suivit le regard de l'homme et vit qu'il était fixé sur son amie. Ces deux-là avaient encore beaucoup de choses à se dire, pensa-t-elle.

— Le parfum que vous avez choisi est exactement ce que je cherchais, mademoiselle Rossini, reprit Grégoire après avoir fait signe qu'on leur apporte les menus. Avez-vous une formation spécifique, ou s'est-il agi d'une intuition heureuse ? continua-t-il du même ton posé.

Il avait le regard rivé sur elle et la scrutait froidement.

Elena s'obligea à soutenir ce regard pénétrant. Elle n'avait pas la moindre intention de se laisser intimider. Son cœur battait violemment et elle avait comme l'impression d'être le classique tiers inopportun. La tension entre Grégoire et Joséphine semblait crépiter dans l'air.

Elle s'éclaircit la gorge et commença :

— Intuition… non. Il ne s'agit pas de cela.

Mais avant qu'elle ait pu s'expliquer davantage, Grégoire reprit la parole :

— Le mélange est bien calibré, aucun écart gênant, une harmonie accueillante, et cependant la composition contient une note pétillante.

Cette fois le ton était dur, les mots choisis avec soin.

— Il faut des connaissances spécifiques pour opter pour un mélange de ce genre. Venons-en au fait, mademoiselle, quelles sont vos compétences ?

La question resta un instant en suspens au-dessus d'eux. Elena traduisit mentalement ce qu'il lui avait vraiment demandé : « Pourquoi devrais-je vous prendre dans mon magasin ? » Il ne l'avait pas dit ouvertement, ça non. Mais le ton méprisant de sa voix, l'expression de son visage valaient plus que mille mots. Il alternait courtoisie et traits peu aimables. En réalité, il était en train de jouer une partie d'échecs. Et Elena soupçonnait que ce n'était pas elle, l'adversaire dont Grégoire souhaitait triompher.

Derrière lui, la nuit parisienne semblait exploser de couleurs. Elena contempla le paysage pendant qu'elle réfléchissait à sa réponse. Il n'était pas facile de soutenir cette conversation. Elle se sentait embarrassée. La tentation de se lever, d'envoyer promener Grégoire Montier et de partir était très forte. Mais elle ne pouvait le faire. D'ailleurs, elle ne voulait pas. Elle inspira profondément. Jo avait suivi à la lettre ce qu'elle lui avait demandé et restait silencieuse, occupée à scruter les porcelaines sur la nappe blanche brodée.

— Je connais toutes les techniques d'extraction, des plus anciennes aux plus modernes. Je sais composer des parfums, des crèmes, des savons, pour une personne, ou pour un lieu. Et je ne l'ai pas appris seulement des livres, mais en y travaillant. Séparer, purifier, combiner, fixer, ne sont pas des capacités communes dans la parfumerie moderne, mais je suis en mesure d'exécuter n'importe quelle étape de la composition, parce que c'est ce que j'ai fait depuis que j'ai eu l'âge de tenir un alambic en main. Et cela signifie aussi connaître à la perfection la distillation et les techniques de l'*enfleurage*.

Un éclair dans le regard de Grégoire trahit son intérêt. Ainsi cette femme disait maîtriser l'art ancien. Rien de si extraordinaire, au fond. C'étaient là des choses que quiconque s'y entendait en parfumerie aurait pu énumérer. Mais si ce qu'elle affirmait était vrai, sa compétence pourrait lui être utile.

— Bien, que me diriez-vous de Peau d'Espagne ?

Elena s'humecta les lèvres, puis répondit :

— Parfum complexe, remontant au XVIIe siècle. Néroli, rose, santal, lavande, verveine, bergamote, clou de girofle et cannelle. Parfois on y ajoutait aussi de la civette et du musc. Un mélange d'odeurs séduisant, sans aucun *brief* de base, aucune personnalité spécifique, beaucoup de fragrances coûteuses, et toutes en vrac.

Ce fut peut-être l'orgueil contenu dans ces mots qui emporta la décision de Grégoire, ou peut-être fut-ce le talon aiguille de Joséphine qui pressait sur sa cheville qui lui arracha le rire qui brusquement brisa la tension entre eux.

— Excellent, c'est exactement la réponse que j'attendais.

Il mentait, et il le faisait pour Joséphine.

Il l'avait fait s'installer près de lui. La longue nappe lui avait permis une certaine liberté de mouvement. Elle était restée immobile tandis qu'il lui effleurait une jambe et remontait le long du bord de sa robe. Et même un peu au-delà. Puis Joséphine avait soulevé son verre plein, avec un avertissement dans les yeux. Alors il l'avait laissée, parce qu'il ne pouvait faire autrement. Il aurait bien une autre occasion de la ramener chez lui.

Il suffisait qu'il s'occupe de son amie. Et qui sait, peut-être ferait-il une bonne affaire. Cette Rossini semblait être quelqu'un qui connaissait à fond la parfumerie. Et cependant, au début, il la mettrait à la vente. Elle était assez mignonne, rien d'extraordinaire, mais avec la tenue adaptée elle ferait bonne figure. Oui, il la prendrait, mais pas comme parfumeuse. Il n'était pas assez bête pour accorder cette confiance à une inconnue, quelles que soient ses qualifications. Il la prendrait, oui, mais à ses conditions. Et cette décision lui rendit sa bonne humeur. Le jeu qu'il avait engagé avec Joséphine commençait à lui plaire. C'est lui qui gagnerait, il en était certain.

Le reste du dîner se déroula dans un climat détendu. Grégoire déploya tout son charme. La conversation, toutefois, n'aborda jamais des sujets sérieux, elle se limita à effleurer un peu ceci, un peu cela, comme une petite brise légère, parfois tiède, mais toujours assez peu convaincante.

Plus tard, des heures après qu'on l'eut raccompagnée chez elle, Elena continuait à se tourner et se retourner dans son lit. Elle était nerveuse et n'aimait pas le tour qu'avaient pris les choses. Bien sûr, elle avait maintenant un travail chez Narcissus... mais aussi l'impression qu'elle n'y était pour rien ; elle en était même pratiquement sûre. Et ça la dérangeait, parce que, bien que ce fût exactement ce qu'elle désirait, ça ne s'était pas passé comme elle l'avait imaginé.

Elle secoua son oreiller, essaya de se mettre sur le ventre, mais l'inquiétude ne la quittait pas.

Si Montier n'avait pas eu de vues précises sur Jo et si elle n'avait pas été son amie, elle doutait qu'il l'ait jamais prise en considération. Qui plus est, à la fin du dîner, il avait été bien clair sur le travail qu'il avait en tête pour elle. Son expérience comme parfumeuse ne l'intéressait pas. Pour le moment du moins. Il la mettrait d'abord à l'épreuve comme simple vendeuse. Elena avait eu le cœur serré de devoir accepter une pareille humiliation. Et, un instant, elle avait même pensé refuser. Mais elle avait rencontré le regard de Joséphine ; plein d'appréhension. Alors, elle avait incliné la tête et elle avait accepté. Elle ne voulait pas la décevoir. Et puis l'important était d'entrer dans le staff de Narcissus, non ? Après ça, il y aurait le temps pour faire ravaler à cet homme son air de supériorité. Il lui faudrait juste patienter encore un peu.

Elle s'agita, puis se redressa dans le lit.

Patience ! Elle n'avait rien fait d'autre dans sa vie que d'avoir de la patience. Et elle en avait vraiment assez. Pour qui se prenait-il, cet homme ?

Les Rossini produisaient des parfums depuis toujours, elle était prête à parier qu'elle en savait plus que tous les employés de Narcissus réunis et jusqu'à Grégoire lui-même.

Sa grand-mère l'aurait regardé avec suffisance et n'aurait même pas daigné lui adresser la parole. Il lui sembla la voir le remettre à sa place, cette baudruche, et elle se sentit mieux. Mais elle n'arriverait pas à dormir. Elle n'avait aucunement sommeil, cette nuit pas davantage. Un instant, elle songea à allumer sa lampe diffuseur ; quelques gouttes d'huile essentielle de lavande dans l'eau du diffuseur pouvaient l'aider à se détendre. Mais elle ne parviendrait pas à s'endormir. Elle était trop agitée.

Elle se leva et s'habilla. Une promenade lui ferait du bien. La nuit était assez tiède pour lui permettre de sortir sans veste. Une fois dans la cour, cependant, l'obscurité l'arrêta. Une peur brusque la prit. Ce n'était pas à cause du noir. Ce n'était pas cela qu'elle craignait, mais ce qu'elle allait trouver au-delà de la grille. Elle voulait seulement se détendre, s'asseoir quelque part et regarder les étoiles. Mais ce n'était pas prudent de sortir seule à cette heure-là de la nuit, il lui fallait une solution de repli, un endroit à l'abri. Une terrasse, peut-être, ou le toit ?

Elle revint sur ses pas. Une fois à l'intérieur du hall de l'immeuble, elle se dirigea vers l'escalier. Au début, elle n'arriva pas à comprendre combien d'étages il y avait au-dessus de son appartement. Elle commença à monter, lentement, regardant droit devant elle. Elle avait juste monté trois volées de marches quand, après avoir ouvert une porte, elle se retrouva dehors. Devant elle, sous un ciel saturé d'étoiles, il y avait une sorte de tonnelle. Un parfum intense flottait dans l'air.

Des roses, quelqu'un ici cultivait des roses.

Comment était-ce possible ? Un instant, elle crut s'être méprise. Allons, c'était déjà octobre et elle était dans le Marais, à plus de dix mètres de hauteur. Qui pouvait posséder un jardin sur les toits ? Mais, même si la logique lui disait qu'elle se trompait, son nez n'admettait pas l'erreur. Il s'agissait de roses : thé, damascènes, de Provins, et de la menthe, du basilic... d'autres herbes aromatiques. Un jardin entier. Elle les reconnaissait, ces parfums, nets et distincts, ils se dispersaient puis se réunissaient tous ensemble, portés par la brise nocturne. Saisie de curiosité, elle avança doucement. Cette harmonie d'odeurs l'appelait et l'intriguait. De la terre, humide et grasse. Des fruits. À savourer et à toucher. Des fleurs, en quantité, mais surtout des roses.

Les émotions affluèrent en elle : la personne qui s'occupait de ce paradis avait créé un *mélange* extraordinaire, quelque chose qui possédait notes de tête, de cœur et de fond. Un parfum complet, fort et enivrant. C'était un homme, aurait-elle dit. Un homme pratique, décidé, quelqu'un qui agissait avec délicatesse et en même temps avec rigueur. Et puis elle se souvint de lui...

— Qui est là ?

La voix masculine la paralysa. Elle fit volte-face, décidée à s'enfuir. Son cœur battait fort. Puis quelque chose saisit le poignet de sa veste, la faisant reculer. Un chien ! La peur explosa en elle. Quand elle sentit la gueule de l'animal lui happer la main, elle poussa un hurlement.

9

Frangipanier. Extrait de la fleur de la plumeria, il est décidé, voluptueux, intensément floral. C'est l'essence de la féminité qui éclôt et s'ouvre à la vie.

— John, couché ! ordonna Cail.

Une femme ? Que fabriquait une femme à cette heure de la nuit sur sa terrasse ?

— Arrêtez de vous agiter, John ne vous fera rien.

— C'est vous qui le dites.

Dos au mur, les mains tendues en avant, Elena tremblait encore.

— J'ai peur des chiens, balbutia-t-elle.

— C'est évident, mais je vous ai dit qu'il ne vous attaquerait pas. Si vous n'étiez pas entrée chez moi de cette façon, il ne vous aurait pas sauté dessus.

La dureté de ces mots ne découragea pas Elena.

— Je ne savais pas que quelqu'un habitait ici, je… je voulais seulement un peu de tranquillité, dit-elle. Et vous auriez dû mettre quelque chose dehors, une cloche, un panneau, quelque chose de ce genre.

Un nuage qui s'effilochait libéra soudain la lumière de la lune. Elle le voyait maintenant, cet homme, pas très distinctement, mais assez pour en saisir les traits décidés, le regard pénétrant. Il semblait fait d'argent ; dans ce monde saturé de gris, le chandail blanc qu'il portait se détachait résolument. Ses cheveux longs lui tombaient aux épaules et quelque chose lui barrait le visage, une cicatrice.

Alors elle le reconnut.

— C'est vous... Vous m'avez aidée hier.

La femme des parfums. Cail aussi l'avait reconnue.

— Personne ne vient jamais ici. Il n'y a jamais eu besoin de mettre une serrure.

— Il y a toujours une première fois, vous savez ? Et le fait que vous ne receviez pas de visites n'est pas une raison suffisante.

— Non, en effet. Certains sont plus curieux que les autres.

Cail pencha la tête de côté, sans la lâcher des yeux.

Elena avait froncé les sourcils. Elle n'était pas juste quelqu'un de curieux. Elle était montée là-haut pour une raison précise.

— Pourquoi est-ce que vous avez peur des chiens ?

Elle songea à le lui dire, au moins, comme ça, il saurait que des raisons sérieuses justifiaient sa terreur. Puis elle changea d'idée. Au fond, elle ne le connaissait pas, elle n'avait rien à lui expliquer.

— J'ai été mordue, évidemment, répondit-elle d'un ton irrité.

L'homme haussa les épaules.

— Vous le dites comme si c'était ma faute.

Elena se détacha du mur. Lui était à quelques pas. Immense... Pourtant il ne lui faisait pas peur ; si elle tremblait encore, c'était au souvenir de ce jour où le berger allemand de Maurice l'avait mordue enfant.

Brusquement, Cail recula. Il n'avait plus les bras le long du corps, mais croisés devant la poitrine, dans une attitude presque hostile.

Perplexe, Elena le regarda. L'avait-elle blessé en quelque façon ?

— Non, ce n'est pas votre faute. Mais vous ne vivez pas sur une montagne, il y a d'autres locataires ici, il est logique que quelqu'un monte ici un jour ou l'autre.

— Il n'y a que vous.

Elena resta muette.

— Quoi ?

Cail fit un geste vers la porte.

— Nous sommes les seuls locataires de ce côté-ci de la maison.

— Ah.

Voilà que tout commençait à avoir un sens.

— Quoi qu'il en soit, vous devriez mettre une serrure.

Il continuait à la dévisager tranquillement, de la même façon qu'il lui avait parlé, sans hâte, en articulant soigneusement. Elena inspira. Son parfum était différent ce soir, un peu plus chaud, un peu plus complexe. Elle se rendit compte qu'elle l'avait réveillé. Il devait la prendre pour une folle.

— Pourquoi êtes-vous montée jusqu'ici ?

La question directe la surprit.

— Je voulais simplement regarder le ciel.

Ces mots... elle ignorait pourquoi elle les avait dits. En quoi pouvaient importer à cet homme son désarroi, le besoin qu'elle avait de se perdre dans la contemplation de la nuit, pour retrouver un peu de sérénité et de paix, libérant son esprit de toute pensée ?

Elle ne savait plus que faire, tandis que Cail semblait absorbé dans ses songeries.

— Donnez-moi la main.

— Pourquoi ?

Cail indiqua son bras.

— Je veux vérifier que John ne vous a pas fait mal.

Non, il ne lui avait rien fait, pas même une égratignure. Elena eut un peu honte. Le chien, en effet, ne lui avait donné qu'un avertissement, il n'avait pas serré la mâchoire avec force. Peut-être, en réalité, lui avait-il juste léché la main. La pensée que sa réaction avait été excessive la mit mal à l'aise. Les chiens l'effrayaient mortellement, même les tout petits.

Elena s'agita, nerveuse.

— Vous n'allez pas punir votre chien, n'est-ce pas ? Je vais bien, il n'a rien fait de mal.

— Pour quelqu'un qui déteste les chiens, vous êtes vraiment étrange.

— Je ne déteste pas les chiens, répliqua-t-elle, indignée. Je fais seulement très attention à rester loin de leurs dents, c'est tout à fait différent... Mais il n'y a pas de lumière sur cette terrasse ?

Cail se raidit.

— Pour observer les étoiles, mieux vaut l'obscurité.

Un instant, elle crut avoir mal entendu.

— Je ne comprends pas... Les étoiles ? murmura-t-elle, déconcertée.

— Oui, vous avez dit que vous vouliez regarder le ciel, et moi, j'ai un télescope.

C'était une plaisanterie ? Elena fut tentée de refuser et de s'en aller. Du moins était-ce là ce qu'aurait fait une femme raisonnable. Mais elle savait que cet homme ne lui ferait pas de mal, elle le sentait.

Les étoiles... Il embaumait la rose et il avait un télescope.

— Venez. Suivez-moi. Ce n'est pas un gros truc, mais assez pour voir clairement Alpha du Centaure, Sirius, Altaïr. En réalité, vous pourriez les voir même à l'œil nu, mais avec un télescope elles font un autre effet.

Elena ne connaissait pas tous ces détails, il lui suffisait de lever les yeux vers le ciel nocturne et de contempler le noir piqueté de tous ces éclats. Le sentiment de paix arrivait presque aussitôt. Mais elle avait toujours admiré ceux qui connaissaient les noms des constellations. Pour elle, c'était déjà beaucoup de savoir qu'existaient la Grande Ourse et la Petite Ourse.

— Regardez ici, comme ça.

Il lui montra comment faire. Fascinée, elle le regardait, incapable de détacher les yeux de lui. Quand il s'écarta pour lui faire place, elle pencha la tête en silence et plaça son œil contre l'oculaire. Et ce fut comme plonger dans un monde de velours noir, où d'énormes brillants resplendissaient d'une lumière unique, profonde et jamais vue auparavant. Son cœur se mit à battre avec force, en même temps qu'une sensation étrange l'envahissait, la faisant se sentir petite et humble. L'inconnu était toujours là, à côté d'elle, perdu dans le même silence. Mais ce n'était pas inconfortable, et il n'y avait pas d'embarras entre eux. Mieux, elle avait rarement été autant en harmonie avec quelqu'un. C'était comme savoir, partager.

— Je ne sais même pas comment vous vous appelez, lui dit-elle tout à coup en relevant la tête.

— Qu'importe ? Moi non plus je ne connais pas votre nom.

C'était vrai, et ce n'était pas moins étrange. Elle partit d'un grand éclat de rire, puis lui tendit la main.

— Elena Rossini.

— Caillen McLean. Cail, si vous... si tu préfères, répondit-il en la lui serrant. Tu es italienne.

Ce n'était pas une question. Caillen McLean avait des manières très directes.

— Oui, je viens juste d'arriver ici. Et toi ? demanda Elena, en adoptant elle aussi le tutoiement.

— Moi quoi ?

— Tu vis depuis longtemps à Paris ?

— Ça fera cinq ans en décembre.

Une ombre était apparue dans sa voix. À peine moins qu'une inflexion. Cependant c'était là, réel. Elena chercha son regard, mais il faisait trop sombre pour comprendre ce qui s'y cachait. Puis elle se rendit compte que sans doute il était tout simplement fatigué. Tout le monde ne souffrait pas d'insomnies comme elle.

— Bon, je vais te laisser. Parfois je perds la notion du temps, excuse-moi si je t'ai dérangé.

Cail ne protesta pas.

— Je t'accompagne.

Un petit pincement de déception lui fit accélérer le pas. Qui sait pourquoi elle s'était attendue à ce qu'il lui demande de rester encore un peu. Je suis vraiment ridicule, se reprocha-t-elle. Et puis instinctivement elle tendit les mains devant elle, inquiète de se cogner contre quelque chose dans toute cette obscurité.

— Merci, c'est très gentil.

Avant de rejoindre le palier, Elena s'arrêta.

— John, je veux dire ton chien... Je ne le vois plus depuis un moment, tu crois qu'il a eu peur ?

Cail rit doucement.

— Non, il est juste un peu vexé. Ne t'inquiète pas. La prochaine fois, vous pourrez essayer de devenir amis.

Devenir amie avec un chien ? Jamais de la vie. Mais Elena ne le lui dit pas. Au fond, ce « la prochaine fois » lui plaisait. Mais soudain elle se sentit mal à l'aise, presque embarrassée. Sa méfiance naturelle prit le dessus.

— Je... je ne pense pas. Merci, et excuse-moi encore si je t'ai réveillé. Je n'arrive pas à dormir la nuit et j'oublie très souvent que ce n'est pas le cas de tout le monde.

— Aucun problème, lui dit Cail à voix basse.

— Pense à la serrure.

Elena rejoignit la porte.

— Entendu.

— Bonne nuit, alors, et merci encore, Cail.

En silence, les yeux fixés sur elle, il continua à regarder dans sa direction même après qu'elle eut fermé la porte derrière elle.

Quelques jours après le dîner au Jules Verne, Montier demanda à Joséphine d'accompagner Elena chez Narcissus.

— Ça te dirait d'y aller à pied ?

— C'est très loin ?

Ces derniers temps, Elena se fatiguait facilement, et elle n'était pas enthousiaste à l'idée de faire de longs parcours.

— Une demi-heure, mais on suivra presque tout le temps la rue de Rivoli jusqu'à la place Vendôme où se trouve la parfumerie. On ne s'ennuiera pas !

— OK, ça me va, lui répondit Elena, mettant un terme à la conversation.

Deux heures plus tard, Joséphine l'attendait devant l'entrée.

C'était un spectacle, la rue de Rivoli. Très animée, elle accueillait des magasins en tout genre, et cependant qu'elle la remontait avec Joséphine, en bavardant et riant avec elle, Elena se tranquillisa. L'inquiétude qu'elle éprouvait pour ce rendez-vous si important disparut. Et enfin elle fut là, la parfumerie dont elle avait tant entendu parler : sous les portiques majestueux qui entouraient la célèbre place, une porte de bois massif était prise entre deux larges vitrines, et au-dessus de celle-ci un simple nom sur une plaque ancienne.

Or. Si elle avait dû définir Narcissus par une couleur, Elena aurait choisi l'or.

Elle allait et venait à l'intérieur du magasin en observant les hauts murs recouverts de miroirs aux cadres ouvragés, les boiseries, les comptoirs de marbre rose et les rayonnages de cristal. Il y avait des flacons de diverses formes et dimensions prêts à être remplis et d'autres déjà pleins. Le sol aussi était de marbre rose et reflétait la lumière. Tout semblait briller, lumière et luxe servis en abondance. Rêves, espoirs, illusions et séduction. Il y avait de tout dans cet endroit.

Mais le parfum qu'Elena sentait dans l'air n'était pas celui qu'il fallait, il n'allait pas. Trop riche, presque asphyxiant. Il était étrange de le trouver dans cette perfection chromatique ; on aurait dit que le magasin avait un parfum propre et ne tenait pas compte des exigences de ceux qui entraient à la recherche de quelque chose pour eux-mêmes.

Tout était déjà décidé, ici. Il n'y avait pas de suggestions, seulement des prescriptions. Splendides, luxueuses, mais qui ne laissaient aucune liberté.

Comme Grégoire. Ce magasin était Grégoire, il reflétait son mode d'être, sa façon de tout gérer.

Que Joséphine ait résolu de briser ce lien ne l'étonnait plus tellement. Elle l'aimait, c'était évident, mais c'était un homme vain, un égoïste qui voulait uniquement la posséder.

Elena soupira et, quand ce parfum si envahissant la pénétra, elle regretta de l'avoir fait. Elle n'était pas écœurée. Non, ce n'était pas ça. Pour elle, c'était plus comme de voir un fatras de couleurs mal assorties. Voilà, c'était trop. Ce mot explicitait parfaitement la sensation qu'on éprouvait à l'intérieur de Narcissus. Si cela avait dépendu d'elle, elle aurait tout mis en œuvre pour rendre la salle la plus neutre possible. Elle aurait juste laissé percer une légère note de fond, simple, discrète, capable de se marier avec n'importe quelle composition, de la plus hardie à la plus délicate, sans jamais la recouvrir. Elle aurait suggéré et jamais imposé les essences à ses clients.

Elle était sur le point d'en parler avec Joséphine quand son amie revint en compagnie d'un homme maigre, très élégant, aux yeux fuyants et au visage décharné. Il avait de fines moustaches, noires et brillantes au-dessus d'un sourire de circonstance. Ses cheveux étaient du même ton. Il portait un parfum douceâtre, sucré, qui recouvrait une odeur plus vive. Elena l'identifia presque aussitôt. Il s'agissait d'ammoniaque. Elle plissa le front devant cette étrangeté. Mais il y avait d'autres choses contradictoires chez ce Philippe. Il ne lui paraissait aucunement satisfait de faire sa connaissance, par exemple. Dans le regard qu'il lui adressa, dans cette expression circonspecte, il y avait quelque chose qui la dérangea. Il semblait qu'il fût en train de la juger.

Il lui tendit la main. Sa poignée était molle, sa paume humide. Elena dut se forcer pour lui rendre ce geste.

— Bonjour.

Maintenant qu'il s'était approché, il paraissait plus cordial. Même son regard était moins acéré. Mais Elena ne parvint pas à chasser son inquiétude.

Heureusement qu'elle s'était décidée à s'habiller avec un peu plus de style, pensa-t-elle. Elle avait suivi les conseils de son amie et avait enfilé une petite robe noire, puis avait attaché ses cheveux, mis un peu de maquillage, des chaussures à talons hauts. La transformation avait été immédiate et agréable. Comme avec son nouveau voisin, Cail McLean. En sa présence, elle s'était sentie bien, à son aise, malgré leur évident embarras à tous deux. Elle n'avait rien dit à Joséphine. Elle aurait dû le faire, songea-t-elle. Cet homme était… remarquable, voilà. Brusque, certes, mais avec un fond de gentillesse qui… Mais ce n'était vraiment pas le moment d'y penser. Elle et sa mauvaise habitude de se perdre à rêvasser !

— Elena, laisse-moi te présenter Philippe, c'est… le pilier de Narcissus.

Philippe, cependant, avait penché la tête de côté, en fermant à demi les yeux, comme s'il se délectait des paroles de Joséphine.

— Quand les femmes commencent à vous faire des compliments de la sorte, le moment est venu de s'inquiéter, dit-il en s'adressant à Elena. Mademoiselle m'honore d'un titre indu. Je ne suis pas le pilier du magasin, seulement son directeur commercial.

La jeune femme perçut de nouveau cette senteur douceâtre, mais elle était maintenant devenue poussiéreuse, écœurante. Il n'était pas sincère, et cette fausse modestie la dérangea.

— C'est M. Montier, le vrai pilier de Narcissus, et avant lui c'était son père et encore avant son grand-père. Vous savez que cette maison est l'une des rares et prestigieuses entreprises du domaine de la parfumerie qui puissent revendiquer des siècles de tradition ? Et le magasin a toujours été là, place Vendôme.

Son ton était soudain devenu grave, empreint de respect et de considération.

Philippe s'engagea plus avant dans le passé de Narcissus, énumérant les clients importants que la parfumerie avait servis. Les deux jeunes femmes gardèrent le silence, évitant soigneusement de rencontrer le regard l'une de l'autre.

— Monsieur m'a autorisé à sentir le parfum que vous avez choisi. Je vous fais mes compliments, mademoiselle. Travailler ensemble sera intéressant... je suppose. Il y a une certaine prédisposition chez vous. Nous pourrions aussi l'appeler sensibilité olfactive. Quelque chose de peu commun, je dois l'admettre, conclut-il.

Son discours, soigneusement énoncé et émaillé de longues pauses, avait paru interminable à Elena et l'avait emplie d'une certaine dose d'anxiété.

— J'imagine que vous êtes au courant du fait que nous ne nous limitons pas à vendre des parfums. Ici, chez Narcissus, nous les créons.

Ce fut dit tout à trac, comme si l'idée de spécifier cela lui avait traversé l'esprit à l'instant.

— Naturellement, ce sont les *compositeurs*, les nez, qui s'occupent de cela. Vous devrez écouter les clients, bien retenir leurs requêtes et les transmettre au parfumeur. Au départ, cela pourra vous sembler difficile, mais vous vous y habituerez.

Les deux amies se regardèrent, surprises. Grégoire ne l'avait pas informé des compétences d'Elena. Une vague de chaleur envahit la jeune femme, lui remontant jusqu'au visage. Le propriétaire de Narcissus avait été clair sur la tâche qu'elle aurait à accomplir dans le magasin, il lui avait dit qu'au début du moins elle se limiterait à vendre les parfums. Mais pourquoi avait-il tenu cachées à Philippe ses réelles capacités ?

— Je ferai de mon mieux, répondit-elle en détournant les yeux.

Philippe ne parut pas saisir le désappointement d'Elena et continua à parler.

— Il faut des années d'expérience, un travail acharné et une étude profonde de la matière pour créer un parfum.

Nouvelle pause, cette fois accompagnée d'un petit ricanement ironique.

— Beaucoup pensent pouvoir s'improviser parfumeurs parce qu'ils possèdent instinct, sensibilité. Mais il n'en est pas ainsi. Aujourd'hui, des parfumeurs surgissent de tous côtés, c'est une chose agaçante et même embarrassante.

Sa voix était monotone, son ton plat.

Elena pinça les lèvres.

— J'imagine, murmura-t-elle.

Les sourcils froncés, Joséphine suivait la conversation comme si en réalité elle pensait à tout autre chose. L'irritation transparaissait toutefois dans son regard.

L'homme poursuivit encore un peu, expliquant à Elena ce qu'elle savait parfaitement et faisant grandir de façon exponentielle l'exaspération qu'elle tentait de tenir en respect. Était-il possible qu'il soit obtus au point de ne pas capter les signaux ? Ce Philippe pouvait bien être un parfumeur, mais il n'aurait pas été capable de distinguer une émotion même si celle-ci lui avait donné un bon coup sur la tête.

— Il y a des huiles, des eaux, des essences. Je n'entre pas dans les détails, ce sont des procédés techniques que vous ne pourriez comprendre pour l'instant, mais ne vous inquiétez pas, avec la dose voulue de patience et d'application, vous apprendrez.

Elle ne pouvait pas les comprendre ? Elle déglutit, mais son indignation était forte et il s'en fallait de peu qu'elle n'explose.

Philippe ne s'était aperçu de rien et lui souriait débonnairement, content de lui. Il semblait si authentiquement convaincu qu'Elena sentit son irritation s'estomper.

— Ici, chez Narcissus, les règles pour les employés sont peu nombreuses, mais elles doivent être suivies à la lettre.

La voix de l'homme était soudain devenue dure.

— Mais je suis certain que vous n'aurez aucun problème pour les respecter. On voit que vous êtes une femme intelligente.

Et à quoi le voyait-on ? À ses yeux, à son expression, ou au fait qu'elle s'y connaissait en parfums ? Elle s'obligea à se calmer, ça n'aurait servi à personne qu'elle se mette à crier. Même si elle mourait d'envie de le faire. Elle ouvrit son poing serré et tendit les doigts, puis inspira. En fin de compte, ce n'était pas la faute de Philippe, se dit-elle. Assurément, ce n'était pas sa faute si elle avait laissé sa vie ancienne et maintenant, de but en blanc, prétendait en commencer une autre. Elle ne pouvait sauter les étapes, elle le savait. Alors elle chercha en elle ce peu de patience qui lui restait encore et se contraignit à écouter les règles de la maison.

Joséphine s'était éloignée. Elle se promenait dans le magasin, songeuse. Quand Elena la vit sortir de son sac sa tablette, elle devina ce que son amie avait l'intention de faire.

— Ça vous va si je commence tout de suite ?

Philippe battit des paupières.

— Je ne sais pas... Ce n'est pas l'usage.

Mais Elena n'entendait pas renoncer. Elle ne voulait pas que Joséphine ait à continuer à s'occuper d'elle. Ce peu d'indépendance qui avait commencé à grandir en elle désirait espace et autonomie. Il les exigeait.

— Je ne vous dérangerai pas, je resterai à l'écart et je me limiterai à observer. De cette façon, ce sera plus simple de comprendre comment les ventes sont organisées et le rapport à instaurer avec les clients, vous ne pensez pas ?

L'homme haussa les épaules.

— Oui, en effet ce pourrait être une bonne idée. Mais je vous avertis, votre contrat démarre la semaine prochaine et c'est seulement alors que vous recevrez votre salaire, qui, si je dois être honnête...

Il fit une pause, en la fixant dans les yeux.

— ... est très généreux. Personne, dans tout Paris, n'aurait offert les mêmes conditions à une vendeuse, précisa-t-il avec un léger rictus.

— Parfait, alors je vais dire au revoir à Joséphine. Si vous permettez.

Vendeuse... Ce mépris qu'il avait eu en prononçant ce mot ! Elle allait développer un ulcère, elle en était certaine. Mais elle ne devait pas baisser les bras. Il était hors de question qu'elle retourne à Florence. Il n'y avait rien pour elle là-bas. Elle n'avait pas la possibilité de rouvrir le magasin, elle ne possédait pas assez d'argent, elle ne désirait pas revoir Matteo, ni les amis qu'ils avaient eus en commun et qui s'étaient bien gardés de l'appeler pour savoir comment elle allait.

Elle voulait rester à Paris, elle voulait se promener dans le Marais, retourner sur la tour Eiffel, elle voulait encore regarder les étoiles avec Cail, respirer les roses qu'il cultivait sur la terrasse. À présent il ne lui restait plus qu'à affronter Joséphine. Bien que son amie l'ait convaincue que Narcissus était l'endroit parfait pour elle, elle était prête à parier que, devant le comportement de Philippe, elle avait changé d'avis.

— Surtout ne t'inquiète pas. J'appellerai un ami à moi. Tu ne seras pas obligée de supporter tout ça.

Comme Elena l'avait imaginé, la jeune femme avait déjà élaboré un plan B.

— Je te trouverai une autre place, ajouta-t-elle.

Cette affirmation pleine d'empressement fut la goutte d'eau qui fit déborder le vase. La rage qu'Elena avait retenue monta en surface, comme une chaleur insupportable. Elle n'était pas une enfant, elle pouvait s'occuper d'elle-même : Jo ne pouvait-elle pas le comprendre une bonne fois pour toutes ? Elle était sur le point de le lui dire sans ambages, quand elle s'aperçut de l'état d'agitation dans lequel se trouvait son amie. Elle était pâle et profondément contrariée. Elle avait les larmes aux yeux, et cela mit Elena en fureur. Tôt ou tard, elle réglerait ses comptes avec Grégoire. Il ne méritait pas une femme généreuse comme Joséphine.

— Non, pourquoi ? Ce sera parfait ici, lui répondit-elle.

Elle ignora l'expression de stupeur qui se peignit sur le visage de son amie et adopta un air calme et serein.

— Tu plaisantes, n'est-ce pas ? Grégoire ne te fera pas entrer dans les laboratoires, tu as entendu Philippe ? Tu devras te limiter à vendre des parfums au comptoir tant que tu seras ici, comme une vendeuse quelconque.

Elena haussa les épaules.

— Tu as quelque chose contre les vendeuses ? demanda-t-elle avec un grand sourire, décidée à dédramatiser.

Et comme elle entendait même avoir le dernier mot, elle accompagna Joséphine à la porte.

— Tu n'avais pas un rendez-vous avec Le Nôtre ?

Joséphine inclina la tête, guère convaincue.

— Si tu as besoin…

— Vas-y, j'ai dit.

Et cette fois la voix d'Elena avait perdu toute sa gentillesse. Elle la planta là sur le seuil et retourna à l'intérieur de la parfumerie, le souffle court, décidée à faire ce qu'il fallait pour satisfaire les requêtes de Grégoire, de Philippe et de n'importe qui d'autre, si nécessaire. Elle s'obligea à respirer lentement et quand elle fut suffisamment calme elle rejoignit Philippe, se concentra sur l'organisation interne du magasin, observa attentivement la disposition des parfums, la façon d'aborder les clients ; et à la fin de la journée, tandis qu'elle retournait chez elle à pied, emmitouflée dans sa veste, elle s'était fait une idée assez précise de ce qui était important et de ce qui ne l'était guère.

Et elle était déconcertée, en plus d'être dans une fureur noire. Elle avait assisté sa grand-mère pendant des années dans sa boutique et mettait en balance ce qu'elle avait appris en travaillant à ses côtés. Mais rien de ce qu'elle savait ne concordait avec la façon de faire de Narcissus. Eux convainquaient le client, minaient ses certitudes, l'attiraient avec ce qui était un piège olfactif.

Mais qui était-elle pour dire que ce n'était pas la bonne voie ? Ce magasin avait du succès, elle en revanche avait fermé le sien parce qu'elle n'avait pas assez de clients pour couvrir les dépenses. Quand Lucia était tombée malade, le monde s'était écroulé sur elle. Sa grand-mère avait été tout de suite consciente de la gravité de son état, et avait insisté pour demeurer chez elle. Elle ne voulait même pas entendre parler d'hôpitaux, sinon pour les soins auxquels elle ne pouvait se soustraire. Et Elena n'avait pu faire autre chose que s'adapter. En quelques mois, Lucia avait été consumée par son mal. Elle continuait à parler du passé, de Beatrice, du Parfum Idéal, elle lui avait répété l'histoire de leur famille, ce que ses aïeules, les Rossini, avaient composé. Elle lui avait dit et redit combien il était important de suivre le sentier. Ces récits, Elena les connaissait par cœur, mais elle avait quand même écouté sa grand-mère avec attention, restant tout le temps près d'elle. Elle avait eu très peu de temps à consacrer à la gestion de la parfumerie. La fermer après la mort de Lucia avait été la seule chose qu'elle ait pu faire. Elle n'avait plus ni la force ni le désir de continuer.

Les notes de *La Vie en rose* brisèrent brusquement le fil de ses pensées. Elle était déjà arrivée dans le Marais et là, juste au croisement de la rue des Rosiers, il y avait un vieil homme qui vendait des reproductions anciennes de la ville. Tous les soirs, qu'il pleuve ou qu'il fasse beau, il s'obstinait à mettre la même chanson d'Édith Piaf.

Elena avait toujours chantonné ce thème sans jamais trop y réfléchir. Elle aimait le son, la voix profonde et presque écorchée, déchirante, de la chanteuse, la saveur d'autres temps qui y transparaissait. Mais de là à l'écouter en boucle ! Ce geste sentait le regret d'un amour perdu : du moins était-ce ce que lui avait suggéré Joséphine un jour où elles étaient passées devant lui. Cependant, Elena n'en était pas certaine. Cela pouvait être aussi une simple stratégie pour attirer les touristes et les inciter à ouvrir leur portefeuille. Car même les plus cyniques, quand ils se trouvaient devant ce kiosque pittoresque, serrant la main de leur amour du moment, déposaient les armes et se laissaient emporter par la chanson la plus célèbre du monde qui disait comme la vie serait plus belle, si on la voyait à travers des lentilles roses.

Agacée, Elena le dépassa sans le regarder. Elle tourna au premier croisement, poursuivant vers la rue du Parc-Royal. Elle se sentait triste et cynique. Elle n'aimait pas cette sorte d'exploitation des sentiments. La pensée de Matteo s'insinua dans cet enchevêtrement d'émotions qu'elle traînait derrière elle.

Et ce fut une sensation désagréable. Elle la repoussa. Ce souvenir ne la faisait pas souffrir comme au début, mais elle ne voulait pas y penser. De la mélancolie, voilà ce qu'il suscitait en elle. Et un désir idiot... Elle aussi aurait aimé voir la vie en rose.

Mais après cela elle se mit à réfléchir sur ce qu'elle avait, et non sur ce qui lui était arrivé. Un travail, et prestigieux, même. Un endroit où vivre, qui lui plaisait infiniment, et une possibilité qui s'ouvrait.

Au fond, ce n'était pas si mal.

Tandis qu'elle entrait dans la cour intérieure de son immeuble, la voix de Piaf, à peine audible, continuait à résonner, envoûtante.

10

Jasmin. Fleur de la nuit, il ne prodigue son parfum qu'à l'aube ou au crépuscule. Enivrant, chaud, il évoque le monde magique, en amenuise les confins, procure bien-être et bonheur. Sensuel, facilement adaptable. Le plaisir est caché dans ses petits pétales blancs, le cueillir n'est qu'un début.

La moto fonçait trop vite dans la nuit. La route était sombre, le bitume glissant à cause de la pluie violente. Et puis le klaxon assourdissant du camion déchira le silence.

Trempé de sueur, Cail s'agita dans son sommeil. Ses doigts se crispèrent sur le drap. Il se rappelait peu de choses de l'accident, mais cette sensation qui lui tordait l'estomac, il s'en souvenait bien. D'autres sensations lui restaient dans l'esprit et le cœur. Il se débattait dedans, essayant de respirer, à la recherche désespérée de quelque chose qui lui accorderait une trêve, qui lui permît de se reposer au moins le temps suffisant pour récupérer ses forces.

— Un parfum de terre et de roses.

Ces mots se frayèrent un chemin dans les

strates nébuleuses du rêve, entre obscurité et tourment. Il s'en empara, les gardant avec lui, cherchant parmi ses souvenirs le visage de la femme qui les avait prononcés, et il commença à émerger.

Il s'assit d'un seul mouvement, haletant, le souffle bloqué, la gorge en feu. Quand il refit le point sur ce qui l'entourait, il comprit qu'il se trouvait dans sa chambre à coucher, dans le Marais. Le soulagement l'inonda. Ça n'avait été qu'un rêve, un rêve affreux. Lentement, son état de confusion se dissipa. Il se passa les mains sur le visage et se leva.

John le rejoignit tout de suite. Cail caressa le poil de l'animal, puis lui tapota la tête.

— Si je l'avais empêchée de conduire, ça ne serait pas arrivé, murmura-t-il.

C'était un mensonge, et il le savait. S'il avait été à la place de Juliette, la fille avec laquelle il vivait, l'accident aurait eu lieu pareillement. Le camion l'aurait touché de plein fouet. Mais Juliette aurait sans doute été sauvée. C'était cette pensée qui le tourmentait. Du bout des doigts, il suivit la cicatrice qui défigurait le côté droit de son visage.

Quand il sortit sur la terrasse, il était encore torse nu. Il sentit l'air frais du matin sur sa peau. Il rejoignit la porte qui donnait sur l'escalier, l'ouvrit et vérifia la serrure. Il ferait un saut à la quincaillerie pour en acheter une qui fonctionne. Il l'avait promis à sa nouvelle voisine, pensa-t-il, le visage sombre. De cette façon, il ne la retrouverait pas chez lui, arrivée là sans prévenir. Ça ne lui avait pas déplu, il était assez honnête avec lui-même pour l'admettre. Mais il se trouvait bien comme il était, seul.

Rien à faire, la nausée ne lui laissait pas de repos. Elena inspira lentement la brise matinale, mordit à contrecœur le bout d'un croissant et attendit encore quelques minutes.

Insomnie, nausée, fatigue : elle avait l'impression d'être une loque. Enfin l'étau qui lui serrait la gorge se desserra et lui permit de se lever de la table où elle avait pris son petit déjeuner. D'un geste de la main, elle salua Antonio et sa femme ; elle traversa la rue et vérifia l'heure. Tandis qu'elle se dirigeait à pied vers le magasin, elle décida de prendre un peu de temps pour elle. Marcher dans Paris lui faisait du bien. Elle pourrait demander à Cail de lui indiquer une balade. En réalité, elle aurait pu aussi le demander à Joséphine, et son amie l'aurait sûrement accompagnée. Mais elle ne voulait pas le faire. En revanche, l'idée de se promener avec Cail l'attirait. Elle continua à marcher en observant les bâtiments. Comme cette partie de Paris était belle. Elle laissa derrière elle la rue Saint-Honoré et peu après se retrouva à admirer l'immense colonne au centre de la place Vendôme. Quand elle entra dans le magasin, elle regarda autour d'elle, à la recherche de Philippe.

Était-il possible que personne, en dehors d'elle, ne sente combien cette fragrance était pénétrante et violente ? Elle fronça le nez, espérant s'habituer rapidement à cette odeur si chargée.

— Vous voici, enfin, lui dit Philippe en relevant la tête de la table où il avait disposé une série de flacons d'argent.

— Vous m'aviez dit d'être là à neuf heures, répliqua-t-elle en regardant la pendule de cristal sur l'étagère.

L'homme la fixa.

— Nous arrivons une heure avant l'ouverture, gardez-le bien à l'esprit.

Mais lui avait gardé l'information pour lui-même.

— Je l'ignorais, répondit-elle.

— Veillez à vous informer, alors. J'exige le maximum du personnel ; si vous voulez rester avec nous, agissez en conséquence, mademoiselle.

Elena faillit répliquer, puis se retint.

Une femme s'approcha d'eux et Philippe s'éclaircit la gorge.

— Voici Cécile, annonça-il en présentant cette femme d'environ trente-cinq ans, blonde, à l'expression impassible.

— Bonjour, madame, dit Elena.

La femme se limita à un signe de tête. Le léger sourire qu'elle arborait resta inchangé. Elena se serait crue face à la Joconde. Non qu'elle se fût attendue à des baisers et des embrassades, mais à un signe de vie, ça, oui. Mais Cécile demeura dans cette espèce de catalepsie éveillée. Il n'y avait strictement rien dans son sourire. Rien non plus dans son parfum. Elena ne parvenait quasiment pas à le sentir. Et il ne s'agissait pas du fait qu'il était léger, ou délicat, simplement, il disparaissait dans celui de Narcissus, comme fondu dedans.

Elle essaya de se concentrer. Un effluve de benjoin l'atteignit, pénétrant et moelleux, puis ce fut au tour de l'encens, suivi d'une série de bois et de muscs. Et de notes fumées, qui rééquilibraient la fragrance de façon originale, augmentant son caractère. C'était franc, brillant, mais lointain. Comme un parfum que l'on porte depuis déjà un jour. Ou avant une douche.

Prada, cette femme portait Benjoin de Prada et l'avait recouvert de quelque chose qui s'amalgamait avec le parfum d'ambiance de Narcissus, quelque chose qui, très certainement, provenait de leur production. C'était comme une peinture cachée sous une autre. Cette idée lui parut étrange. Chacun avait le droit de porter ce qu'il voulait, pourquoi prendre tant de soin à le dissimuler ? Peut-être, chez Narcissus, n'appréciaient-ils pas que le personnel mette des parfums d'autres maisons ? Était-ce possible ? Il fallait qu'elle s'informe.

— Vous travaillerez à ses côtés aujourd'hui, continua Philippe. Suivez ses indications, je vous prie.

Et, après avoir échangé un petit signe d'entente avec Cécile, il traversa le magasin en s'arrêtant devant certains rayons.

Enfin la statue prit vie, elle se tourna vers Elena et lui adressa un regard impénétrable. Ses yeux bleus striés de vert étaient glacés.

— Vous parlez bien le français, n'est-ce pas ?

— Oui, assura calmement Elena.

— Parfait. Je déteste avoir à répéter les choses. Suivez-moi et faites attention. Ne touchez à rien.

Ça commence bien, pensa Elena. Elle soupira et se dit qu'à certains niveaux la sympathie n'était peut-être qu'une option.

— Naturellement, répondit-elle.

En réalité, la Joconde n'était pas si mal. Systématiquement, sans hésiter un seul instant, elle lui montra la disposition de tous les parfums, les locaux, les fonctions dont elles seraient chargées, les règles officielles et les officieuses, non moins importantes, et puis la conduisit dans le laboratoire.

— On n'entre ici que si on y est invité, prévint-elle en restant sur le seuil.

— Naturellement.

Cécile observa l'expression insondable d'Elena et, intriguée, arqua un sourcil.

— Vous avez déjà travaillé dans un laboratoire ?

Elena inclina la tête.

— Oui.

La femme la considéra un instant.

— École florentine, c'est ça ?

— Entre autres, répondit Elena.

— Expliquez-vous, je vous en prie.

Cet intérêt soudain la mit mal à l'aise. Probablement ferait-elle mieux de garder profil bas avec Cécile, mais l'espèce d'orgueil qu'elle éprouvait à appartenir à la famille Rossini et sa propre fierté resurgissaient dans les moments les plus inopportuns. Autant dire les choses comme elles étaient. Évidemment, elle éviterait de lui révéler qu'elle avait créé ses premiers parfums, sous la supervision de sa grand-mère, à seulement douze ans. Cela, il valait mieux qu'elle le taise.

— J'ai commencé à étudier à Grasse, la culture, l'extraction, toutes les étapes jusqu'à la réalisation du parfum. À Florence, j'ai achevé mes études et perfectionné la technique.

Si ce que lui avait dit Elena l'avait frappée, Cécile n'en laissa rien paraître. Elle se borna à faire un signe de la tête et à esquisser un sourire.

— Tu auras l'occasion de me démontrer tes compétences, dit-elle en passant au tutoiement. Il y a des clients qui préfèrent des compositions personnalisées ; en général nous changeons juste quelques ingrédients dans les formules déjà éprouvées. Je te verrai à l'œuvre.

Elena eut comme un coup au cœur. Composer des parfums chez Narcissus ne serait donc qu'une question de temps.

— Suis-moi, aujourd'hui nous travaillerons avec les clients. Fais attention et ne m'interromps pas, quoi que je dise. Entendu ?

Elena acquiesça.

Cécile continua à parler et elle s'ingénia à l'écouter, mais son esprit était trop excité pour qu'elle puisse se concentrer sur des choses qu'elle connaissait à la perfection. Enfin Cécile lui montra sa place et s'éloigna, se préparant à accueillir les premiers clients.

Beaucoup de gens vinrent ce matin-là. Les employés de la parfumerie étaient tous occupés. Après avoir mémorisé une bonne partie des parfums créés par Grégoire, Elena rejoignit les comptoirs, mais elle se tint un peu en retrait. Cécile avait commencé à servir un homme d'un certain âge qui désirait un parfum singulier. Il était manifestement irrité, ses doigts noueux refermés sur le manche d'une canne luxueuse.

— Non, celui-ci ne me plaît pas. Il sent le vieux, il me rappelle la naphtaline, bon Dieu ! s'exclama-t-il, indigné.

Cécile ne se départit pas de son sourire inoxydable.

— Je peux vous suggérer un mélange plus discret, si vous le désirez. Que diriez-vous d'ajouter du bois de santal ?

L'homme pinça les lèvres.

— Comment puis-je le savoir, si vous ne me le faites pas sentir ?

Il restait devant le comptoir, renfrogné, les yeux embués et la déception peinte sur le visage. Sur la table, il y avait une dizaine de *mouillettes* usagées. Le sourire de Cécile commençait à montrer les premiers signes de fléchissement.

— On m'avait assuré que vous parviendriez à me satisfaire. Évidente exagération. Pourquoi devrais-je perdre mon temps avec vous ?

Il avait élevé la voix et quelques clients s'étaient retournés, intrigués.

Cécile pinça les lèvres.

— Dites-moi exactement ce que vous désirez.

— Vous ne m'avez pas écouté depuis tout à l'heure ? J'ai besoin d'un parfum nouveau ! Je ne veux pas de la fragrance habituelle.

— Chacun de ces parfums, répondit Cécile en indiquant les divers flacons alignés sur la table, correspond à votre description. Voulez-vous les essayer à nouveau ?

Le vieux monsieur ferma à demi les yeux.

— Cherchez-vous à insinuer que je ne sais pas ce que je veux ?

Les délicates narines de la jeune femme se dilatèrent, elle était en train de perdre rapidement du terrain.

— Un moment, je vous prie, répondit-elle.

Elena avait assisté à la scène, à l'écart. L'homme était habillé de façon originale, mais élégante. Il était nerveux, de temps en temps il glissait un doigt dans le foulard qu'il avait au cou, tentant d'atténuer sa tension. Il regardait autour de lui, reportait son attention sur les parfums, et dans ce regard se concentrait son besoin de nouveauté : une seconde jeunesse, quelque chose qui fût capable de recouvrir la vieillesse, de lui donner confiance. Les hommes faisaient ce genre de choix, ils cherchaient à se renouveler en espérant de petits miracles… comme un nouvel amour. Elena ignorait d'où lui était venue cette idée, mais s'il en était ainsi, si ce que désirait ce vieux monsieur, c'était de changer, de se présenter sous un aspect olfactif attirant, elle savait déjà ce qu'elle lui aurait proposé.

— Essayez cela, je suis certaine que ça vous plaira, dit Cécile en lui tendant une nouvelle *mouillette*.

L'homme lui jeta un coup d'œil méfiant, puis, après avoir approché la *mouillette* de son nez, fronça les sourcils.

— Me prenez-vous pour un petit garçon ? Vous

pensez vraiment que je peux sortir avec cette… odeur sur moi ?

Cécile serra les poings.

— Si vous avez la bonté d'attendre encore un instant, je vais voir ce que je peux trouver pour vous.

Quand Cécile passa à côté d'Elena, elle était livide, mais elle avait toujours son sourire plaqué sur le visage. Ça, c'est du professionnalisme ! pensa Elena. Cependant Cécile avait perdu patience et s'était tournée vers un autre client qui demandait une eau parfumée à la rose.

Le vieux monsieur parut alors flancher. La rage s'était envolée, restait la déception, intense et cuisante, quelque chose qui avait bien peu à voir avec le parfum. C'était de l'impuissance, c'était le désir d'arrêter le passage incessant du temps et de voir s'ouvrir devant lui un autre possible.

— Puis-je vous demander quel parfum vous utilisiez autrefois ? interrogea Elena en s'approchant.

Cécile lui avait recommandé de ne pas l'interrompre, mais n'avait rien dit quant au fait de converser avec les clients. Techniquement, elle ne contrevenait à aucun ordre.

Absorbé dans ses pensées, il ne l'avait pas entendue. Elle lui répéta la question, d'une voix plus douce. L'homme releva la tête d'un coup, comme s'il venait tout juste de s'apercevoir de sa présence.

Elle lui tendit la main, un peu embarrassée.

— Je m'appelle Elena Rossini.

Sa grand-mère se présentait toujours aux clients.

— Jean-Baptiste Lagose, lui répondit-il.

Mais au lieu de lui serrer la main, il la prit dans les siennes et s'inclina pour un baise-main comme un gentilhomme d'un autre temps.

Cuir, labdanum et bergamote, pensa Elena quand il s'approcha d'elle. Un arôme fort et sophistiqué en même temps, avec une senteur de fond puissamment musquée. Elle parvenait presque à le voir, Jean-Baptiste, en train de regarder le manège de la vie qui l'avait maintenant laissé à terre. Elle percevait son désarroi, son mépris instinctif et, caché sous des strates de profonde tristesse, le vif désir d'y remonter.

— Vous êtes une commise ? lui demanda-t-il.

Elena inclina la tête.

— C'est mon premier jour.

Le vieux monsieur regarda autour de lui et, quand il rencontra le regard de Cécile, il se retourna vers Elena.

— C'est votre chef, cette femme-là ?

Il était véritablement offusqué, il ne se soucia même pas de cacher le geste par lequel il la désignait.

— En un certain sens.

— Pauvre chère, répliqua-t-il en secouant la tête.

Puis il pinça les lèvres en lançant un nouveau regard mauvais vers Cécile.

— Il y a des gens qui sont tout naturellement désagréables.

Oui, Elena s'était fait la même réflexion. Mais le dire à un client était impensable, elle ramena donc la conversation sur un terrain plus adéquat.

— Vous portez un chypre, il est très réussi, mais si j'ai bien compris vous voudriez quelque chose de nouveau.

Brusquement Jean-Baptiste laissa tomber toute agressivité.

— Oui, c'est exact. Je voulais un parfum de caractère, quelque chose de bien déterminé, mais aussi d'original. Mais cette... hum... ne parvient pas à comprendre, elle ne m'écoute pas.

Elena songea à un autre chypre. Bien sûr, il s'agissait d'un parfum classique à base de musc de chêne, mais elle pouvait lui donner une allure plus pétillante, avec du citron, peut-être, et du vétiver pour le rendre plus rond et plus frais. Cet homme le porterait parfaitement. Il semblait avoir des goûts très assurés et peu conventionnels, à en juger par son habillement. Veste bleue, pantalon à fines raies bleu clair, foulard rouge au cou. Il portait un anneau d'or massif avec des brillants à l'annulaire droit. Il n'y avait pas de timidité en lui, mais une détermination prononcée. Il avait une idée bien précise qu'il entendait suivre. Le parfum qu'il voulait était une stratégie de conquête et pour lui, c'était d'une importance telle qu'il était résolu à s'en occuper personnellement.

— Pourquoi ne sentez-vous pas de nouveau ces fragrances ? Nous pourrions les varier selon votre goût, lui proposa Elena.

Elle avait besoin de gagner du temps, il lui fallait parler avec Cécile. Elle était certaine qu'ils avaient un chypre de nouvelle génération au magasin ; d'ailleurs Montier était un professionnel, il ne serait jamais resté sans une nouvelle version des parfums classiques les plus universellement appréciés.

Jean-Baptiste s'assombrit tout de suite. Un moment, Elena eut peur qu'il ne refuse. Elle regarda Cécile, puis de nouveau lui. Ce fut peut-être à cause de la préoccupation qui transparaissait sur le visage de la jeune femme, ou simplement parce qu'il tenait vraiment à contrarier la sorcière qui l'avait traité avec tant de hauteur : le fait est que Jean-Baptiste tendit la main et commença à humer une *mouillette*.

— Je reviens tout de suite, lui dit Elena avec un sourire de soulagement.

— Prenez votre temps, ma chère.

Après avoir rejoint Cécile, elle lui expliqua ce à quoi elle pensait.

— Vous avez quelque chose qui contienne du néroli, du pamplemousse rose ou encore du citron comme notes de tête, du jasmin, du gardénia, du magnolia ou un autre *mélange* fleuri comme cœur, de l'ambre, du santal et du musc ? Le vétiver, par exemple, serait parfait...

Cécile y réfléchit.

— Oui, un chypre. Nous en avons un qui pourrait faire ton affaire. Il me semble qu'il y a aussi du cuir dedans.

Elena n'en espérait pas tant. Le cuir était un parfum ancestral, viril, puissant.

— Ce serait le nec plus ultra.

Cécile ne rendit pas son sourire à Elena, mais se mit tout de suite à chercher. Ils n'utilisaient pas souvent les chypres, trop déterminés, trop riches ; c'étaient des parfums de forte personnalité, pas faciles à porter, presque toujours conçus pour les femmes. Mais dans des compositions particulières, avec les ingrédients voulus, ils étaient intensément masculins. Pourquoi pas ? L'intuition d'Elena pouvait être juste. Cécile vérifia dans les archives, trouva ce qu'elle cherchait et retourna vers le client.

Elena la suivait à peu de distance. Jean-Baptiste était encore vexé. Quand Cécile lui offrit la *mouillette*, il fit semblant de regarder ailleurs.

La jeune femme pinça les lèvres.

— Mademoiselle, pourriez-vous montrer le parfum à monsieur à ma place ?

L'homme continuait à se tenir sur la réserve, la mâchoire contractée, l'œil torve.

— Elena, remplace-moi, Philippe a besoin de mon aide, murmura Cécile.

Quand elle les eut laissés seuls, Jean-Baptiste s'approcha de la *mouillette*.

— C'est pour une occasion importante ? lui demanda alors Elena.

L'homme saisit la languette de papier du bout des doigts et la porta à son nez.

— Oui, très importante, souffla-t-il.

— Respirez-le calmement et pensez à ce que vous voudriez, à ce que vous aimeriez qu'il se passe. Sentez si les émotions sont justes, ou s'il manque quelque chose.

L'homme fit comme elle le lui avait conseillé. En silence, presque avec révérence. Puis, après un court instant, il se mit à parler.

— Nous nous sommes quittés, mal quittés, et pour rien. Nous étions jeunes, orgueilleux.

Maintenant… les choses ont changé. Je ne me suis jamais marié, elle est veuve.

L'homme continua à doucement agiter la languette imprégnée de chypre.

Elena gardait le silence, envoûtée par cette histoire.

— Ce n'est pas la seule femme que j'ai aimée, cela, non. Mais c'est par elle que j'ai le plus souffert. Et elle est toujours restée dans mon souvenir, avec une constance surprenante.

Il fit une pause et agita la *mouillette*.

— Elle est entêtée de façon vraiment pénible, maugréa-t-il en s'assombrissant encore. Mais quand elle souriait… quand elle sourit, ses yeux s'éclairent d'un coup, son regard vous arrive droit à l'âme. Elle est belle, malgré toutes les années qui se sont écoulées. Elle est très belle, à mes yeux.

Il huma de nouveau le parfum.

— Elle m'évoque un jardin, non seulement de fleurs, mais aussi d'arbustes. J'ai comme l'impression d'entendre l'eau couler, de sentir le citron… ou peut-être s'agit-il d'orange. Une fois, nous avons été ensemble dans une plantation d'agrumes. Ça a été une belle journée, nous avons tellement ri, nous étions très heureux alors. Puis nous sommes revenus à la ville.

Il était reparti dans ses souvenirs. Et c'était grâce à ce parfum.

— Avez-vous jamais été amoureuse, mademoiselle ?

— Non, je… je crois que non, murmura-t-elle au bout d'un instant.

Il lui jeta un regard étrange.

— Ne vous inquiétez pas, vous êtes charmante, aimable. Vous trouverez bientôt l'homme qu'il vous faut. C'est triste de rester seul, mademoiselle. L'orgueil est brûlant en apparence, mais bien rapidement sa compagnie vous glace. Essayez d'écouter votre cœur.

Soudain Elena éprouva le besoin de dire à quelqu'un que son cœur ressentait de la curiosité pour un homme vraiment singulier, qu'elle n'avait rencontré que deux fois dans la pénombre. Elle l'avait à peine vu. Mais son odeur... ça, elle la connaissait bien. Elle sentit un frémissement à la base de son estomac, mais elle chassa cette pensée et se concentra sur Jean-Baptiste.

— C'est-à-dire... j'ai été fiancée une fois, s'empressa-t-elle de préciser. Mais lui... voilà, il a préféré... ça n'a pas marché, conclut-elle, les yeux fixés sur la surface lisse du comptoir.

Jean-Baptiste garda le silence, puis tendit la main et la posa sur la sienne.

— Un idiot, j'en suis sûr. Ne vous inquiétez pas, ma chère, la vie propose, Dieu dispose, mais nous avons le dernier mot sur tout.

— Oui, enfin..., répliqua Elena peu convaincue.

— Ce parfum me plaît beaucoup, poursuivit l'homme. Il me rappelle le passé, mais il a en lui quelque chose de nouveau. Une espérance, voilà. Et c'est exactement ce que je voulais. Une espérance. La vie n'a pas de sens sans l'espérance, vous savez cela, mademoiselle ?

Certes, elle le savait. C'était pour cela qu'elle était venue s'installer à Paris, presque sans y penser. Et elle l'avait fait bien qu'elle fût consciente que ce ne serait pas facile. Alors, pourquoi avait-elle brusquement ce nœud à la gorge ? Et pourquoi ces larmes stupides s'étaient-elles mises à lui brûler les yeux ? Elle les chassa presque avec rage et s'obligea à sourire.

— Je suis en train de l'apprendre, répondit-elle.

Jean-Baptiste sourit.

— Vous êtes une fille bien. Et maintenant, donnez-moi un flacon de ce parfum, mais pas trop grand, surtout. Ainsi j'aurai un prétexte pour revenir bientôt.

Il lui fit un clin d'œil et Elena comprit que, jeune homme, il avait dû être un grand séducteur. Qui sait ce qu'avait à raconter la mystérieuse femme qui l'avait poussé à chercher un parfum spécial, quelque chose qui lui rappellerait les temps heureux et la convaincrait de réessayer, de donner à leur histoire une seconde chance.

Ce ne fut pas la seule vente d'Elena ce jour-là. Sous l'œil attentif mais discret de Cécile, elle servit d'autres clients et obtint deux commandes importantes.

Tandis qu'elle rentrait chez elle, fatiguée et très satisfaite, elle essayait de se souvenir de ce qu'elle savait sur la composition des parfums et elle était nerveuse.

Les émotions de ces gens l'envahissaient. Elle avait essayé de s'y opposer et de les chasser, plus par habitude que pour autre chose. Mais elles avaient réussi à entamer ses défenses et étaient là, comme des oiseaux perchés sur une branche, ne cessant pas de la fixer un seul instant. Elle entendait leurs requêtes, mais plus que tout elle sentait le désir de les satisfaire. Parce qu'elle savait le faire, parce que c'était ce qu'elle savait faire mieux que n'importe quoi d'autre.

Et elle en avait peur. Elle était terrorisée par ses capacités, elle avait peur que l'obsession des Rossini se manifeste en elle comme elle l'avait fait chez sa grand-mère et sa mère.

Ses aïeules avaient tout abandonné pour les parfums. Serait-elle capable, elle, de s'opposer à ça, d'approcher de nouveau les parfums sans en devenir l'esclave ?

Elle n'en était pas sûre. Parce que ce jour-là elle s'était sentie vraiment bien. Se retrouver chez Narcissus à offrir aux clients réalité et visions olfactives l'avait satisfaite. Ça avait donné un sens à sa journée.

Quand elle arriva dans la cour intérieure, elle rejoignit la porte d'entrée sans même regarder autour d'elle, plongée dans ses pensées. Elle fouilla dans son sac à la recherche de sa clef et la glissa dans la serrure.

— Bonsoir, Elena.

Cail. Ce nom se fraya un chemin dans le maelstrom d'émotions qui s'agitait en elle. Elle leva la tête et il était là, à quelques mètres, une épaule nonchalamment appuyée contre le mur. La lumière du réverbère tombait sur lui, accentuant les traits anguleux de son visage. Il avait les yeux bleus, sombres et profonds, et des cheveux châtains aux reflets roux.

Elle eut un coup au cœur et ce fut comme si, en le regardant, son esprit se libérait.

— Nous nous voyons enfin à la lumière, commenta-t-elle avec un sourire.

Cail s'assombrit d'un seul coup. D'un mouvement fluide, il s'écarta du mur et recula. Il n'était plus détendu à présent. Ses mains étaient plongées dans les poches de sa veste de cuir, son expression froide.

Le sourire d'Elena s'effaça. Qu'est-ce qui lui prenait ? Encore un de ses soudains changements d'humeur... Pourtant elle n'avait eu aucune intention de le blesser.

Elle se concentra alors sur la serrure et fit tourner la clef. Mais la porte résista.

Elle essaya encore, en vain.

— Zut, pesta-t-elle avant de donner un coup de pied à la porte.

— Laisse-moi faire, lui dit Cail en s'avançant, presque avec réticence.

Elena le foudroya du regard.

— Tu es sûr de vouloir t'approcher ?

Il fronça les sourcils.

— C'est que parfois les gens deviennent nerveux si je m'approche trop.

— Tu plaisantes, n'est-ce pas ?

Mais il n'avait pas l'air de plaisanter.

Elena secoua la tête.

— Et puis, écoute, tu n'as aucune raison de te justifier, on ne se connaît pas.

Elle sentit qu'il s'était approché d'elle parce qu'elle l'entendit retenir sa respiration. Un instant, elle songea à s'écarter, à se comporter de façon aussi impolie que lui, mais elle était trop fatiguée pour ce genre de manège.

— Je… Excuse-moi, d'accord, essaie.

Il étendit la main et de l'autre tira un peu la poignée. À ce moment-là, la clef tourna. Le *clic* résonna d'un coup sec entre eux.

— Voilà, lui dit-il en ouvrant grande la porte.

Elena le fixa, puis entra dans le hall de l'immeuble.

— Viens, je t'offre un café.

Mais Cail ne répondit pas, se contentant de rester planté là en silence, les mains à nouveau dans les poches. Elle se repentit aussitôt de l'avoir invité. Quelle imbécile elle avait été. On voyait à mille lieues qu'il n'en avait aucune envie.

— OK, laisse tomber. À une autre fois. Merci pour la porte, marmonna-t-elle.

— Je préférerais un thé.

La voix de Cail résonna, profonde, mettant fin à toutes les suppositions d'Elena. Puis il appuya sur l'interrupteur et alluma la lumière.

— Tu as du thé ? s'enquit-il en la regardant droit dans les yeux. Sinon, peu importe, moi j'en ai.

À ce qu'il semblait, ils allaient prendre un thé ensemble, à ce qu'il semblait il ne lui était pas résolument hostile. Il faut que je me détende, pensa Elena. Être ainsi sur la défensive ne me fait aucun bien. Elle sourit faiblement, un peu abasourdie.

— Non, ça va. Je pense en avoir quelques sachets.

Il parut sur le point de dire quelque chose, mais il se borna à rejoindre la porte d'entrée de l'appartement de la jeune femme.

— Tu me donnes les clefs ? lui demanda-t-elle en tendant la main, paume ouverte.

— J'ouvre ? proposa Cail.

— Oui, entendu, vas-y.

Cela ne lui prit qu'un moment, il ouvrit la porte toute grande et s'effaça pour la laisser entrer. Elena s'avança, légèrement troublée.

Elle passa devant lui sans le regarder, avec une conscience aiguë de sa présence et de son parfum, puis elle s'élança vers l'escalier qui menait à l'étage.

— Je n'étais jamais entré dans cet appartement, dit Cail. Il est très intéressant, la structure originelle est restée inaltérée.

Il étendit le bras, désignant la série d'arches soutenues par les épais murs de pierre.

— Tu as vu comme c'est haut ? Ils mettaient les voitures ici. Au-dessus, il y avait les logements pour les domestiques.

Et tandis qu'il parlait, décrivant la structure architecturale d'origine, la maison sembla prendre vie autour d'eux. Les murs paraissaient soudain moins humides, les peintures plus éclatantes.

— C'est vraiment dommage de laisser le rez-de-chaussée comme ça, conclut-il.

Elena s'était immobilisée sur la première marche.

— S'il était à moi, je le restructurerais et j'en ferais un magasin, tu sais, une parfumerie.

Après lui avoir adressé un long regard, Cail la rejoignit.

— C'est ça que tu es ? Parfumeuse ?

Voilà que tout prenait sens. Un parfum qui sent la terre et les roses... Les parfums occupaient une place importante dans la vie de cette femme.

— Oui, en effet, je suis parfumeuse. Pour ce que ça vaut, lui répondit-elle, puis elle se retourna et se remit à monter l'escalier.

— Ça dépend de toi.

Elena le considéra par-dessus son épaule.

— En quel sens ?

— Si ça vaut le coup, je veux dire.

Un silence, puis elle lui sourit tristement.

— Oui, tu as raison. En fin de compte tout dépend de moi.

Cail ne parvenait pas à détacher le regard de la mince silhouette qui avait recommencé à monter l'escalier, il aimait ces cheveux blonds qui flottaient sur ses épaules, son regard franc et direct. Son sourire, aussi. Quand elle souriait, elle devenait vraiment belle. Mais il y avait autre chose, songea-t-il. Un instant, il avait pensé qu'elle était comme tous les autres. Sa cicatrice n'était pas si terrible, mais les gens éprouvaient une répulsion instinctive pour tout ce qui n'était pas parfait. Il s'y était habitué, avec le temps. Alors, quand il avait preçu la surprise d'Elena, il s'était écarté. Il le faisait toujours. En général il suffisait de leur donner un peu plus d'espace, de rétablir les distances, pour rendre les gens moins nerveux. Elle, par contre, l'avait désarçonné, en se mettant en colère. Et peu après elle était redevenue amicale, l'invitant même à prendre un café.

Tout à coup, Elena vacilla. Elle était arrivée au palier, une main sur le mur.

Cail se précipita vers elle, montant les marches quatre à quatre. Il la saisit aux épaules.

— Qu'as-tu ?

Le front contre le mur, Elena prit doucement sa respiration, avec lenteur, et le vertige se dissipa.

— Rien, juste le tournis. C'est probablement une grippe, répondit-elle en se ressaisissant.

Mais son regard était devenu quasiment vitreux, elle n'arrivait pas à bien respirer et commençait à s'inquiéter sérieusement. Cela faisait maintenant quelques semaines qu'elle se sentait régulièrement mal.

— Ça va ? lui demanda Cail, continuant à la soutenir.

Il repéra la cuisine et l'y accompagna, la tenant serrée contre lui.

— Assieds-toi ici, tu es toute pâle. Je vais préparer du thé. Ça peut faire des miracles.

— Vraiment ? répliqua-t-elle, l'esprit encore un peu confus, avant de se laisser aller contre le dossier de la chaise.

Cail trouva la théière et la remplit d'eau, la mit aussitôt sur le feu.

— C'est du moins ce que dit ma mère. Je suppose donc que c'est vrai.

Il s'arrêta, la regardant. Puis il la rejoignit et lui posa la main sur le front.

— Tu as mangé ?

— Oui.

Il la considéra un moment comme s'il soupesait sa réponse, puis inclina la tête.

— C'est probablement juste une chute de tension. Le thé te fera du bien.

Il la laissa et retourna devant les fourneaux, baissa la flamme et choisit les sachets.

— Tu m'attendais, tout à l'heure ? demanda-t-elle.

— Oui. Je voulais te dire que j'avais changé la serrure de la terrasse.

— Ah ! Je comprends.

La froide morsure de la déception lui enleva un peu de cette gaieté qu'elle éprouvait en l'observant s'affairer dans sa cuisine.

— Mais il n'y a pas de sonnette, donc je voulais te donner mon numéro de portable et te demander le tien. La prochaine fois que tu as envie de venir regarder les étoiles, tu m'appelles avant. Je...

Il marqua un arrêt.

— ... je ne suis pas habitué à recevoir.

Sa voix était si basse qu'Elena dut faire un effort pour l'entendre.

— Bon, et puis tu dois encore me raconter pourquoi tu as peur des chiens, ajouta-t-il.

Un instant plus tard, il sortit un bout de papier de la poche de son jean, le défroissa des doigts et le posa sur la table.

— Voilà, dit-il avant de servir le thé.

Elena se sentait comme une adolescente à ses premières armes. Il l'avait attendue pour lui donner le numéro de son portable, non, mieux, pour qu'ils échangent leurs numéros ! Submergée par l'allégresse, elle ne sut que dire.

— Alors ? Que t'est-il arrivé ? Quand as-tu été mordue ?

La question de Cail la ramena à la réalité.

— J'étais petite.

Il s'assit en face d'elle, les yeux dans les siens.

— OK, nous savons maintenant que tu étais enfant. Et puis ?

Elena détourna le regard. Ses doigts se mirent à lisser le tissu de la nappe. Elle se concentra, choisissant les mots avec soin. Il était difficile d'exhumer ce souvenir. C'était l'une des choses auxquelles elle ne pensait jamais, qu'elle aurait préféré oublier entièrement. Puis elle soupira, et sur ses lèvres affleura l'ombre d'un sourire.

— J'avais neuf ans et j'étais très curieuse. Milly avait eu ses chiots. Je ne savais pas que les chiens sont jaloux de leurs petits.

Elle fit une pause.

Maurice lui avait interdit de s'approcher, mais elle avait désobéi. Elle avait attendu qu'il retourne dans le laboratoire et s'était approchée de la niche. Elle aimait beaucoup rester à côté de Milly. Elles étaient amies. Elle la laisserait certainement prendre un de ses petits, ils étaient si mignons, si tendres et dodus. Elle était impatiente de les caresser. Mais quand elle en avait pris un, Milly avait grondé d'un air menaçant. Stupéfaite, Elena avait serré le chiot contre sa poitrine, instinctivement. Alors la chienne s'était jetée sur elle, l'avait mordue à un bras puis à une jambe.

Elle n'avait pas beaucoup de souvenirs de ce qui s'était passé ensuite. Il y avait eu des cris. Maurice l'avait vertement réprimandée, il était furieux. Sa mère aussi avait crié, lui reprochant quelque chose, à lui. Maurice était parti sans plus se préoccuper de son sort.

La sirène de l'ambulance, l'odeur violente du désinfectant, la peur de cette longue nuit passée seule à l'hôpital, s'étaient gravées au fer rouge dans son esprit d'enfant. Ce n'étaient pas des blessures graves. La chienne n'avait pas enfoncé les dents, elle s'était contentée de la bousculer, de lui faire quelques égratignures. Mais Elena n'avait pas oublié la leçon.

Cail posa une tasse devant elle. Ses yeux étaient encore plus sombres que d'habitude, un muscle tressaillait d'un côté de sa mâchoire.

— Tiens, bois lentement, à petites gorgées, c'est très chaud.

Il sembla à Elena qu'il était en colère et elle ne comprenait pas pour quelle raison. Le thé était bouillant. Elle souffla dessus, en respirant le parfum, savourant la sensation de la vapeur qui lui caressait le visage.

— Cet homme, dit Cail au bout de quelques secondes, qui était-ce ?

Elena plissa le front :

— Maurice ? Il a épousé ma mère quand j'avais huit ans. Ils vivent ensemble à Grasse. Il a un laboratoire d'huiles essentielles. De roses, principalement, mais aussi de tubéreuses et de jasmins.

Sa voix avait perdu toute vitalité. Elle était monocorde. Elena parlait de Maurice comme elle aurait parlé de quelqu'un qu'elle ne connaissait pas, qui n'avait pas la moindre importance dans sa vie.

Cail devina qu'il y avait beaucoup de non-dits derrière cette confession et essaya de dominer la fureur qui l'avait saisi en écoutant la jeune femme. Comment cet homme avait-il pu laisser une enfant à la merci d'une chienne qui voulait protéger ses chiots ? N'importe quelle bête, même la plus douce, pouvait devenir dangereuse. C'était un miracle que cela se soit terminé avec seulement quelques égratignures et une grosse frayeur. Cail connaissait à peine cette fille, elle n'était rien pour lui, mais il voulait faire quelque chose pour elle. Un geste. Il le lui devait, car sans même le savoir Elena lui avait fourni la voie pour sortir de l'un de ses cauchemars récurrents.

— Demain, c'est samedi. Vu que tu viens juste d'arriver, si tu veux je t'emmène faire un tour dans le centre...

Les mains autour de la tasse encore chaude, Elena se dégagea de ses souvenirs.

— Ce serait merveilleux ! En réalité ce n'est pas la première fois que je viens à Paris, tu sais ? Mais les fois précédentes j'étais trop petite pour l'apprécier, parce que maintenant tout me semble tellement nouveau...

De fait, elle n'avait que de vagues souvenirs de la ville. Mais à présent la possibilité de la redécouvrir avec Cail la remplissait de joie. Elle sentait que ce serait un guide peu ordinaire. Elle se leva et lui sourit.

— Oui, oui. Avec plaisir !

Peut-être fut-ce l'enthousiasme d'Elena, ou peut-être ce sourire qui lui éclairait le visage, la rendant magnifique, qui provoqua un frémissement dans la poitrine de Cail. Il fut déconcerté par l'intensité de sa réaction. Un instant, mais juste un instant, il regretta de lui avoir fait cette proposition.

— Entendu, je passerai dans l'après-midi.

Il n'attendit pas davantage et se retira, laissant sa tasse de thé sur la table, intouchée.

Elena resta assise à s'interroger sur elle-même et sur cet homme un long moment, jusqu'à ce qu'elle se rende compte qu'elle était vraiment fatiguée. Elle grignota quelques légumes grillés, prit une douche, se coucha, et puis décida de jeter un coup d'œil au journal de Beatrice. Mais bien qu'elle ait tenté de se concentrer sur l'écriture régulière de son ancêtre, les mots lui échappaient et plus d'une fois, elle se retrouva à songer au comportement de Cail.

Quand son portable sonna, elle savait déjà de qui il s'agissait.

— Salut, Jo.

— Salut, salut ! J'étais impatiente de t'entendre. Alors, raconte, il y a du nouveau ?

Elena se mordit la lèvre, pensive. Elle eut la tentation de lui raconter ce qui était en train de lui arriver, les malaises, les vertiges. Puis elle réfléchit. Probablement suffirait-il de lui demander le numéro de son médecin.

— Il y en a, en effet, répondit-elle avec un soupir.

Joséphine s'accrocha à ce son, essayant de l'interpréter. Mais ce soir-là elle n'avait pas assez de patience pour parvenir à déchiffrer ce qui se passait en son amie.

— Si tu n'arrives pas à gérer la situation au magasin, nous trouverons quelque chose d'autre. Tu avais raison, au fond. Narcissus n'est pas la seule parfumerie de Paris.

Voilà, elle l'avait dit. Elle était certaine que c'était l'endroit qu'il fallait pour Elena, mais Grégoire savait être une vraie enflure. Elle ne voulait pas qu'Elena subisse les caprices de son ex.

— Il ne s'agit pas de Grégoire, ni de Narcissus, qui d'ailleurs sont bien mieux que ce que je pensais.

— Et alors, de quoi s'agit-il ?

L'anxiété transparaissait clairement dans la voix de Joséphine.

Elena prit alors conscience qu'elle ne pouvait rien lui dire. Joséphine se serait inquiétée et elle avait déjà trop de soucis à affronter... ce n'était pas le moment d'en rajouter. Elle s'en sortirait toute seule. Si le problème se présentait de nouveau, elle se rendrait aux urgences, point.

— Demain je sors, j'ai un rendez-vous, tu y crois, toi ?

— Et pourquoi pas ? Je te rappelle que c'est toi qui pensais n'avoir aucun espoir, au point de devoir te contenter de cette espèce de cuisinier, répliqua Joséphine en cachant sa surprise.

Les choses allaient donc bien mieux qu'elle ne l'avait espéré. Bientôt Matteo ne serait plus qu'un souvenir à demi effacé.

— Le tact n'est décidément pas l'une de tes vertus, commenta Elena, amusée.

— Je dis ce que je pense, quel mal y a-t-il ? Et puis arrête tes digressions, allez, raconte, qui est-ce ?

— Bon. Tu savais qu'un homme habitait au dernier étage de l'immeuble ?

— Maintenant que tu m'y fais penser... Un chercheur, ou un truc dans le genre.

Joséphine fouilla dans ses souvenirs, cherchant à rassembler toutes les informations qu'elle avait sur ce voisin.

— Un Écossais, oui. Il cultive des roses... Oui, oui, voilà, je crois que c'est un hybridateur, dit-elle, tandis que lui revenaient en mémoire des détails et des bribes de conversations qu'elle avait eues avec une voisine ou une autre quand elle habitait le Marais. Il m'est arrivé deux ou trois fois de voir ses roses dans des revues. Il a même gagné des prix.

— Voilà pourquoi il a tant de fleurs sur sa terrasse... Enfin, je ne les ai pas vues, mais leur parfum est unique.

— Ah oui ? Dommage qu'il soit aussi étrange. Et puis son visage... Il devait être très attirant autrefois.

Il devait ? Elena s'insurgea.

— T'es dingue, tu l'as bien regardé ? Il n'est pas seulement beau, il est bien plus. Il y a quelque chose au fond de son regard qui vous enveloppe. Et le parfum qu'il porte ? Je ne sais pas qui l'a créé, mais il est extraordinaire.

Joséphine doutait fortement que Cail se parfume avant de sortir de chez lui. Mais elle évita de le dire. Elena semblait s'être entichée de lui et il n'y avait pas de remède meilleur pour oublier une déception amoureuse qu'une nouvelle histoire d'amour. Elle sourit, contente. D'après ce dont elle se souvenait, ce McLean était un type plutôt rude. Il marchait vite, à larges et sûres enjambées. C'était quelqu'un qui s'occupait de ses propres affaires et qui ne se souciait guère des autres. Mais si Elena avait senti un parfum, il était possible que les choses aient changé. On ne peut jamais savoir.

— Et où donc allez-vous ?

— Aucune idée ! Dans le centre. Il ne s'est pas étendu là-dessus. Je n'ai pas l'impression que ce soit quelqu'un qui gaspille les mots, disons qu'il est plutôt synthétique. Tu sais qu'il a un télescope ? Il connaît le nom des étoiles.

— Arrête... Ne me dis pas que vous les avez regardées ensemble !

— Effectivement. Je n'ai vraiment aucune intention de te le dire, répondit Elena en gloussant.

Joséphine savait que Cail habitait dans le Marais depuis des années et que les gens le respectaient. Et puis il ne devait pas être si mal, s'il avait remarqué son amie. Elle évita donc de faire sa rabat-joie et la pria seulement de rester en contact avec elle par SMS.

— Mais bien sûr, sois tranquille. Je t'envoie un message quand nous rentrons, OK ?

Elena mit fin à la communication et posa le portable sur le lit. Un hybridateur... c'était un métier si fascinant. Voilà donc la raison de cette senteur de terre et de roses.

Demain, décida-t-elle. Le lendemain, elle lui demanderait de parler de lui et de son travail. Il allait bientôt assouvir sa curiosité.

Plus tard dans la nuit, avant de se laisser aller au sommeil, Cail analysa chaque moment qu'il avait passé avec Elena et ne trouva rien de si particulier, rien qui justifiât l'intérêt qu'il commençait à ressentir pour cette femme.

Elle lui plaisait et voilà tout, sans la moindre raison. Et ça, c'était une chose qu'il ne parvenait pas à comprendre.

11

Iris. Précieux et essentiel comme l'eau, l'air, la terre et le feu, c'est un parfum intense et lumineux. Il chasse les tensions et renouvelle la confiance de l'âme.

C'était la troisième fois que Joséphine repassait cette formule. Elle plongea la *mouillette* dans le cylindre gradué, puis huma. Elle attendit que les notes de tête, amande et pamplemousse, volatiles, se dispersent. Elle inspira encore, cherchant celles qui composaient le cœur du parfum, musc blanc, fève tonka. Elle attendit encore un peu, parce que ce qui ne la convainquait pas se trouvait dans le fond, dans cette senteur qui devait rappeler la peau d'un homme fort, décidé, capable de faire rêver une femme, santal et vétiver.

Rien, elle ne sentit rien à part l'arôme pénétrant du vétiver. Mais elle ne voulait pas une fraîcheur quelconque, elle désirait une odeur qui rappelle l'essence masculine la plus pure. Un regard intense, qui promettait ce qu'aucune phrase n'aurait pu exprimer. Elle voulait des émotions, elle voulait l'odeur de Grégoire.

— Tu ne me laisseras donc jamais en paix ? éclata-t-elle en frappant la table de la paume.

Le cylindre gradué dans lequel se trouvait le mélange vacilla. Joséphine tendit la main pour le saisir, mais il lui échappa des doigts, son contenu se renversa. Une auréole jaune paille s'élargit sur la surface du comptoir, se répandant sur les compte-gouttes, sur les entonnoirs en papier et sur tout le matériel que Joséphine avait disposé devant elle, bloc-notes compris.

Muette, elle regarda le désastre, puis un juron lui échappa. Elle arracha sa blouse. Elle avait besoin d'air, d'espace. Elle rejoignit la porte et se précipita dans le couloir. Une fois en dehors du laboratoire que Le Nôtre lui avait affecté, elle rencontra l'homme chargé du nettoyage.

— Faites tout disparaître. Immédiatement, lui ordonna-t-elle.

Elle descendit à l'étage inférieur et sortit sur la terrasse. Malgré le soleil haut dans le ciel, son souffle se condensa presque tout de suite. Mais ce n'était pas cela qui voilait les yeux de Joséphine, c'étaient les larmes, c'était la rage.

— Je recommencerai tout, peu importe le temps que cela prendra, j'arriverai à composer ce parfum.

Cécile avait observé Elena Rossini toute la matinée. Elle aimait la façon de faire de cette fille, elle était compétente, aimable mais décidée, elle ne se laissait pas entraîner par le client, mais faisait des propositions. Oui, c'était une bonne acquisition. Et elle avait bien l'intention d'en profiter. Du reste, être superviseur avait ses avantages, pensa-t-elle, en femme pratique qu'elle était. Elle s'était adjoint Elena Rossini parce qu'elle avait deviné qu'elle lui serait très utile.

Elle sourit et revint à sa place.

— Puis-je vous poser une question ? s'enquit une dame à l'aspect très sophistiqué qui s'était arrêtée devant son comptoir. Je voudrais un parfum léger, quelque chose qui convienne à une très jeune fille.

Elle n'avait pas attendu que Cécile lui dise qu'elle était disponible. Elle s'attendait à être immédiatement servie. Elle était élégante et regardait autour d'elle d'un air suffisant, les doigts sur la monture d'une paire de lunettes Gucci aux verres en demi-lune.

Riche à vomir, songea Cécile. Elle connaissait bien les clientes de ce genre. Après sept ans passés à servir les personnes qui venaient faire leurs achats chez Narcissus, elle avait développé une sorte de sixième sens. Elle aurait parié qu'elle était difficile et pingre. Une de ces femmes bourrées de fric qui veulent quelque chose d'unique, tout de suite, et prétendent l'obtenir à bon marché.

— Je vous appelle la personne qui s'occupe des ventes, répondit-elle avec un sourire factice.

Elle ne lui laissa pas la possibilité de répliquer, savoura chaque seconde du coup d'œil stupéfait que lui lança la dame, et s'éloigna joyeusement. Dès qu'elle rencontra le regard d'Elena, elle lui fit un signe de la main.

— Cette dame a besoin d'un parfum jeune et délicat. Essaie de la satisfaire.

Elle la planta là, sans rien ajouter. Ce n'est que lorsque la cliente sortirait sa carte de crédit, si elle le faisait, qu'elle reviendrait en scène, juste à temps pour enregistrer la vente à son nom et s'en octroyer tout le mérite.

Un après-midi qui ne ressemblait pas à tous les autres attendait Elena. Toute la matinée, la pensée du rendez-vous avec Cail s'était présentée dans les moments les plus inopportuns. Elle était impatiente d'aller se promener avec lui. Elle sourit pour elle-même, satisfaite et un peu nerveuse.

Elle était très contente de la façon dont les choses se passaient chez Narcissus. Elle s'était assez bien adaptée. Il lui semblait mieux comprendre la dynamique des ventes et ce matin-là elle avait vécu des moments pleins d'émotions.

Une femme très élégante, à l'allure aristocratique, avait acheté un parfum pour sa fille. Elle souhaitait lui faire un cadeau original. Leurs rapports étaient tendus. L'enfant d'autrefois avait disparu et à sa place avait surgi une inconnue toujours ombrageuse, prête à la dispute, profondément malheureuse. Éloïse Chabot, tel était le nom de la dame, désirait quelque chose d'un peu exceptionnel, qui fasse comprendre à sa fille en quelle haute estime elle la tenait.

— Je voudrais le cadeau qu'une femme choisit pour une autre femme, avait-elle expliqué à Elena.

Sa mère aussi lui avait offert un parfum, une fois. Elena avait presque oublié cet événement. Le souvenir lui en était brusquement revenu. Et elle en était restée surprise. C'était un cadeau d'anniversaire. Elle n'avait jamais ouvert ce parfum, il devait être encore à Florence, quelque part dans l'une des commodes où sa grand-mère conservait tout.

Elena avait conseillé à la dame une composition simple : amande, miel, pivoine, chocolat, fève tonka, et comme note de fond l'ambre avec sa chaleur et sa douceur veloutée. Il y avait là-dedans la jeunesse, mais aussi un brin de malice et de séduction.

— Ce n'est pas un parfum d'enfant, mais ce n'est pas non plus un parfum d'adulte. Il n'a pas en lui l'assurance de la personne qui est arrivée. C'est encore un parcours.

Éloïse l'avait remerciée d'un grand sourire. Au moment de partir, elle l'avait même embrassée.

Ça n'avait jamais été ainsi avant, pensa Elena tout en pressant le pas. Elle n'avait jamais éprouvé l'intense satisfaction qui provient de la conscience d'avoir été importante, d'avoir fait pour quelqu'un quelque chose que n'importe qui d'autre n'aurait pas pu faire.

De nouveau, le parfum que sa mère avait composé pour elle lui revint à l'esprit. Quand elle l'avait reçu, dans un premier temps, elle en avait été absurdement heureuse, de façon déraisonnable. C'était toujours ainsi quand elle recevait quelque chose de Susanna. Elle avait gardé le paquet dans les mains, puis, lentement, son bonheur était retombé. Elle ne l'avait pas ouvert.

Ce genre d'attentions de la part de sa mère, elle n'en avait aucun besoin. Un parfum, allons donc. Elle pouvait avoir tous ceux qu'elle voulait. Sa grand-mère ne faisait rien qu'en créer des nouveaux. Et puis, si vraiment elle avait voulu un parfum, elle se le serait préparé elle-même.

C'étaient des embrassades qu'elle attendait de Susanna, c'étaient des heures passées à parler, de l'attention, des rires partagés, des reproches même, de ceux qui finissaient ensuite par des larmes et des promesses. Elle voulait lui raconter ses histoires : par exemple, quand Massimo Ferri, de terminale B, lui avait demandé de sortir avec lui, et comme son baiser avait été décevant. Et humide, et son odeur… cette odeur qu'il avait, qui n'allait pas du tout.

Le bruit sec d'un klaxon la ramena à la réalité. Son cœur battait fort et un sourire apparut sur son visage. Quelle sotte elle était. Massimo Ferri. Elle s'était prise d'un béguin terrible pour ce garçon dont elle se rappelait le nom mais pas le visage, béguin qui avait disparu aussi vite qu'il était venu.

Elle secoua la tête et comme toujours relégua tout ce qui concernait sa mère, et la peine qui l'accompagnait, dans un recoin suffisamment lointain et caché de son âme.

Il resta juste un peu de curiosité pour le parfum. Qui sait ce qu'avait conçu Susanna, ce que finalement elle avait choisi pour elle. Était-ce la vanille ou le gardénia, le néroli ou la lavande…

Elle traversa la rue, et quand elle arriva au croisement de la rue des Rosiers, jeta un coup d'œil dans la direction du vendeur d'estampes. Il se serrait dans son vieux manteau, avait mis un béret de laine rouge qui lui laissait les yeux à découvert et le rajeunissait. Elle s'arrêta un instant à le regarder, en piétinant sur place parce que ses pieds étaient raidis par le froid.

Il venait d'actionner le magnétophone. Les premières notes de *La Vie en rose* se firent bientôt entendre. Elena sourit et se dirigea vers chez elle.

Quand Cail arriva, elle était déjà prête depuis un moment ; elle avait mis une jupe-pantalon bleu nuit, un chemisier blanc et un pull largement décolleté. Elle l'avait acheté peu après son arrivée à Paris, dans l'un de ces petits magasins vintage dont la ville regorgeait. Il était doux, épais, d'une couleur rose poudré qu'elle n'aurait jamais songé à porter quand elle vivait à Florence et qui maintenant lui plaisait énormément. Et puis, selon la vendeuse, ça lui allait divinement bien.

Divinement, se répéta-t-elle tout en descendant l'escalier, essayant de se rappeler l'inflexion exacte qu'avait eue cette femme.

— Bonjour, dit-elle en ouvrant la porte.

Cail la considéra sans parler. Elena sentit son regard la parcourir de la tête aux pieds. Elle retint son souffle, les battements de son cœur s'étaient accélérés.

— Tu devrais mettre une veste.

— Oh.

Elena se rembrunit. Expéditif, rapide et ne se perdant pas dans les détails. Zut, ce n'était pas qu'elle attendait un baiser, mais...

— Bien sûr, voilà, dit-elle en repartant au fond de la pièce.

Suspendu au mur, il y avait l'un de ces vieux portemanteaux d'autrefois, auquel pendait une longue veste de laine.

Cail la lui prit des mains, en tâta la consistance et secoua la tête.

— Ça ne va pas. Il faut quelque chose de plus lourd.

Elle réfléchit, puis inclina la tête.

— Je reviens tout de suite.

Quelques minutes plus tard, elle revint avec une veste de cuir, une écharpe autour du cou.

Cail l'observa et fit signe que cela allait. Mais il ne lui rendit pas son sourire, il était pensif.

Et maintenant, qu'est-ce qui n'allait pas ?

— Écoute, si tu as changé d'avis, si ça ne te convient plus... il n'y a pas de problème.

Il ignora ses paroles. Il continuait à la fixer en silence.

— Tu vas bien ? finit-il par demander.

Non, elle n'allait pas bien. Elle était désorientée, elle n'arrivait pas à le comprendre. Elle fronça les sourcils.

— Oui, et toi ?

— Je parle sérieusement, Elena. Nous prendrons la moto et il fera froid.

Une moto ? Elle n'était jamais montée sur une moto. Leur bruit l'avait toujours un peu effrayée. Cail avait une moto et voulait l'y faire monter. Toute perplexité disparut, balayée par l'excitation. Elle allait monter sur une moto !

— Je ne savais pas que tu en avais une. Elle est comment ? Très grosse ? Mais il faut un casque ? Je n'en ai pas, dit-elle avec une pointe de déception dans la voix.

— J'en ai un pour toi, lui répondit-il.

Puis il tendit la main. Du bout de l'index, il souleva une mèche de cheveux qui pendait sur son visage et la glissa derrière son oreille.

— Boutonne ta veste.

Cinq minutes plus tard, Elena regardait un énorme bolide chromé, d'un noir étincelant, avec des flammes rouges peintes sur son réservoir. Hermione : Cail l'avait baptisée ainsi.

Elena ne tiqua pas. Qui était-elle pour dire qu'il était ridicule d'appeler une moto d'un nom de femme ? Elle se mordit donc les lèvres jusqu'à ce que l'envie de rire lui passe, en se concentrant sur la façon la plus adéquate de monter sur cet engin.

— Viens, je vais te montrer, lui proposa Cail.

— Pour toi c'est facile, mais moi je n'ai pas des jambes longues comme les tiennes, marmonna-t-elle en regardant sombrement la selle de la Harley.

Cail secoua la tête et, après avoir attaché la courroie du casque d'Elena, lui entoura la taille d'un bras. Une seconde plus tard, Elena était à califourchon sur la moto. Le moteur vrombit, avec un son grave au début, puis de plus en plus profond. Quand ils partirent, elle se tenait si étroitement à Cail qu'elle craignit qu'il ne proteste. Mais rien ne la convaincrait à relâcher sa prise.

Ville lumière.

Si deux mots avaient jamais été en mesure de décrire Paris, c'étaient assurément ceux-là. La ville était une fête de couleurs et brillait de vie. Il n'était que cinq heures de l'après-midi, mais un voile de nuages avait affaibli la lumière naturelle et Paris tout entier avait répondu comme à une invitation, s'emplissant de sources lumineuses. Et maintenant qu'elle y réfléchissait, c'était cet éclat qui était resté gravé en elle enfant, cela et le parfum. La ville sentait les véhicules, les gens, la nourriture et la fumée. Il y avait aussi un autre parfum qui s'élevait de la Seine, lourd et humide. Aujourd'hui, il y avait également celui de l'homme auquel elle se cramponnait : fort, chaud et intrigant, un mélange d'herbes, de cuir, et de douceur.

La sensation de ce dos tiède, auquel s'agripper, était réconfortante. Elena éprouvait aussi une légère appréhension, comme si elle était sur le point de faire une petite folie. Au fond, c'était un inconnu, un homme fascinant qui avait décidé de lui montrer une ville merveilleuse et très romantique.

Cail rejoignit l'île de la Cité et gara sa moto.

— On est arrivés, annonça-t-il.

Puis il aida Elena qui avait commencé à se débattre avec la courroie du casque.

— Ouf, je n'en pouvais plus de ce truc ! s'exclama-t-elle.

Elle était échauffée et, bien que son souffle soit sorti en légers nuages de vapeur, elle se sentait le visage en feu. Mais elle était surtout contente. Elle avait éprouvé joie et terreur à parts égales et s'était amusée comme une folle. Elle n'avait qu'une hâte, recommencer.

Il y avait un grand va-et-vient de personnes, et tout à coup Cail lui prit la main.

— Reste près de moi.

— Si vraiment tu insistes, lui répondit Elena en levant les yeux au ciel, pour étouffer l'embarras de ce contact.

Perplexe, Cail l'observa, les yeux mi-clos, puis, quand elle rit gaiement, il comprit qu'elle plaisantait. Un nouveau frémissement dans sa poitrine. Et il se rendit compte qu'il avait envie de se joindre à ce rire. Comme ça, sans raison précise. Il se sentait bien. Elle le faisait se sentir bien. Ce fut un moment étrange que celui-ci. Ils étaient immobiles au milieu de la foule, à se regarder, essayant de se comprendre sans mots.

— Viens, allons-y, lui dit-il abruptement, mettant fin à l'enchantement qui les avait saisis.

— Où ?

— Ça va te plaire.

Non, décidément ce n'était pas un grand bavard, mais Elena commençait à s'habituer à cette espèce de rudesse. Et puis elle se sentait en sécurité avec lui, avec cette main chaude tenant la sienne.

— Allez, dis-m'en davantage, tu ne peux pas prétendre que je te suive sans que tu m'aies donné un seul indice.

Cail sembla réfléchir à la question, puis se tourna vers elle.

— Chocolat, souffla-t-il en s'approchant un instant de ses lèvres.

Et toutes les objections qu'Elena avait pensé formuler disparurent. Le chocolat était sa plus grande faiblesse. Alors elle l'attrapa par la manche, se serrant contre lui.

— Si c'est un rêve, ne me réveille pas.

Ils commencèrent à se promener main dans la main, en silence. Quand la foule devint plus compacte, Cail l'attira à lui, lui entourant les épaules d'un bras, et après un moment initial de surprise, elle se laissa aller à son enlacement.

Il y avait beaucoup de touristes devant Notre-Dame. Une file interminable s'était formée, qui allait d'un bout à l'autre de la place.

— Nous n'arriverons jamais à monter sur les tours, murmura-t-elle en contemplant tristement le sommet des clochers. Elle aurait beaucoup aimé revoir Paris d'en haut. Avec Cail. Des tours, la vue était magnifique, unique. Elle s'en souvenait encore, après des années et des années.

— Nous trouverons un moyen, ne t'en fais pas, lui assura Cail.

Elle le regarda et sut qu'il parlait sérieusement. Alors elle lui sourit.

La pâtisserie n'était pas loin de la cathédrale, juste à une centaine de mètres. Elle était toute rose ; Elena n'en croyait pas ses yeux. Elle s'arrêta à quelques mètres de distance et respira le parfum qui s'élevait de ce magasin si singulier. Fruits des bois, miel, chocolat, pêche. Et puis l'arôme unique du sucre qui fond, un instant avant de brunir en devenant du caramel croquant.

Une brusque sensation de creux à l'estomac lui rappela qu'elle mourait de faim. Puis son estomac se tordit. Elle s'immobilisa alors, alarmée. Espérant ne pas se sentir mal une fois de plus. Mais Cail ne la lâcha pas et la scruta avec attention avant de se remettre à marcher.

— Ce n'est pas Ladurée, bougonna-t-il, comme s'il voulait s'excuser.

Elena haussa les épaules.

— Si les saveurs sont rien qu'à moitié aussi bonnes que les parfums qui sortent de ce magasin, ce sera le paradis.

Le malaise qui l'avait saisie avait disparu, laissant place à une faim vorace.

À l'intérieur, tout était dans des tons crème, des comptoirs aux rayons qui contenaient des boîtes de toutes formes, dimensions et couleurs.

Elena comprit immédiatement que cette senteur de gâteaux secs à peine sortis du four ne venait pas des cuisines, mais était la composition sophistiquée d'un parfumeur. Tandis que Cail l'aidait à enlever sa veste, elle eut un sourire. Psychologie olfactive. Ils étaient nombreux maintenant à se faire confectionner un parfum exclusif, qui évoquerait une sensation agréable. Ainsi le magasin laisserait sur le client une empreinte indélébile. C'était une attraction sensorielle absolue. Le spectacle merveilleux, le parfum, le goût, la sensation de bien-être.

Une jeune fille vêtue de blanc les servit immédiatement, portant un assortiment de feuilletés, macarons aux fruits et un chocolat avec chantilly. Pour Cail, simplement, un thé noir.

Elena ne perdit pas de temps, elle s'attaqua sans attendre aux pâtisseries qui étaient délicieuses. Tandis qu'elle plantait les dents dans cette croûte fine et fruitée, la pâte tendre du macaron lui fondit dans la bouche.

— C'est exquis, déclara-t-elle en en prenant tout de suite un autre.

Cail l'observait en silence, suivant tous ses mouvements. Avec une lueur amusée dans les yeux.

— Ça fait longtemps que tu as... Hermione, c'est ça ? lui demanda Elena.

— Cinq ans. Avant j'avais une autre moto.

Il s'était raidi et avait détourné le regard. Il jouait maintenant avec l'une des petites serviettes que la serveuse avait posées sur la nappe. Cela sautait aux yeux que ce n'était pas l'un de ses sujets de prédilection, aussi Elena n'insista-t-elle pas et mordit dans un macaron d'une nuance lilas si prononcée qu'elle en paraissait fausse. Une explosion de crème au cassis lui fit fermer les yeux. C'était un merveilleux plaisir, difficile à décrire. Le parfum était intense et la crème se répandait dans la bouche comme du miel chaud.

— Oh là là, c'est l'une des meilleures choses que j'aie jamais mangées, murmura-t-elle quand elle retrouva enfin l'usage de la parole.

Cail se remit à la regarder et enfin son expression se radoucit. Ce n'était pas un sourire en bonne et due forme, ça non, mais ça s'en rapprochait assez pour laisser Elena imaginer combien il devait être beau, s'il souriait vraiment.

— Ça fait longtemps que tu travailles dans les parfums ?

— Toute ma vie, lui répondit-elle après un moment de silence. Beaucoup de femmes de ma famille ont été parfumeuses. Les plus douées ont créé des parfums importants, les autres ont poursuivi l'activité familiale.

Elle fit une pause, jeta un coup d'œil dehors, puis reporta son attention sur Cail.

— Tu sais que notre fortune a eu justement la France pour point de départ ? Une de mes ancêtres a créé un parfum exceptionnel. Il était si intense, si parfait, qu'il a séduit une princesse. L'homme qui l'avait commandé a épousé la princesse, a eu son royaume et a donné en récompense à la parfumeuse une somme incroyable. Après quoi elle a quitté la France et elle est retournée à Florence.

— J'ai comme l'impression qu'il y a autre chose et que tu n'as aucune envie de me le dire.

Elena soutint son regard.

— Elle ne l'a jamais oublié. Ce gentilhomme, j'entends. Elle a continué à l'aimer, même après en avoir épousé un autre, et elle n'a cessé de parler de lui dans son journal. C'est une histoire triste.

Cail posa sa tasse sur la table, se laissa aller contre le dossier de sa chaise, puis haussa les épaules.

— Peut-être n'étaient-ils pas destinés à vivre ensemble.

— On peut altérer le destin, répliqua Elena. Il faut juste en avoir la volonté. C'est la seule chose qui puisse changer le cours des événements.

— Pas toujours, il y a des situations... des choses qui arrivent, auxquelles on ne peut pas échapper.

Il était redevenu distant, à présent. Froid. Et pourtant on décelait de la douleur dans ses mots.

— Tu parles de la mort.

— Non, répliqua-t-il âprement. Aujourd'hui, on s'en tient aux belles choses.

Ce n'était pas très inspiré comme réponse, mais le message était clair et fort. Il n'avait pas l'intention de poursuivre cette conversation.

— Parle-moi de toi, que fais-tu dans la vie en plus de vivre dans le Marais et de regarder les étoiles ?

— Mon travail ressemble un peu au tien, au fond. Je suis un hybridateur de fleurs. Mon domaine, ce sont les roses odorantes. J'essaie de garder inaltéré l'aspect des roses anciennes, celles de grand caractère, aux couleurs solides, au parfum unique. Mon objectif, ce sont les parfums complexes, justement, ceux qui semblent provenir de divers niveaux olfactifs. Ils partent d'un fruité simple, pour se changer en agrumes, en myrrhe, capables de susciter des suggestions olfactives intenses, uniques. Ça ne me convient pas que les nouvelles venues, dénuées de la moindre odeur, les surclassent juste à cause de leur beauté apparente.

— Donc, tu les protèges ?

Cail leva un sourcil.

— Je ne le fais pas par charité, je gagne beaucoup d'argent.

— Peut-être, mais si tu n'avais pas décidé de t'en occuper, leur destin aurait sans doute été l'oubli.

Ils continuèrent à bavarder, Cail toujours laconique et concis dans ses réponses. Il parla de sa dernière création, très décevante. Mais qui pouvait devenir une bonne rose mère.

— C'est un peu comme pour les êtres humains. D'une mère aux yeux bleus et d'un père aux yeux verts peut naître un enfant aux yeux clairs, certes, mais avec une nuance nouvelle.

Elena l'écoutait, sous le charme. Plus d'une fois elle perdit le fil du discours, mais jamais elle ne lâcha Cail du regard. Quand ils sortirent de la pâtisserie, il faisait nuit et l'île de la Cité était éclairée par des milliers de lumières.

— Il est trop tard pour aller dans d'autres endroits. Notre-Dame est à deux pas. Viens.

Cail lui désigna d'un geste l'immense cathédrale qui s'élançait vers le ciel avec ses arcs en ogive. Sur les flèches, les gargouilles de pierre semblaient lorgner vers les passants.

Ils étaient presque arrivés à l'énorme portail quand Elena renversa la tête en arrière.

— Je ne me souvenais pas qu'on passait par là...

Cail acquiesça d'un signe de tête.

— L'entrée est rue du Cloître. Il y a quatre cents marches en colimaçon, lui dit-il en guise d'avertissement. Cela étant, la partie inférieure de la cathédrale est elle aussi très belle.

— Oui, je sais. Mais en restant en bas je ne verrai pas les cloches.

— Non, tu ne les verras pas, en effet.

— Elles ont toutes de beaux noms, ajouta Elena.

— Angélique-Françoise, Antoinette-Charlotte, Hyacinthe-Jeanne, Denise-David sont les plus récentes. La plus grande, c'est Emmanuel, elle pèse presque treize tonnes.

— Extraordinaire, murmura Elena. Le ciel semble si proche de là-haut, dit-elle en se rappelant la dernière fois où elle était montée sur ces tours.

Puis elle se tourna vers Cail.

— On y va, tu veux bien ?

Il lui prit la main, la lui serra un instant, puis il inclina la tête et la lâcha.

— D'accord.

La file des touristes s'était amenuisée, ils avaient de la chance. Ils entamèrent l'ascension lentement. Les marches se succédaient sans un arrêt, l'une après l'autre. La lumière en atténuait les aspérités. Il y avait une odeur de temps anciens dans ces murs, ça sentait l'humidité, l'escalier utilisé depuis des siècles, le vieil encens, la cire d'abeille. Combien de gens étaient-ils passés là avant elle ? L'imagination d'Elena se laissa guider par le parfum et par ce qu'il évoquait. Femmes, hommes, chacun avec son passé, son histoire.

Soudain, elle s'arrêta. Elle n'arrivait plus à respirer. Elle avait l'impression que ses poumons ne recevaient plus d'air, qu'ils étaient comme bloqués. Elle baissa la tête et la releva. La panique la submergea, glacée. Elle se mit à inhaler plus rapidement mais, malgré ses efforts, la sensation d'étouffement était forte et terrifiante.

Cail était derrière elle. Quand il se rendit compte que quelque chose n'allait pas, il la saisit aux épaules, la fit pivoter vers lui. Il releva son visage et comprit qu'elle était sur le point de s'évanouir.

— On va descendre, ne t'inquiète pas.

Il n'attendit pas sa réponse. Il la prit dans ses bras, comme si elle avait été une enfant. Et se frayant le chemin parmi les touristes qui montaient, encaissant leurs protestations sans rien répliquer, il continua à descendre, une marche après l'autre, en la tenant serrée contre sa poitrine. Arrivés enfin dehors, Elena ne réagissait plus. Il lui enleva son écharpe et dégagea son visage de ses cheveux avec grande attention, la caressant délicatement. Elle était pâle, mais respirait normalement.

— Elena, tu m'entends ?

Les cils de la jeune femme frémirent, puis elle battit des paupières et le regarda sans comprendre.

— Qu'est-ce qui s'est passé ?

— Tu t'es évanouie. Je t'emmène à l'hôpital.

Les urgences de l'Hôtel-Dieu étaient à quelques mètres de là.

12

Vanille. Le parfum de l'enfance, doux et chaud. Il réconforte, met de bonne humeur, aide à affronter les difficultés, relâche les tensions. Il se combine bien avec la peau. Quelques gouttes suffisent à rassembler et guider les mouvements du cœur.

Elle était assez satisfaite. Joséphine huma de nouveau la *mouillette*, ferma soigneusement le cylindre gradué et agita le mélange de façon que l'alcool commence à diluer les molécules qui composaient les essences, puis le reposa dans son conteneur, afin qu'il reste dans l'obscurité. Elle vérifia une dernière fois que la formule insérée dans le programme correspondait bien à ses notes, jeta les filtres de papier, s'étira et sortit du laboratoire.

Il faudrait vingt jours encore avant de percevoir avec une certaine précision, dans toutes ses nuances, le parfum qu'elle venait de créer. Un mois de maturation, comme disait toujours Lucia Rossini. Mais, bien que Joséphine n'ait pas suivi absolument la procédure que lui avait apprise la grand-mère d'Elena, la structure du parfum était tout de même claire, le résultat final prévisible et correct. Oui, la journée avait été productive. Une fois les vingt jours passés, elle ajouterait l'eau, filtrerait de nouveau le composé, établirait la gradation précise de l'*eau de parfum*. Mais cela, elle en déciderait avec Le Nôtre.

Elle descendit l'escalier et alla directement au parking souterrain, après avoir salué quelques collègues. Une fois dans la voiture, elle alluma son portable.

— Ah, c'est toi, murmura-t-elle en sentant la vibration.

Mais ce n'était pas un message d'Elena. Elle lut rapidement l'invitation à dîner de Grégoire et l'effaça.

— Idiot, grommela-t-elle entre ses dents, ignorant la tentation de l'appeler et de lui dire exactement ce qu'elle pensait de lui.

Elle attendit encore quelques secondes, les yeux rivés sur l'écran, tandis que divers SMS s'affichaient l'un après l'autre. Étrange qu'Elena ne lui ait rien envoyé, pensa-t-elle. Mais sans doute était-elle trop occupée à s'amuser. Elle sourit et fit démarrer la voiture. Elle était impatiente de prendre une longue douche brûlante. Puis elle regarderait la télévision et appellerait sa mère. Ça faisait quelques jours qu'elle ne l'avait pas eue. Elle avait besoin d'être dorlotée et Jasmine saurait lui remonter le moral.

Adossé à un mur de la salle d'attente de l'hôpital, Cail fixait un point du sol, au hasard. Elena avait été emmenée depuis maintenant une heure, lui n'avait rien fait d'autre que contrôler le temps qui passait.

Il détestait les hôpitaux. Ils lui rappelaient combien était gigantesque l'impuissance de l'homme, combien la vie était fragile.

Il se passa les mains sur le visage, puis dans les cheveux, les rejetant en arrière. Ce n'est rien de grave, se répéta-t-il pour la millième fois. Dans le cas contraire, il l'aurait déjà su. Et puis si elle avait été vraiment mal, Elena n'aurait pas eu toute cette énergie. Il n'y avait pas eu moyen de la faire s'asseoir sur le fauteuil roulant et elle n'avait consenti à se faire examiner qu'après que le médecin lui eut permis de rejoindre le cabinet de consultation sur ses deux jambes. Si elle avait été vraiment mal elle n'aurait pas eu toute cette énergie, n'est-ce pas ? Un serrement de cœur vint accompagner cette sensation de crainte qui l'avait saisi quand elle s'était évanouie devant lui.

Elena lui avait dit au revoir d'un signe de main, comme font les enfants, les yeux plantés dans les siens, la peur peinte sur le visage.

Il aurait donné n'importe quoi pour l'accompagner. De nouveau ce besoin déraisonnable de la serrer contre sa poitrine, de sentir sa chaleur, son parfum.

Mais combien de temps allaient-ils la garder ?

Il se mit à marcher à longs pas nerveux et rejoignit la baie vitrée. Il s'arrêta devant l'éclat resplendissant de la ville, devant ses mille lumières. Les paumes sur les vitres épaisses, le regard perdu dans l'obscurité de la nuit, il lui sembla être réaspiré par le passé. Dans une autre vie.

Il n'était pas là quand on avait emmené Juliette. Au bout de toutes ces années, ses souvenirs étaient confus et ce qu'il savait, il l'avait appris par les procès-verbaux de la police. Ç'avait été un miracle qu'il s'en soit sorti avec seulement une cicatrice et quelques os cassés. Il se rappelait à grand-peine le coup de klaxon assourdissant du camion, le crissement des pneus sur le bitume quelques secondes avant qu'il ne soit éjecté de la selle de la moto. Mais il était sûr d'une chose : cette nuit-là, une partie de lui-même était morte avec Juliette.

Il n'était plus le même, depuis lors.

Il déglutit, puis ferma les yeux. Un instant plus tard, il réémergea de ce lieu obscur de son âme où il avait tout enseveli et où il retournait bien rarement.

Il vit dans la vitre le reflet d'une des infirmières qui avaient accompagné Elena. Il se retourna et la rejoignit.

— Il y a des nouvelles ?

La femme s'arrêta, puis parut comprendre.

— Ah, oui, lui dit-elle alors en souriant. Vous êtes le mari de Mme Rossini ?

Cail ne parvint à rien faire d'autre qu'acquiescer mécaniquement.

L'infirmière lui donna une gentille petite tape sur le bras.

— Ne vous inquiétez pas, ce n'est rien de grave. Votre femme doit juste se reposer et prendre des micro-nutriments. Dans son état, il est normal d'avoir des vertiges. Avec un peu de chance les nausées passeront dès qu'elle aura dépassé le troisième mois. Câlinez-la un peu, les femmes aiment ça, vous savez ?

Il ne répondit pas, de toute façon il n'aurait su que dire.

Elle sourit encore, presque amusée par cette pâleur soudaine, par la stupéfaction peinte sur son visage. Cail la remercia, puis rejoignit un siège et s'y laissa tomber.

Elle est enceinte… Elena est enceinte.

Il resta immobile à fixer ses mains, cependant qu'un tourbillon d'émotions contrastées tournoyait en lui.

Quand l'infirmière revint dans la salle d'attente une demi-heure plus tard, il l'arrêta.

— Je peux voir, hum… ma femme ?

— Je crois qu'elle va mieux. Elle est très agitée, lui répondit-elle après lui avoir jeté un regard investigateur.

Elle n'était plus amicale et semblait pressée. Elle traversa la salle et sortit sans même se soucier de l'attendre. Après avoir parcouru une dizaine de mètres, elle lui indiqua une porte.

— Voilà, vous pouvez entrer. Il faut que vous attendiez le résultat des dernières analyses avant de partir, que vous remplissiez les formulaires et retiriez le bulletin de sortie. Il faudra au moins une heure, l'avertit-elle. Comme je l'ai déjà dit à votre femme, au cas où vous décideriez d'intervenir, vous n'avez que deux à trois semaines. Après, ce sera trop tard.

Intervenir ?

Cail frappa à la porte et l'ouvrit. Elle était là, assise sur un lit, la tête penchée sur ses mains qu'elle tenait croisées sur son ventre. Elle semblait perdue, les cheveux tombant sur son visage, les épaules voûtées. De temps en temps, elles tressautaient. Elle ne s'était pas aperçue de sa présence.

Il la rejoignit et s'agenouilla de façon que leurs yeux se trouvent à la même hauteur, puis avec beaucoup de délicatesse il lui releva le menton.

— Salut. Tu vas mieux ?

Elena secoua la tête, les yeux humides.

— Je suis enceinte, souffla-t-elle.

Elle était enceinte de deux mois et seule. Comment avait-elle fait pour ne pas s'en apercevoir ? Certes, elle n'avait jamais eu un cycle régulier, mais de là à ne pas comprendre... Trop de choses étaient arrivées, trop nombreuses et toutes à la fois. Et voilà qu'elle attendait un enfant. Une peur profonde, jamais éprouvée auparavant, lui serrait la gorge. Elle n'arrivait pas à penser, elle n'arrivait pas à parler. Elle avait toujours cru qu'un jour elle affronterait tout cela avec un compagnon, avec un mari. Mais Matteo... Rien que de penser à lui la faisait se sentir plus mal. Comment était-ce possible ? continuait-elle à se demander. Pourquoi maintenant ? Et puis elle fut de nouveau submergée par une terreur irrationnelle.

Cail écarta une mèche de cheveux de son front, puis une autre, lui effleurant la peau avec douceur. Il ne le fit pas pour elle, mais pour lui-même. Il ressentait le besoin de la toucher. Rien que de la toucher.

Il allait y avoir des conséquences, un tas de conséquences. Il le savait avec certitude. Il les affronterait quand elles se présenteraient, décida-t-il. Une à la fois. Ça n'avait pas de sens d'y songer en cet instant, quand les doigts d'Elena étaient agrippés à son pull et le tenaient tout contre elle.

— C'est une belle chose, un enfant est toujours une bénédiction.

Et d'où diable est-ce que ça lui était venu, ça ? Qu'est-ce qu'il en savait, des enfants ?

Mais ce que lui pensait n'était pas important. En cet instant-là, c'était elle qui avait besoin de tout le soutien possible. Cette larme unique qui lui avait laissé un sillage humide sur la peau du visage le disait, et ses doigts qui continuaient à s'accrocher à lui. Cail n'avait pas idée de ce qu'il fallait dire, il ne s'y connaissait pas en mots ni en grands discours. Il se laissa donc guider par son instinct, et trouva la force de lui sourire comme il ne l'avait encore jamais fait. Il lui essuya sa larme du gras du pouce et resta silencieux, attendant qu'elle se fût suffisamment calmée pour pouvoir ajouter quelque chose. N'importe quoi.

— J'ai toujours désiré avoir un enfant.

La voix d'Elena était moins qu'un murmure. Cail retint son souffle.

— Et toi ? Ou tu en as peut-être déjà ? lui demanda-t-elle.

— Non, je n'ai pas d'enfants. Je suppose qu'un jour, tôt ou tard, c'est normal d'en vouloir. Mais ce n'est pas parmi les dix choses que je veux faire d'ici Noël.

Il s'efforçait de paraître gai, mit de la légèreté dans sa voix.

— Et puis, regarde-moi… je ne saurais même pas comment le tenir. Les nouveau-nés sont tout petits.

Rien que la perspective d'en prendre un dans ses bras lui donnait des sueurs froides. Sans compter qu'il l'aurait probablement mortellement effrayé.

Elle acquiesça, peu convaincue.

— Pourquoi seulement dix choses ?

— Je suis un homme réaliste.

Mais Elena ne saisit pas l'ironie, elle se borna à opiner du chef.

Cail lui caressa la main.

— C'est ce que tu voulais, alors ? Je veux dire… l'enfant. Tu as dit que tu désirais en avoir, fit-il, préoccupé par son expression sombre, par ses yeux gonflés de larmes.

Elena secoua la tête. Elle n'arrivait pas à parler. Sa lèvre inférieure tremblait. Elle était en train de s'effondrer.

Cail, d'instinct, ouvrit les bras. Un instant plus tard, elle s'abandonna à son étreinte. Il l'enveloppa comme il avait désiré le faire tout l'après-midi, la serrant contre lui.

Elena cacha son visage au creux du cou de Cail, s'arrimant à lui de toutes ses forces, près de sa chaleur, de son parfum. Tellement bon, tellement parfait.

Il lui caressa les cheveux, la laissa s'épancher et l'écouta tandis qu'entre deux sanglots elle lui racontait à quel point elle avait désiré un enfant qui avec Matteo s'était fait attendre, comme la vie lui jouait de mauvais tours, comme le monde marchait de travers. Elle parlait encore et encore, avec des phrases sans aucun sens, d'autres qui au contraire en avaient un. Cail la tenait serrée et pour lui à ce moment-là rien d'autre ne comptait, aucune pensée, rien. Rien qu'elle. Rien qu'Elena.

— Je ne sais même pas comment l'appeler, lui dit-elle après s'être dégagée de son étreinte.

Cail ressentit un coup au cœur. Soulagement, éclair de joie. Elena allait garder l'enfant.

— Je ne pense pas que ce soit un grand problème.

Elle se mordilla la lèvre, puis acquiesça.

— C'est vrai, ça, ce n'est pas un problème.

Mais c'en était bel et bien un. Comment l'appellerait-elle, cet enfant ? Et si c'était une petite fille ? Instinctivement sa pensée alla à sa mère et le désespoir qu'elle éprouvait se fit mordant. De nouveau cette sensation de solitude et de terreur.

— N'y pense pas. Tu auras bien le temps.

La voix de Cail coupa le fil de ses pensées, balaya toute chose. Il était là, maintenant. Et c'était la chose la plus réelle sur laquelle elle pût compter. Elle se concentra sur son souffle, sur la chaleur de son corps. Elle ne savait pas ce qu'elle aurait fait en cet instant s'il n'y avait pas eu Cail. Un profond élan de reconnaissance s'ajouta aux sentiments qu'elle éprouvait pour cet homme. Et il y avait aussi autre chose, une impression de bien-être qui s'agitait en elle comme le frémissement délicat d'une paire d'ailes, légères et fines. Elle s'approcha encore un peu de lui, puis du bout des doigts, délicatement, suivit son profil, s'attardant sur sa cicatrice en une douce caresse. Et elle lui sourit.

— As-tu jamais eu un désir si grand, si fort qu'il t'empêchait presque de penser à autre chose ? Et qu'il faisait apparaître tout le reste comme une sottise ? murmura Elena.

Cail inclina la tête, les yeux dans les siens.

— Oui, lui répondit-il.

Il le voyait encore, le désir qu'elle ressentait pour lui. Il l'avait perçu immédiatement, dès leur première rencontre, dans cette déclaration si insolite qu'elle lui avait faite dans le noir… Il l'avait reconnu tout de suite parce qu'il éprouvait pour elle cette même attraction illogique.

— Tu veux m'en parler ?

La voix d'Elena était plus tranquille. Elle s'était assise bien droite et l'examinait avec curiosité.

Cette demande le stupéfia. La nouvelle de sa grossesse l'avait ébranlée, et cependant elle continuait à trouver la force et le temps de penser à lui. Dans la hiérarchie des pensées d'Elena, embrouillées et pleines de frayeur, il demeurait malgré tout important.

— Non, une autre fois. Mais parle-moi du tien. Tu es maintenant sur le point de le réaliser…

Elena détourna le regard. Dans le silence qui suivit, Cail l'observa choisir les mots avec soin, un par un.

— Je croyais qu'il en était ainsi, et, en fait, après quelques minutes, quand je me suis rendu compte de ce que le médecin était en train de me dire, c'est-à-dire que le test de grossesse était positif, j'ai eu une peur terrible. Ce qu'on conçoit comme un but à atteindre... quand on l'atteint, on découvre que c'est beaucoup plus compliqué que ce qu'on croyait, et que de toute façon on est seul au départ d'un long parcours.

— Une chose à la fois. Il ne faut pas que tu penses à tout. C'est trop difficile si tu fais comme ça. En revanche, si tu affrontes une chose à la fois, ça devient sinon simple, du moins faisable.

Logique, axé sur l'essentiel et surtout pratique. De nouveau Elena se demanda ce qui se cachait derrière la façon d'être de cet homme, cette sagesse qui était la sienne. Il savait toujours que dire, sans s'étendre inutilement. Il était direct. C'était comme s'il n'avait de temps à perdre en rien qui ne fût pas nécessaire. Tout ce qu'il lui avait dit était vrai, et c'était même la seule chose qu'elle pouvait faire. Elle décida de l'écouter. Elle voulait le faire. Très vite, elle se sentit mieux. Bien sûr, la peur s'agitait en elle, en même temps que la préoccupation et mille questions auxquelles elle ne savait vraiment pas que répondre, mais il y avait aussi une joie ténue, cachée, qui de temps en temps l'amenait à sourire, à effleurer ce ventre où était en train de grandir son enfant. Elle avait envie de pleurer, puis de rire. Mais, maintenant qu'elle y pensait, elle était dans cet état depuis quelque temps déjà. En fin de compte, la grossesse expliquait tout. D'un seul coup tout prenait un sens. Y compris son changement d'attitude envers les parfums.

— Tu veux avertir quelqu'un ?

Cail avait dû se faire violence pour prononcer cette phrase. Il y avait un autre homme dans la vie d'Elena. Ou il y avait eu. De quelque façon que les choses se soient passées entre eux, un enfant changeait tout. Vous obligeait à modifier les perspectives. Il aurait été désolé de la laisser. Même si elle n'était encore rien pour lui... il se retirerait, tout simplement. Il lui suffirait de se contenter de vivre sa propre vie. Rien de plus facile.

Pourtant cette pensée bouillonna en lui et le mit en rage. Parce que, que cela lui plaise ou non, ce qu'il venait de se raconter était un mensonge.

Mais cela ne changeait rien. Elena était enceinte.

Il attendit qu'elle se décide à lui répondre, en silence, attentif aux moindres nuances de son expression.

— Non... je ne dois avertir personne. Et puis je n'en ai pas envie. Je ne veux pas en parler.

— Comme tu veux.

Le temps ne manquerait pas pour éclaircir cet aspect de la question.

— Et si nous remplissions les formulaires et nous en allions ? Qu'est-ce que tu en dis ?

Elena acquiesça. Elle était très fatiguée, elle se sentait vidée. Il lui semblait avoir la tête bourrée de coton. Le seul élément qui lui donnait un peu d'équilibre était Cail, auquel elle continuait à s'accrocher.

Elle s'obligea à le lâcher et soupira.

Il l'aida à se lever.

— Viens, allons-y.

Ils rejoignirent l'accueil main dans la main, l'esprit plein de pensées, le cœur un peu plus léger.

Philippe Renaud contrôla une nouvelle fois la liste des ventes. Il avait l'intention de vérifier quelques petites choses. Depuis qu'elle était arrivée chez Narcissus, cette Rossini n'avait obtenu aucun résultat vraiment probant, elle n'avait vendu que des articles sans importance, à part deux ou trois parfums. En outre, il avait dû la rappeler à l'ordre à plusieurs reprises. C'était inconcevable. Elle était distraite et il y avait des moments où elle semblait sur le point de s'évanouir. Et quand il lui avait demandé ce qu'elle avait, elle avait eu l'arrogance de lui répondre que le parfum d'ambiance aurait dû être plus léger. À lui, Philippe Renaud, qui avait personnellement dosé la fragrance qui était le symbole même de ce magasin !

Et puis cette gentillesse insupportable qu'elle affichait, ces façons faussement aimables ne le trompaient pas. Elles étaient feintes, comme tout chez elle. Il l'avait écoutée parler avec un client. Elle aimait beaucoup perdre du temps avec eux. Et bavarder, et quoi d'autre encore, qui sait…

Il lui donnerait quelques jours encore, puis il informerait M. Montier. C'était son devoir le plus strict. Non qu'il lui incombât de surveiller les employés. Cela, c'était à la charge de Cécile, mais il aimait tout avoir sous contrôle. Avoir une vision d'ensemble du magasin.

Il enleva ses lunettes et les posa sur la table, attentif à ne pas effleurer les verres. Le petit bureau qu'il occupait n'était pas adapté à ses fonctions et il devait le partager avec Cécile. Hauts murs, d'un vert menthe ridicule, meubles blancs, absurdes. Il le détestait, comme il détestait les incompétents et les profiteurs. Cette étrangère ne lui avait pas plu, dès le départ. Trop orgueilleuse derrière son apparente docilité. C'était une menteuse, il le savait. Il s'était immédiatement rendu compte qu'elle cachait quelque chose. Quand il lui avait montré le laboratoire, elle était devenue nerveuse.

Il en avait discuté avec Cécile deux ou trois fois. Mais elle ne l'avait pas écouté, s'était empressée de minimiser. Elle lui avait même conseillé d'accorder un peu de temps encore à Elena, bien qu'elle fût fort lente, comme elle l'avait reconnu elle-même. Cécile avait assuré qu'elle savait traiter avec la clientèle. Ce que Philippe ne comprenait pas, c'était ce qu'avait pu dire ou faire Elena Rossini pour s'attirer la sympathie et le soutien de sa collègue, qui n'avait jamais jusqu'alors montré la moindre solidarité avec les vendeuses qui s'étaient succédé au magasin.

À dire la vérité, ce dont il ne se remettait pas, c'était surtout d'avoir accepté cette fille pour faire plaisir à Joséphine Duval. Or, depuis qu'Elena était entrée au magasin, Joséphine n'avait plus donné signe de vie, elle n'avait pas appelé, elle n'était pas venue, en dépit du fait qu'elle le lui avait promis. Et cela le faisait enrager. Elle s'était moquée de lui, elle n'avait pas tenu compte de ses sentiments.

Pas grave. Il veillerait personnellement à ce que les choses redeviennent telles qu'elles auraient dû être dès le départ. Engager Elena Rossini avait été une décision de *monsieur*. Mais certains choix pouvaient être révoqués. Il fallait juste trouver des raisons convaincantes.

Elena acheva d'empaqueter l'eau parfumée qu'elle venait de vendre. Comme d'habitude, Cécile s'occupait de l'encaissement et souriait. C'était bien de la voir ainsi. Elena était contente de la façon dont les choses s'étaient organisées entre elles. Après un début houleux, maintenant elles s'entendaient très bien. Cécile lui avait fait confiance. Et puis elles discutaient de parfums, de compositions, de mélanges. Elena aimait parler avec elle. À part Joséphine et Cail, il n'y avait pas tant de monde qui s'étonnait du point auquel le parfum d'une rose pouvait changer selon son espèce ou son lieu de provenance. Ou du fait qu'un parfum pouvait avoir une complexité telle que diverses déclinaisons de lecture étaient possibles.

Cécile lui avait proposé de créer une nouvelle fragrance. Elle lui avait assuré qu'elle se chargerait de résoudre les problèmes avec Montier. Elle était impatiente de la voir à l'œuvre. Et Elena en était heureuse.

— Voilà, madame Binoche, et j'espère vous revoir bientôt, dit-elle en reportant son attention sur la dame qui attendait le paquet.

— Je reviendrai sous peu, mademoiselle. Ma belle-sœur Geneviève a besoin d'un parfum spécifique, personnalisé. C'est une artiste, vous savez, un écrivain. Je lui ai parlé de vous. Elle est très curieuse à présent.

Elle s'approcha de quelques pas, puis baissa la voix.

— Tout le monde n'arrive pas à transformer les désirs en parfums mais vous, ma chère Elena, vous parvenez à faire des miracles.

Cette définition plut à Elena et la fit sourire. Si seulement elle avait su…

— Quand j'étais petite, ma grand-mère s'est tuée à m'apprendre à écouter les parfums. Je m'enfuyais et j'allais me cacher derrière un vieux paravent poussiéreux, auquel elle tenait énormément.

Elle sourit.

La dame écarquilla les yeux.

— Vraiment ? Il s'agit d'une tradition de famille ?

— Oui. Plus ou moins.

— Oh… comme c'est fascinant ! murmura la dame enchantée. J'aimerais vraiment rester bavarder avec vous, mais je serais en retard à ma réunion…

Elle s'interrompit et haussa les sourcils.

— Vous ai-je parlé de mon club ? Non ? Bien, vous devez savoir que tous les mardis nous nous réunissons et parlons des derniers romans que nous avons lus. Autour d'un bon thé, de tartes et de petits gâteaux. Qu'y a-t-il de mieux dans la vie ?

Une ou deux choses vinrent en tête à Elena, et toutes avaient à voir avec Cail. À sa pensée, son cœur se serra. Depuis qu'ils avaient appris qu'elle était enceinte, quelque chose avait changé entre eux, et pas parce qu'elle l'avait voulu : Cail s'était transformé en ami. Le meilleur ami que puisse avoir une femme, pour être exact. Mais seulement un ami.

— Les parfums ont toujours exercé sur moi un terrible attrait, dit Adeline Binoche. *Car le parfum est frère de la respiration.*

Sa tentative de citer Süskind arracha un sourire à Elena.

Et pourtant elle n'avait pas tellement envie de rire ces jours-ci. Mais Adeline était une femme vraiment sympathique, avec son casque argenté qui ondulait à chaque mouvement, et ses yeux gris, très grands, qui lui donnaient une expression vaguement rêveuse. C'était l'une des clientes préférées d'Elena.

— Je suis très satisfaite de ce parfum, lui avoua-t-elle. Dites-moi, votre grand-mère... Au fait, comment s'appelait-elle ?

— Lucia, Lucia Rossini.

— Ah, quel beau nom ! Tellement italien. De Florence, n'est-ce pas ?

Elena inclina la tête.

— Oui. Si vous connaissez Santa Maria Novella, voilà, la maison de ma famille se trouve par là.

— Qui sait combien d'histoires vous devez connaître, chuchota Adeline. Des mystères, des secrets de famille, peut-être.

Elena se mit à rire.

— Vraiment, ces choses-là vous intéressent ?

— Oui, beaucoup. L'Italie est pleine de légendes fascinantes. Et puis, Florence... L'une des reines de France les plus connues en était originaire.

— Oui, Catherine de Médicis. C'est elle qui a introduit à Grasse la culture des roses. Elle adorait les parfums et sa petite-fille Marie a suivi ses traces, aussi bien comme reine de France que comme amatrice passionnée d'arts et de parfums.

Adeline s'approcha encore.

— J'ai trouvé de vieux livres sur le sujet, savez-vous ? Y compris le journal d'une dame de la cour. Ils sont très intéressants. On disait que Catherine avait emmené avec elle de Florence son parfumeur, qu'on appelait René... mais il ne se limitait pas aux parfums. Il paraît qu'il fabriquait aussi des poisons. Rien ne parvient mieux qu'un journal à vous faire comprendre ce qu'était la vie dans les temps passés.

C'était vrai. Dans le journal de Beatrice, il y avait des chapitres entiers consacrés aux événements de l'époque. L'ancêtre d'Elena était dotée d'un grand esprit d'observation et d'une subtile ironie. On savait que le château dont elle était l'hôte, par exemple – dont toutefois elle n'écrivait jamais le nom –, avait des tours et des gargouilles pour garder ses murs ; dans le village, il y avait des prés de lavande et de tubéreuse, et on y filait la soie. Elle avait décrit des journées entières passées à cueillir les fleurs qui lui avaient servi pour le parfum. Tout était extrêmement fascinant. Dommage qu'ensuite l'amertume et le regret lui aient empoisonné la vie.

— Il faut vraiment que j'y aille, maintenant, dit Adeline. À bientôt, et merci.

Elena la salua d'un sourire. Tandis qu'elle retournait à son poste, elle repensa au journal.

Ça faisait longtemps qu'elle ne l'avait pas ouvert. Ce soir, elle y jetterait peut-être un coup d'œil.

Elle avait à peine commencé à disposer dans les rayons une nouvelle fragrance qui quelques jours plus tard devait être présentée au public, quand Philippe Renaud l'appela.

— Si vous avez terminé, j'aurais besoin d'échanger deux mots avec vous.

Elena leva la tête. Elle laissa les flacons qu'elle était en train de ranger et lui dit bonjour. L'homme mit un peu de temps à lui répondre, comme si cela lui coûtait un certain effort. Non, la sympathie n'était vraiment pas l'une de ses vertus, conclut-elle en ignorant l'air renfrogné du responsable.

— Il faudrait juste que je termine de ranger ça, lui dit-elle en indiquant un carton de bouteilles d'argent, et puis j'aurais besoin d'un chypre pour homme dans son emballage. J'ai un client qui passera en retirer un flacon d'ici peu.

Philippe baissa à demi les paupières, irrité par cette réponse.

— Un client ? Je ne pense pas que vous en ayez, du moins pas de ceux qui entrent dans ce magasin pour acheter des parfums. Vous faites sans doute allusion à un autre genre de prestations.

Elena ouvrit de grands yeux. Une forte chaleur lui monta au visage. Sidérée par cette insulte, elle resta sans mots un instant. Quand elle réalisa la portée exacte de ce que Philippe venait de lui dire, elle posa les deux mains sur le plateau brillant de la table et se pencha vers lui.

— Je ne sais pas ce que vous vous êtes mis en tête, et ça ne m'intéresse pas de le savoir, mais ne vous avisez plus jamais de me parler de cette façon.

Elle lança chaque mot d'une voix sifflante, les yeux étincelants de colère, la gorge douloureuse à force de contenir ce qu'elle aurait voulu lui crier à la figure.

Philippe devint écarlate. Il glissa un doigt dans le nœud de sa cravate pour le desserrer, puis il regarda autour de lui. Et si quelqu'un les avait vus ? Il ne s'était pas attendu à une réaction pareille. Quelle grossièreté ! Comment osait-elle s'adresser à lui sur ce ton ? Avec soulagement, il s'aperçut que tout se passait comme d'habitude. Les clients se succédaient devant les comptoirs et les tables où ils essayaient les parfums, les vendeurs proposaient diverses solutions, de l'écran à haute définition placé sur un mur du magasin provenait une musique discrète qui accompagnait les divers spots sur les produits de la maison.

— Vous ne pouvez pas me répondre sur ce ton.

Elena le foudroya du regard.

— Vraiment ? Je crois que vous avez raison, j'ai été trop aimable.

Elle s'écarta de lui, les poings serrés, tendue à en avoir mal. Tandis qu'elle s'éloignait, elle croisa un client sans le reconnaître tout de suite.

— Ma chère, vous vous sentez bien ?

— Monsieur Lagose ! Non, pas très...

— Puis-je faire quelque chose pour vous ?

Elena secoua la tête, puis détourna le regard.

— Qu'est-ce qui donne le droit à un homme d'insulter une femme en la traitant de putain ?

Quand elle se rendit compte de ce qu'elle venait de dire, il était trop tard pour le retirer.

Elle refoula ses larmes et cette envie absurde de courir près de Cail et de tout lui raconter. Ce fut peut-être sa pensée qui lui ôta d'un coup sa maîtrise de soi, ou peut-être cette émotivité inhabituelle due à la grossesse. Avant qu'elle ait pu réagir, elle se retrouva complètement bouleversée au beau milieu du magasin.

— La frustration, ma chère, lui dit Lagose en lui tendant un mouchoir. Quand un homme n'a pas d'arguments, il débite la vieille histoire habituelle. C'est commode, c'est sournois. N'y faites pas trop attention. Riez-en, même. Et souvenez-vous que c'est vous qui avez le pouvoir, lorsque quelqu'un prend tant de peine pour être désagréable. Calmez-vous, maintenant. J'ai besoin d'un flacon de parfum et, si vous en avez le temps, j'aimerais beaucoup bavarder un peu avec vous. Les parfums, j'en trouve partout, mais pas le plaisir d'une conversation intelligente avec une jolie femme.

Elena inspira profondément et déplia le mouchoir qu'elle tenait roulé en boule dans son poing. Elle ne l'avait pas utilisé, elle n'en avait pas eu besoin. Pas de larmes, juste de la fureur.

— Pardonnez-moi, je suis très émotive en ce moment.

— Il n'y a rien à pardonner, voyons. La sensibilité est l'un des aspects les plus intéressants d'une belle âme. Ça va mieux maintenant ?

Elena fit signe que oui.

— Je vous apporte tout de suite le parfum.

— Faites donc, je vous attends ici.

Jean-Baptiste attendit qu'Elena se soit suffisamment éloignée, puis rejoignit Philippe.

— Puis-je vous aider, monsieur ? lui demanda ce dernier, essayant de regagner du terrain.

Jean-Baptiste dilata les narines et serra la poignée de sa canne.

— Non, Mlle Rossini s'occupe de ce dont j'ai besoin. C'est une femme extrêmement agréable et délicate. Je n'aimerais pas du tout la revoir dans cet état.

Philippe dissimula son embarras derrière un regard indigné.

— C'est juste une vendeuse, rien de plus. Vous ne devriez pas lui accorder tant de crédit.

— Ne commettez pas l'erreur de penser savoir un seul instant ce que je peux ou ne peux pas faire. Vous n'avez ni l'intelligence ni la position pour cela.

Le ton de Jean-Baptiste était calme, mais il y avait une menace évidente dans ces paroles.

— Vous estimez, à tort, valoir plus que cette femme parce que vous occupez un meilleur poste. Vous vous trompez. Seul celui qui est dénué de qualités rabaisse les autres.

Lagose tourna le dos au responsable de Narcissus et le laissa tirer lui-même les conclusions de ce qu'il avait dit. Dès qu'il vit Elena, il alla à sa rencontre avec un large sourire.

— Au fait, je ne vous ai pas parlé du parfum que vous m'avez conseillé pour ma… mon amie. Ça a été un vrai succès !

Il soupira, et dans ses yeux apparut une étincelle malicieuse et virile à la fois. Il était satisfait. Pleinement.

Elena essayait de se concentrer sur les mots de M. Lagose, mais ce n'était pas facile. Renaud devait lui en vouloir pour des raisons bien précises. Elle exigerait une explication, ah ça oui, elle le ferait ! Dès que Jean-Baptiste aurait acheté son parfum, elle irait voir Philippe pour lui demander ce qui lui était passé par la tête.

Elle n'avait jamais été aussi belliqueuse auparavant, elle avait toujours évité le conflit. Elle avait toujours reculé. Mais là, elle bouillait de rage. C'était une chose de devoir supporter quelqu'un, aussi antipathique qu'il puisse être, une autre de se laisser insulter.

— Vous êtes encore bouleversée, lui dit Jean-Baptiste. Pourquoi ne rentrez-vous pas chez vous ? Vous pouvez le faire, savez-vous ? Et même, voyez, j'ai ma voiture là à côté et vous accompagner ne me posera aucun problème.

Elena le regarda : pourquoi pas ? On l'avait offensée, elle n'avait aucune envie de rester dans cet endroit.

— Merci, monsieur. J'accepte avec plaisir.

Elle appela Cécile, qui arriva quelques minutes plus tard. Elle s'aperçut immédiatement du trouble d'Elena.

— Essaie de ne pas y faire trop attention. Philippe est bizarre en ce moment, mais je suis certaine qu'il y a un malentendu derrière cette histoire. Si tu veux, je vais faire mon enquête.

— Peu m'importe qu'il ait ou pas une dépression nerveuse, Cécile, j'attends des excuses. S'il veut me licencier, qu'il le dise clairement sans recourir à ces… bassesses ! Je croyais que les choses allaient bien…

— Mais elles vont très bien, Elena. Tu dois seulement être moins mélodramatique. Il n'est pas possible de faire une tragédie pour n'importe quel petit incident, vous autres Italiens avez le théâtre dans le sang. Je vais lui parler, et tu verras que demain tout sera revenu à la normale. Rentre chez toi, tu es toute pâle. Ces jours-ci, tu n'as pas bonne mine, conclut Cécile en la raccompagnant à la porte.

Peut-être parce que je suis enceinte ? pensa Elena en mettant sa veste et remontant le col. Et cela estompa en partie sa fureur, l'emplissant de tristesse. Elle avait un besoin absolu de ce travail. Les enfants coûtaient très cher et, même si Joséphine s'était proposée comme marraine et lui avait offert tout son soutien, surtout financier, Elena voulait rester indépendante. Elle avait déjà des problèmes avec Cail qui continuait à faire les courses pour elle, en refusant de prendre son argent.

Bien que ce fût à peine l'automne, le froid était déjà arrivé. Il neigeait doucement dehors, sur les corniches et sur les toits commençait à se déposer une couche blanche. Son souffle se condensa tout de suite, s'élevant en délicates bouffées de vapeur. Les passants déconcertés par cette chute de neige inattendue se dépêchaient de rejoindre leurs diverses destinations.

Tandis qu'Elena montait dans la voiture, Cécile partit à la recherche de Philippe.

— Tu as vu M. Renaud ? demanda-t-elle à l'une des vendeuses.

La fille inclina la tête.

— Je crois qu'il est dans son bureau, madame.

Elle la remercia, puis lui indiqua une cliente qui entrait juste à ce moment-là.

— Occupe-t'en, lui ordonna-t-elle avant de disparaître dans l'arrière-boutique.

Elle ne frappa pas comme elle le faisait d'habitude, bien que ce fût aussi son bureau. Elle était trop nerveuse. Elle voulait savoir ce que Philippe avait contre Elena. Elle n'était pas disposée à renoncer aux avantages que cette fille pouvait lui procurer. Elle le trouva plongé dans les registres, dans cette sorte de base de données des ventes que l'homme s'obstinait à remplir à la main, bien qu'il ait à sa disposition un programme informatique complet et sophistiqué.

— Qu'est-ce qui te prend ? lança-t-elle à brûle-pourpoint.

Philippe leva les yeux.

— Je ne sais pas à quoi tu fais allusion. Essaie d'être plus claire. Et n'emploie pas ce ton avec moi.

— Je vais te l'expliquer en deux mots : Elena Rossini.

Philippe se raidit.

— Ah, cette fille. J'ai décidé de la faire licencier. Elle ne fiche rien, c'est un poids mort, elle est arrogante, mal élevée.

Cécile le fixa.

— N'importe quoi, trouve autre chose.

Philippe écarquilla les yeux.

— Pourquoi la défends-tu ? Qu'est-ce qu'il y a là-dessous ?

Elle plissa les paupières.

— J'ignore ce que tu cherches à suggérer. Mais je t'avertis, laisse-la tranquille.

Philippe, indigné, releva ses lunettes sur son nez.

— Il nous est expressément demandé de ne pas transiger sur les standards de qualité de cette maison, protesta-t-il.

— Joséphine Duval... C'est elle qui a déposé la candidature d'Elena, n'est-ce pas ? M. Montier est-il au courant de ton... disons de ton « admiration » pour sa maîtresse ?

Philippe pâlit.

— Ce ne sont que des commérages, fit-il en se replongeant dans son travail. Et de toute façon il s'est fiancé, maintenant. Tu le sais comme moi.

Cécile sourit.

— Oui, mais cela ne signifie rien.

Elle fit une pause, puis, avec un geste vers la feuille :

— Je te conseille de retourner ton stylo. De ce côté-là, il n'écrit pas.

Cécile sortit du bureau songeuse. Philippe allait se calmer, mais cette rencontre ne résolvait pas la situation. Si vraiment il désirait mettre Elena à la porte, il trouverait le moyen de la licencier. Surtout maintenant que Montier s'en était trouvé une autre. Évidemment, elle ne pouvait dire à Philippe qu'Elena avait conclu des ventes importantes dont elle s'était attribué le mérite. Mais elle ne voulait pas non plus que cet idiot la renvoie.

Elena devait continuer à travailler chez Narcissus. Bien sûr, cette situation n'était que temporaire ; dès qu'Elena aurait dépassé les mois d'essai elle pourrait conclure les ventes par elle-même, y compris l'enregistrement des recettes. Mais, jusqu'à ce moment-là, Cécile avait bien l'intention de profiter de la situation.

Elle eut un sourire. Elle la mettrait bientôt à l'épreuve et verrait si ses brillantes dispositions s'étendaient à la création des parfums. Montier lui paierait très cher une nouvelle fragrance.

13

Foin. Primitif, ancestral, frère du feu, de la mer et de la terre. Gravé en profondeur dans l'âme primitive que nous possédons tous. Évoque la tranquillité.

Elena se contempla dans le miroir, puis se mit de profil, la main sur son ventre plat : bien qu'elle ait été au troisième mois de grossesse, on ne remarquait absolument rien.

Un moment, alors qu'elle retournait chez elle avec M. Lagose, elle avait pris en considération cette hypothèse : peut-être Philippe s'était-il aperçu de quelque chose et s'était-il fâché parce qu'elle ne lui avait pas encore dit qu'elle était enceinte. Était-il possible que sans le vouloir elle ait créé des problèmes pour le magasin ? Les lois du travail françaises stipulaient-elles qu'une employée fasse part de sa future maternité dès qu'elle en avait acquis la certitude ? Mais plus elle y pensait et moins cette théorie la convainquait, sans compter que de toute manière cet homme s'était très mal comporté envers elle. Surtout dans le cas où il aurait bel et bien deviné son état.

Non, ce ne pouvait être la grossesse qui avait provoqué le ressentiment de Philippe. Et puis personne, à part Cail et Joséphine, n'était au courant. Elle ne l'avait même pas encore dit à Matteo.

Cette pensée la mit de mauvaise humeur. Elle soupira, prit son portable dans sa poche et alla s'asseoir. Il était temps de le lui annoncer. Elle ne voulait pas le faire, et ne l'aurait pas fait, si Cail ne lui avait dit sans ménager ses mots que ce n'était pas quelque chose qui ne regardait qu'elle. Elle n'était pas d'accord, mais cet homme savait se montrer obstiné. Comme son chien qui ne voulait pas admettre de rester à distance et la suivait sans cesse en frétillant de la queue, sans la quitter de ses grands yeux marron. Il était à chaque fois plus difficile de s'en tenir éloignée. Ce chien avait le même instinct de protection que son maître. Elle secoua la tête.

Cail ne lui avait plus permis de monter sur la moto. Et même, maintenant qu'elle y réfléchissait, ça faisait un moment qu'elle n'avait pas vu Hermione dans le garage.

Elle inspira, expira, prit son courage à deux mains, et appela le numéro de Matteo.

Une, deux, trois sonneries. Personne, pensa Elena avec soulagement. Elle allait couper la communication quand elle entendit la voix de Matteo.

— Allô ?

Elle attendit deux secondes, en espérant qu'il allait raccrocher, puis se décida à répondre.

— Salut, Matteo. Comment ça va ?

— Ah, Elena... Très bien, merci. Et toi ? Ça fait un moment qu'on ne s'est pas parlé. Je voulais justement t'appeler.

— Bien sûr, j'imagine...

Il s'éclaircit la gorge.

— Tu es encore en colère contre moi, je le sais. Mais essaie de comprendre. Ça n'a pas été quelque chose qu'Alessia et moi avions prémédité. C'est arrivé, c'est tout. Elle est tombée amoureuse de moi au premier regard et tu peux la comprendre.

— Je vois que tu as toujours une haute opinion de toi-même.

Il est comme Maurice, constata alors Elena. Cette idée s'imposa à elle comme une de ces vérités si évidentes, si déconcertantes qu'elles vous coupent presque le souffle. Comment était-il possible qu'elle ne s'en soit pas rendu compte avant ?

Matteo soupira.

— Je sais que c'est dur et que tu avais mis beaucoup d'espoirs dans notre relation, mais c'est ainsi. Je ne reviendrai jamais avec toi.

Mais qu'est-ce qu'il racontait ? Il pensait vraiment qu'elle voulait lui demander quelque chose d'aussi absurde que de se remettre ensemble ?

— Je ne t'ai pas appelé pour ça, crois-moi. Et même je peux t'assurer que je ne l'envisage pas une seconde.

Un silence, puis il se racla la gorge.

— Vraiment ?

— Oui, vraiment. Sois tranquille.

Elle eut envie de rire. Comme si on pouvait en douter, après ce qu'il lui avait fait ! Mais quelle sorte d'homme était-ce ? Et encore pire... quelle sorte de femme avait-elle été pour vivre avec un type pareil, aussi arrogant ?

Les commentaires voilés de Joséphine et Jasmine lui revinrent à l'esprit. Sa grand-mère, cependant, avait été la plus directe de toutes.

— Elena, cet homme est un idiot. Nous en avons déjà un dans la famille ! Crois-moi, ma petite, il n'en vaut pas la peine !

Elle éprouva une espèce de brusque tendresse à l'égard de Lucia, et en fut heureuse.

Il n'y avait même plus en elle de rage contre Matteo, ne demeurait plus peut-être qu'un brin d'agacement. Le reste s'était évanoui, effacé par quelque chose d'infiniment plus fort, qu'elle ressentait pour un autre homme, quelque chose que toutefois elle n'arrivait pas encore à analyser et qui était là, dans un coin de son cœur, comme en attente.

— Ah, bien. Tu ne sais pas comme ça me fait plaisir de te l'entendre dire. Surtout maintenant. Tu n'as pas idée à quel point je suis heureux, Elena. Je vais être père. Alessia attend un enfant.

Oh merde, et qu'allait-elle faire à présent ?

— Ah... mais quelle bonne nouvelle.

— Je comprends que pour toi ce soit un coup dur. Nous avons essayé et tu n'as jamais réussi à tomber enceinte. Que veux-tu ! Tu sais, il y a des femmes qui sont prédisposées à l'enfantement, d'autres...

Il marqua un arrêt.

— Bon, allez, toi tu es douée pour faire... autre chose.

Elena hésitait entre se rebiffer et éclater de rire. La suffisance de cet homme était incroyable. Elle était douée pour faire autre chose ? Et quoi par exemple ? Il ne s'était jamais soucié d'elle, il avait toujours tout balayé d'un haussement d'épaules. Une seule fois, après la mort de Lucia, il s'était obstiné à essayer de la convaincre de vendre la maison des Rossini, et y avait échoué.

— Écoute, Matteo, c'est justement d'une circonstance identique que je voudrais te parler, lui dit-elle après une seconde de silence.

— C'est-à-dire ? Tu ne voudrais quand même pas me faire croire que tu es enceinte toi aussi ?

— Je ne veux rien te faire croire du tout, lui répondit-elle avec énervement, la main crispée sur le téléphone.

Elle ferma les yeux et se passa la main sur le front. Un terrible mal de tête était en train de s'installer.

— Tant mieux, parce que de toute façon je ne te croirais pas.

— Et pourquoi ? lui demanda-t-elle, déconcertée.

— Eh bien, excuse-moi, mais tu t'en vas et puis tu resurgis juste quand je suis en train de fêter la nouvelle de l'arrivée de mon premier enfant. Ce n'est pas un peu bizarre ? Et puis, avec Alessia, on va se marier. Il faut que tu te résignes, Elena. Essaie de sortir avec quelqu'un, fais-toi de nouveaux amis… enfin bref, vis. La vie est si courte.

La vie est si courte ? Un instant, elle fut tentée de lui parler de Cail, comme ça, ne serait-ce que pour lui balancer à la figure qu'elle ne nourissait aucune idée romantique à son égard et qu'il était complètement à côté de la plaque. Puis elle décréta qu'elle n'en ferait rien. Elle se moquait royalement de ce qu'il pensait.

Ce fut alors qu'elle comprit que Matteo ne représentait plus rien pour elle.

Elle se leva, ouvrit la fenêtre et tira les rideaux. Qui sait si Cail était chez lui ? Il avait cessé de neiger depuis un petit moment, et un regard sur le ciel, ce soir-là, était vraiment ce dont elle avait besoin.

— Mais admettons une minute que je sois moi aussi enceinte...

Un long silence, puis un petit rire.

— Là, tu y vas un peu fort, lui répondit Matteo. Je comprends que tu sois encore amoureuse de moi, mais ne crois pas pouvoir profiter du fait que nous avons été ensemble pour revendiquer des droits sur... allô, allô. Tu es toujours là ?

Mais Elena avait coupé la communication. Il y avait une limite à tout.

Elle éteignit le portable, le laissa tomber sur le lit. Connaissant Matteo, elle savait qu'il n'allait pas la rappeler, mais elle ne voulait pas en prendre le risque. En ce qui la concernait, cette histoire était terminée. Et plus tard, quand elle serait dans les dispositions voulues, elle supprimerait même son numéro du répertoire.

Pas maintenant, maintenant elle n'avait pas le temps. Son cœur battait fort et elle avait la nausée.

— Je ne reviendrai jamais avec toi, fit-elle, le singeant.

Maurice, Matteo. Elle rit – c'était un son bas, guttural.

Des hommes à fuir, des hommes qui avaient besoin de dominer. Des égoïstes. Et si elle n'avait rien pu faire avec Maurice, Matteo, en revanche, c'était elle qui l'avait cherché, qui l'avait voulu.

L'étau qui lui contractait l'estomac se resserra un peu plus. Elle se sentait très mal. Elle n'aurait pas dû l'appeler. Même si elle devinait qu'au fond c'était ce qu'il fallait faire, elle ne pouvait ignorer la rage, le dégoût que lui avait laissés cette conversation. Un rejet profond de cet homme la fit frissonner.

Jamais plus ! Jamais plus, se répéta-t-elle.

Elle avait tout recommencé à zéro, et ne commettrait pas la même erreur une seconde fois. Elle déciderait de sa vie, et de celle de son enfant. Elle, et c'est tout !

Peut-être son histoire avec Cail se poursuivrait-elle, peut-être pas. Mais elle ne permettrait à aucun homme de s'approprier son existence une fois encore.

Elle renifla bruyamment, puis essaya de se calmer.

Elle enleva sa jupe et mit une paire de souples pantalons cigarette et un pull-over rouge. Elle venait de prendre une douche et ses cheveux étaient encore humides. Elle les attacha en queue-de-cheval et se maquilla légèrement. Puis elle ressentit le désir de mettre un parfum, mais pas celui qu'elle utilisait habituellement, elle en voulait un spécial, elle voulait *le sien*. Elle retourna dans sa chambre et ouvrit la lourde boîte en bois où elle gardait ses affaires. Le voilà, il était encore là, son parfum. Elle l'avait concocté quelques années auparavant, quand elle avait préparé celui pour Jasmine et Joséphine. Elle se demanda s'il s'était bien conservé.

C'était possible. Au fond, il était toujours resté dans l'obscurité, à l'intérieur de cette boîte en bois de cèdre épais et imperméable. C'était sûr, il n'avait pas pris la chaleur.

Elle l'entoura de ses mains et le sortit avec délicatesse du cylindre de métal dans lequel il avait été conservé. C'était un simple flacon de verre opaque. Sa grand-mère ne croyait pas aux séductions du packaging moderne. Pour elle, c'était la substance qui comptait vraiment. À l'époque, Elena n'était pas intéressée par le type de conteneur. Elle avait décidé de faire ce parfum parce qu'elle voulait quelque chose de personnel pour ses amies et pour elle-même.

Avec beaucoup de douceur, elle tourna le bouchon. Le parfum était intact, brillant, comme s'il venait d'être composé. Au début, elle sentit comme un brusque malaise. Ce n'était pas la première fois que ça lui arrivait, cette sensation de nausée. Depuis qu'elle avait commencé à travailler chez Narcissus, plus d'une fois elle avait éprouvé ce léger écœurement. Elle savait à présent de quoi il s'agissait. Il était assez normal pour une femme enceinte d'être très sensible aux odeurs.

Les voilà, les notes de tête. Elle ferma les yeux et se retrouva dans un champ de lis. Et puis ce fut le tour de la bergamote pétillante et du néroli. L'odeur s'affaiblit pour émerger ensuite de nouveau, comme un battement d'ailes. Du jasmin cette fois, puis du gardénia et quelques notes de magnolia. L'arôme était intense et vibrant de vie. Et puis du musc et, sur la fin, de l'ambre. Mais seulement une esquisse, comme un flocon de neige qui se dissout rien qu'à le regarder.

Il lui sembla sentir la présence de Lucia à côté d'elle. Sa grand-mère l'avait regardée réaliser ce parfum et l'avait félicitée. Et cela, ce n'était pas une chose qui arrivait souvent.

Et pourtant, ce parfum, elle ne le ressentait plus comme sien.

C'était elle qui l'avait composé, certes, et elle avait choisi, testé et décidé de chacune de ses essences, mais elle n'était plus la femme qui l'avait imaginé. Trop doux, trop sucré. Il ne possédait pas assez de caractère, voilà. Il n'y avait pas de verve dans cette déclinaison de fragrances suaves, apaisantes. C'était là un parfum qui convenait bien pour l'ancienne Elena. À présent, elle avait besoin de quelque chose de nouveau. Elle voulait un parfum qui reflète ses exigences, ses goûts. Et la pensée d'en créer un nouveau la rendit joyeuse, balayant jusqu'aux dernières traces de la désagréable conversation qu'elle avait eue avec Matteo.

Elle se regarda dans le miroir une nouvelle fois puis prit ses clefs. Tandis qu'elle descendait l'escalier, elle repensa au père de son enfant. Non, conclut-elle, il pouvait bien être le père biologique, mais cet enfant n'était plus le sien. Il l'avait refusé et cela mettait un point final à toute la question.

C'était drôle, comme la vie se répétait. Elle non plus n'avait jamais connu son père, Susanna ne lui avait jamais dit qui c'était et pour finir Elena avait cessé de le lui demander. Peut-être était-il parfumeur lui aussi. Sa mère avait eu beaucoup de collègues pour amants. Maurice n'était pas le seul avec qui elle ait vécu, mais c'était celui qu'elle avait épousé. Si Elena y mettait vraiment du sien, si elle fouillait dans les tréfonds de sa mémoire, elle pouvait s'en rappeler au moins deux autres. Elle avait oublié leurs noms. Ils n'étaient que des ombres de son passé. Elle était trop petite, alors, pour y faire attention.

Était-il possible que sa mère ne lui ait rien dit parce qu'elle avait honte d'être tombée enceinte d'un homme qu'elle n'aimait pas ? Un peu comme elle se sentait, elle, en ce moment.

Mais comment avait-elle fait pour rester si longtemps avec un homme qui ne voyait que lui-même ? Cette conversation téléphonique avait été si absurde et lui si imbu de lui-même que ça finissait par la faire sourire.

Parfois, on rit pour ne pas pleurer, c'était l'une des phrases préférées de sa grand-mère, et jamais comme ce jour-là elle n'avait compris à quel point Lucia Rossini avait été intuitive en estimant que Matteo était un âne.

Quant à elle-même, elle établit avec une certitude sans faille que cette conversation la déchargeait de toute obligation. Elle avait fait son devoir, point. Le pacte qu'elle avait conclu avec Cail prévoyait qu'elle informe Matteo de sa grossesse, pas qu'elle le persuade de prendre ses responsabilités.

Elle mit sa veste, puis ferma la porte de l'appartement en la claquant un peu plus fort qu'elle n'aurait dû. Elle allait monter chez Cail quand, arrêtée sur la première marche, elle changea d'idée et sortit dans la cour. Elle avait besoin d'être seule. Son cœur continuait à tambouriner dans sa poitrine. Et elle se sentait triste.

Il faisait très froid ce soir-là et tout était sombre. Quelques cônes de lumière se reflétaient sur le sol couvert d'une fine couche de neige. Elle était arrivée comme ça, sans crier gare. Précoce et inattendue. Rien ne rendait un endroit silencieux comme la neige et le froid. Tout semblait en suspens : sons, odeurs, mais aussi le temps. Tout était blanc et gris. Et semblait moelleux et délicat.

Les bras autour du buste, Elena pensait à la rapidité avec laquelle sa vie avait changé, et comme elle-même avait changé. Ses pensées s'infiltrèrent au plus profond de son être, comme attirées par son âme.

Elle allait être mère. Peut-être alors parviendrait-elle à comprendre Susanna et les raisons qui l'avaient poussée à se défaire de sa fille. Et puis le ressentiment ancien balaya cette pensée, la chassant au loin. Il n'y a rien à comprendre. Elle, elle ne renoncerait jamais à son enfant. Elle posa les mains sur son ventre, instinctivement, comme si elle voulait protéger son bébé, et sa rage devint un souffle glacé.

Cette femme avait opté pour une vie dans laquelle elle n'avait pas sa place.

Elle se mit à marcher. Elle était transie, la neige crissait sous ses bottes de cuir noir, à hauts talons. Un cadeau de Joséphine pour fêter l'heureux événement. Cail, lui, lui avait offert une rose. Une de ses premières créations. Elle s'appelait

Baby. Elena l'avait regardée avec un sentiment d'angoisse croissant. Elle craignait que son inexpérience ne soit fatale à cette merveilleuse fleur. Sceptique, au début, sur l'opportunité de l'avoir chez elle, elle l'avait mise à côté de la fenêtre, de façon qu'elle profite de tout le soleil possible. À l'extérieur, elle serait morte ; c'était désormais l'automne bien avancé. Mais Elena espérait qu'en la gardant à l'abri elle pourrait fleurir encore un peu. Elle avait lu que dans beaucoup d'endroits les roses continuaient à vivre même durant les mois d'hiver, peut-être pas à cette latitude, bien sûr, mais elle voulait tout de même essayer. Elle n'avait aucunement la main verte, ce qui l'avait poussée à lire tout ce qu'elle avait pu trouver sur la culture des roses. Elle ne voulait pas courir le risque d'assassiner la création de Cail.

Baby avait un parfum complexe. Il était fruité, végétal, mais il y avait des notes chyprées dans ce *mélange*. Elle les sentait distinctement, surtout dans l'après-midi, quand la chaleur aidait les pétales à exhaler leur fragrance. Le parfum était au cœur de ces roses ; les couleurs changeantes des pétales, de l'ambre des bords au rose soutenu de la base, semblaient transporter l'essence où que ce fût. De temps en temps, Elena lui parlait. Elle avait appris qu'il était très important pour le bien-être des fleurs de leur parler. En général, elle s'assurait qu'elle était seule avant de commencer l'un de ses monologues, mais de plus en plus souvent il lui arrivait de ne plus y faire tellement attention et, si elle avait quelque chose à dire à la fleur, elle le faisait et voilà tout. Quoiqu'il lui en coûtât de l'admettre, la vieille peur de rester seule avait refait surface et l'arrachait, la nuit, au sommeil, la faisant se tourner et se retourner dans le lit, en proie à ses craintes les plus cachées.

Elle continua à marcher jusqu'à ce qu'elle ait rejoint le jardin de Cail, celui où il gardait les roses qu'il ne pouvait cultiver en pot. Elle s'arrêta à côté de la haie, les yeux fixés sur ces branches gelées qui pointaient vers le ciel. Le matin précédent, elle avait vu l'une des roses cristallisée en une délicate coquille de glace. Elle était rouge, magnifique. Il lui avait alors semblé qu'un gel aussi inhabituel à cette période de l'année la préservait de son dépérissement programmé. Mais il lui avait arraché le cœur, en congelant son parfum. Il ne restait rien d'autre qu'un ensemble de pétales vermeils, qui au premier rayon de soleil automnal s'éparpilleraient sur le sol de pierre, inertes, inodores, dépossédés de leur essence.

Elle était en train de contempler la rose quand elle s'aperçut qu'*il* était là. Elle ne l'avait pas entendu arriver ; plus qu'autre chose, elle avait deviné sa présence.

— Tu vas prendre froid, lui dit Cail en s'approchant.

Elle ne bougea pas, elle n'en avait pas envie. Elle se sentait fatiguée, irritable, d'une humeur de dogue. Un instant plus tard, il la couvrit de sa veste. La chaleur l'enveloppa comme un cocon. Elena baissa la tête et ferma les yeux. Puis elle se redressa.

— Et toi ?

Il haussa les épaules.

— Je n'ai pas froid.

Il n'avait jamais froid. Elena sourit et ressera les pans de sa veste.

— Approche, je ne vais pas te mordre, tu sais ?

Son rire léger provoqua en elle de petits frissons qui bientôt se transformèrent en ce papillotement familier au creux de son ventre. Il riait très rarement, mais ces quelques fois-là Elena était toujours fascinée par le changement qui advenait en Cail.

— J'ai appelé Matteo.

Elle n'ajouta rien. Il lui avait été désagréable de le faire. Elle voulait qu'il le comprenne, qu'il sache combien ça lui avait coûté.

— Quand viendra-t-il ?

— Il ne viendra pas. Sa nouvelle compagne attend un enfant, ils se marieront bientôt.

— *Damned !* Il a perdu la tête ?

Elena détourna le regard. Elle ne voulait pas lire la pitié dans les yeux de Cail. Elle ne l'aurait pas supporté.

— C'est comique, tu ne trouves pas ? Je veux dire, tout ce temps passé à essayer d'avoir un enfant et rien n'est jamais arrivé. Et puis...

Sa voix se cassa.

— Cet enfant est à moi, Cail, rien qu'à moi. Je ne demanderai l'aide de personne. C'est moi qui l'élèverai, tu comprends ?

Elle le sentit approcher. Deux pas et il serait derrière elle, prêt à la consoler. Cette réaction l'agaça. Était-il envisageable qu'il la voie aussi fragile ?

Elle attendit qu'il la touche. Mais Cail ne l'effleura même pas. Elena regarda le bout de ses chaussures. Il l'avait surprise, de nouveau. Il le faisait sans cesse.

— Il y a des nuits particulières, où l'obscurité est presque totale. Si on a de la chance, on peut voir des étoiles qui sont habituellement invisibles. Ça te va de vérifier si cette nuit est l'une de celles-là ?

Elle ferma les yeux et savoura le son de la voix encore un peu haletante de Cail. Il revenait de son jogging du soir. C'était le seul homme de sa connaissance qui courait à la nuit tombée. Elle chercha dans l'obscurité le courant qui transportait son parfum et quand elle le trouva, elle le savoura lentement.

— Oui, ça me ferait très plaisir, murmura-t-elle.

Maintenant il était vraiment juste derrière elle. Elena recula doucement, un pas après l'autre, jusqu'à ce qu'ils se rencontrent. Elle leva la tête et regarda le ciel. Alors Cail l'enveloppa de ses bras. Ils restèrent ainsi un instant, chacun prisonnier de ses peurs, du désir qui circulait entre eux, des mots qu'ils n'avaient pas encore eu le courage de se dire, incapables cependant de se détacher l'un et l'autre et de renoncer à ce peu qu'ils avaient.

Cail lui baisa les cheveux. Elena ferma les yeux, s'abandonnant complètement. De ses lèvres entrouvertes s'échappa un gémissement étouffé, comme une prière.

Il la fit tourner sur elle-même et Elena se dressa sur la pointe des pieds, lui entourant le cou de ses bras.

Cail se baissa vers elle, lentement. Lui donnant tout l'espace dont elle avait besoin. Elle pouvait se retirer. Elle pouvait le faire.

Elena sentit d'abord son souffle chaud et puis un contact léger sur son visage. Cail continua à l'effleurer doucement, mais quand Elena le saisit par son pull, l'attirant vers elle, il la souleva, et la prit dans ses bras.

Elena plongea les doigts dans ses cheveux et Cail l'embrassa comme il avait désiré le faire, comme il l'imaginait depuis des jours.

Ils montèrent à l'appartement de Cail et, tandis qu'il prenait une douche, Elena décida de l'attendre dans la serre. Elle ne savait presque rien de lui, de son travail, de la façon dont se déroulait sa vie. Elle s'apercevait que c'était elle, le centre de leur histoire. Cail se tenait toujours un peu à l'écart.

— Elles ont un an, lui dit-il peu après en s'arrêtant à côté d'elle.

Elena était penchée sur un pot où pointaient de petites feuilles vert clair, au bord dentelé. Elles étaient attendrissantes, minuscules et très jolies.

— Elles sont très belles, murmura-t-elle.

— Chacune d'entre elles est un espoir. Si elles survivent, elles pourraient devenir une rose exceptionnelle, parfaite.

Elena plissa le front.

— La rose parfaite... singulière définition.

Cail mit les mains dans les poches de son jean.

— Pense à une rose au rouge extraordinaire, vif, aux pétales consistants, qui résiste aux maladies et qui ait un parfum intense de fruits et d'épices.

Il la regarda.

— C'est le rêve de tout hybridateur.

— Mais tu en as tellement créé, toi, de roses comme ça, répliqua Elena.

— Pas vraiment. Beaucoup sont à peine passables. Et aucune n'est rouge. Mais j'ai quelques fleurs de deux ans. C'est peut-être ma chance.

— C'est ici que tu travailles ? lui demanda-t-elle, intriguée, en jetant un coup d'œil autour d'elle.

— Oui.

Il se pencha sur un pot et arracha quelques brins d'herbe.

— Le vrai laboratoire est en Provence, près d'Avignon. C'est là que j'ai les fleurs sur lesquelles je travaille pour le concours.

— De roses ?

— Oui. C'est plus qu'un concours, en réalité. C'est un salon ouvert à tous ceux qui travaillent dans ce domaine : cultivateurs, marchands. Il y a aussi des passionnés de jardinage. Pendant la soirée de gala, celle qui clôt la kermesse, on donne le prix à la rose qui répond plus que toutes les autres aux conditions requises de qualité, de beauté, de parfum. Il s'agit du concours international des roses nouvelles, le Concours de Bagatelle. Il a lieu aux premiers jours de juin.

Son enfant allait naître exactement à cette période-là, songea Elena en souriant.

— Tu vas y participer ?

— Bien sûr, c'est un rendez-vous important.

Elle devint pensive.

— Mais comment se fait-il que tu aies décidé de vivre à Paris si ton exploitation est en Provence ?

Cail détourna le regard, puis reporta son attention sur elle.

— La plus grande partie de nos clients résident à Paris, ou ils y ont leurs bureaux. Et la ville me plaît. Viens, rentrons, il fait très froid.

C'est vrai, il faisait très froid... mais il resta à Elena comme l'impression que Cail n'aimait pas parler de lui, et cela la faisait se poser bien des questions.

Grégoire frappa à la porte de Joséphine et attendit. Il aurait pu entrer. Malgré ce qu'il lui avait fait croire, il avait encore un double de ses clefs et l'utilisait régulièrement. Il le faisait quand elle n'était pas chez elle. Il ne touchait jamais rien, il se bornait à regarder les choses, à respirer le parfum qui imprégnait son linge, comme un amoureux pathétique.

Une minute, deux, trois, cinq. Grégoire sourit, puis baissa la tête.

— Je sais que tu es là derrière, mon amour. Ouvre-moi, je ne m'en irai pas.

Un *clic* sec, puis le verrou tourna trois fois et Joséphine apparut derrière la porte.

— Ferme, lui dit-elle sèchement en retournant au salon.

Comment faisait-elle pour être si belle dans un pull informe et en chaussettes ? Les jambes, décréta-t-il, c'était à coup sûr la faute de ces jambes interminables.

— Ce n'est pas un peu tard pour une visite de courtoisie ? lui demanda-t-elle froidement.

Grégoire ignora son hostilité ouverte.

— Comment vas-tu ? Ça fait un moment que je n'ai pas de tes nouvelles.

Joséphine se borna à lui lancer un coup d'œil glacial, reprit son livre et le rouvrit à la page où elle l'avait laissé.

— Tu ne réponds pas à mes appels, ni aux messages. Tu es trop occupée, ou il s'agit d'autre chose ? lui dit-il en s'approchant d'elle. Le Nôtre réclame tout ton temps ? Dis-moi, chérie, il te comble comme je le faisais ?

Il la regarda se raidir, encaisser le coup, le laisser couler sur elle. Il attendit, le cœur battant la chamade, un sourire d'elle, vit sa rage se dissimuler derrière un farouche self-control, le même qui la retenait loin de lui. Oui, Joséphine était une guerrière. Et il voulait tout d'elle, chacune de ses respirations, chacune de ses pensées.

— Va te faire voir, répondit Joséphine.

Elle lui sourit et il sentit en lui un frémissement et un éclair de luxure.

Le jeu avait commencé et cette fois il n'avait aucune intention de perdre. Il la rejoignit sur le divan, où elle s'était pelotonnée. Il enleva sa veste, puis sa cravate, déboutonna sa chemise et ôta ses boutons de manchette en or massif, les laissant tomber sur le tapis, sans détacher un instant les yeux des siens.

Joséphine était hypnotisée, son cœur tambourinait dans sa poitrine, une profonde langueur l'envahit. Elle le désirait désespérément. Mais cela ne signifiait pas qu'elle céderait si facilement. Elle se leva, parce qu'elle ne serait pas arrivée à résister si Grégoire s'était approché encore.

Il la saisit par le bras, l'empêchant de s'éloigner.

— J'en ai assez de tes caprices. J'ai fait ce que tu voulais, j'ai engagé ton amie, maintenant je veux ma récompense.

— C'est toi qui devrais me payer, Grégoire, Elena est une parfumeuse extraordinaire. Dis-moi, tu continues à la tenir éloignée du laboratoire ? Tu as vraiment une telle peur qu'une femme te démontre ta médiocrité ?

Quand elle vit l'étincelle de douleur dans ses yeux, elle eut envie de ravaler tout ce qu'elle avait dit. Mais il était trop tard. Grégoire étira les lèvres en une sorte de sourire féroce. Il l'attira à lui, la pressant contre sa poitrine. Il glissa les doigts dans ses cheveux, les tordant dans son poing, les lèvres tout près des siennes.

— Elle n'est pas si forte que ça, à en juger par ce que me rapporte Philippe. Elle n'a même pas conclu une seule vente décente. Je crois que tu me dois un dédommagement.

Joséphine protesta.

— C'est faux, Elena m'a dit que tout se passait bien.

Mais Grégoire pressa sa bouche sur la sienne, l'empêchant de continuer.

— Je m'en fous complètement de cette femme. Je te veux, tu as compris ?

— Dégage, Grégoire, dégage ! Retourne auprès de ta fiancée. Vous avez un mariage à préparer !

Il ignora la provocation. Il ne perdrait pas le temps qu'ils avaient à leur disposition en parlant d'une autre femme.

— C'est un contrat d'affaires. Toi, tu es tout autre chose.

— Oui… moi, je suis la fille que tu veux baiser.

— Exactement.

Elle le gifla, et Grégoire lui bloqua l'autre main en la lui tordant derrière le dos.

— Lâche-moi, gronda-t-elle.

— Seulement si tu te calmes.

Joséphine se débattit et il la libéra.

— Pourquoi me résistes-tu ? chuchota-t-il.

Joséphine déglutit.

— Laisse-moi. Laisse-moi et va-t'en. Retourne auprès de cette fille et restes-y. C'est son tour. Tu as fait ton choix. Va-t'en, pars.

— Tu ne te libéreras jamais de moi, Jo. Nous sommes pareils. Nous sommes faits pour être ensemble, susurra-t-il.

Elle ferma les yeux, reprise par une sorte de sensation de honte et de peine. Mais il se remit à la caresser. Ses lèvres étaient douces sur sa peau, et chaudes. Et elle l'avait désiré plus que l'air qu'on respire. Quand Grégoire la prit dans ses bras, la conduisant vers le lit, Joséphine plongea le visage dans le creux de son cou…

14

Angélique. Herbe des anges, qui révèle l'essence cachée de toute chose. Remède pour tout mal, au parfum extrêmement doux, miellé et enveloppant. Favorise la connaissance de soi.

— Tu as un parfum différent, il est nouveau ?

Elena s'étira et prit un autre petit gâteau dans le plateau posé au centre de la table basse du séjour.

— Non. Je l'ai fait il y a quelques années. Mais il faut que je le corrige, il ne me convient plus.

Elle s'installa plus à son aise à côté de Cail, se couvrit du duvet et reprit sa lecture du journal de Beatrice. Bien qu'il fût vieux de presque quatre cents ans, le cahier était en étonnamment bon état. Chacune des Rossini, après l'avoir lu, l'avait toujours gardé enveloppé dans un tissu de soie parfumé à la cannelle.

Cela faisait un moment qu'Elena voulait en vérifier certains passages et cette soirée-là était parfaite : il faisait très froid, ils resteraient à la maison.

— Tu as changé tant que ça ? lui demanda Cail en posant la revue de botanique qu'il avait à la main.

— Tu es l'homme le plus perspicace que je connaisse. Oui, j'ai beaucoup changé.

— Comment étais-tu avant ?

Elle réfléchit un instant, puis sourit.

— Stupide.

Le mot lui vint si spontanément, si sincèrement que Cail ne put retenir un éclat de rire. Ce bruit de gorge, si inattendu et spontané, plana dans le silence de la pièce. Elena le regarda, sous le charme. Cail souriait très rarement, mais quand il le faisait, il lui semblait voir à travers ces yeux enfin sereins et son expression détendue l'homme magnifique qu'il était.

Il avait relevé le menton maintenant et ses dents brillaient entre ses lèvres tendres. Ses yeux étaient mi-clos et il paraissait n'avoir jamais eu un seul souci dans sa vie.

La tentation vint à Elena de glisser les doigts dans ses cheveux, de caresser la cicatrice qui marquait sa joue, de l'embrasser, de se serrer contre lui et de sentir son parfum...

Puis elle se souvint de l'enfant et de ses résolutions pour l'avenir. Et le charme se brisa. Cail lui plaisait beaucoup, mais elle ne voulait pas compliquer une situation déjà délicate : ainsi en avait-elle décidé le soir de leur premier baiser.

— Je suis sérieuse, dit-elle en se mettant debout.

Elle ferma le livre et le posa sur la table basse.

Depuis son arrivée à Paris, l'appartement du Marais avait radicalement changé. Cail avait décrété qu'un endroit chargé d'histoire et de caractère comme celui-là devait être ramené à ses caractéristiques originelles. Joséphine lui avait fait remarquer que même dans sa période la plus faste le salon du rez-de-chaussée n'avait jamais été plus qu'un abri commun pour chevaux et voitures. Mais lui ne l'avait pas écoutée et ainsi, avec la permission de la famille Duval, avec le soutien moral d'Elena, étant donné qu'il ne l'avait même pas laissée prendre un pinceau, il avait arrangé et redécoré tout l'appartement, du plafond de poutres de genévrier jusqu'à la porte et à la fenêtre de verre plombé qui donnaient sur la rue.

Il était incroyable de regarder ces magnifiques murs de brique et de penser que quelques semaines auparavant seulement ils étaient recouverts de diverses couches de peinture qui s'écaillait. Cail avait également enlevé le carrelage, ramenant au jour le pavement original de pierre grise. Après quoi il l'avait traité avec des huiles particulières jusqu'à ce qu'il devienne brillant comme l'étain. La première fois où elle l'avait vu restauré, Elena était restée bouche bée.

Les canapés, ils les avaient achetés au marché de la Porte de Vanves, l'un des marchés d'antiquités – ou marché aux Puces, comme avait spécifié Joséphine – les plus caractéristiques de Paris. Cail avait apporté deux gravures et une lampe Tiffany, Jo un ficus benjamina qui, à l'entendre, avait absolument besoin de bavarder un peu avec quelqu'un.

— Pourquoi dis-tu ça ? lui demanda Cail. Pourquoi stupide ?

Il s'était levé maintenant et la suivait du regard.

— Parce que je me suis comportée comme ça : stupidement.

Son expression devint sérieuse.

— Je ne sais pas comment t'expliquer. Tu vois... c'est quelque chose que j'ai découvert depuis peu. Maintenant je vis au jour le jour, tout ce que je fais est nouveau, c'est comme si je le faisais pour la première fois. Ce doit être à cause du bébé.... Peut-être que Jasmine a raison de dire que la personnalité des enfants et leurs goûts s'unissent à ceux de leur mère. Tu sais que lorsqu'elle attendait Joséphine, elle détestait les fraises ? Elle n'a recommencé à en manger un peu qu'après sa naissance. Et Jo n'a jamais réussi à les supporter, même quand elle était petite. Oui, je parie que c'est lui qui interfère dans mes choix.

Elle réfléchit, puis braqua les yeux sur Cail.

— Arrête de rire.

— Je ne ris pas de toi.

— Mais tu ris, lui dit-elle, les mains sur les hanches.

— Parce que j'aime ce que je vois.

Elena s'immobilisa.

— Voilà, tu comprends ? Tu me dis des choses de ce genre et moi... je me demande comment j'ai fait pour perdre mon temps avec Matteo quand j'aurais pu le passer avec toi. Il n'existe aucune explication, tu vois ? Je ne sais pas ce qui m'est arrivé pendant tout ce temps. Ça ne me plaît pas et je ne fais que ruminer là-dessus.

Cail la rejoignit et la prit par la main.

— Reviens sur le canapé, parlons un peu, tu veux bien ?

Elena se laissa convaincre, parce que c'était là ce que Cail faisait habituellement. Il l'aidait à franchir les obstacles. Une fois à côté l'un de l'autre, sous la couette, ils se regardèrent. Et puis il lui releva le menton et déposa sur ses lèvres un baiser léger mais décidé. Il l'était de plus en plus, comme si à chaque fois qu'ils échangeaient un baiser leur lien se renforçait. Malgré cela il n'était jamais allé plus loin.

Mais Elena s'accrocha à lui, se pressant contre sa poitrine. Elle entrouvrit les lèvres et quand il lui saisit la nuque elle s'abandonna à ses caresses, devenues plus assurées, plus possessives.

Brusquement Cail s'interrompit, l'éloignant de lui.

C'était à chaque fois plus difficile d'arrêter. Il la désirait plus que tout. Il savait que s'il avait voulu aller jusqu'au bout, Elena aurait été d'accord. Elle aussi le désirait, Cail le sentait dans toutes les cellules de son corps. Mais ensuite, une fois qu'il aurait été avec elle, que leur rapport aurait pris une direction exclusive, absolue, que se passerait-il ? L'enfant arriverait, et avec lui un tas de problèmes. Bien sûr, pour l'instant Elena soutenait qu'elle ne retournerait jamais avec son ex, mais si elle changeait d'avis après la naissance ? Cette pensée le rendait fou de rage. Il ne voulait pas renoncer à elle, mais il ne pouvait dépasser la frontière qu'il s'était fixée.

Et puis merde ! jura-t-il mentalement. Avant qu'Elena ait pu ne serait-ce que se demander ce qui s'était passé et pour quelle raison il s'était écarté, Cail s'était de nouveau emparé d'elle, cette fois avec tendresse. Et il avait appuyé son front sur le sien, la respiration agitée, le cœur battant fort sous sa paume.

Un instant, Elena pensa qu'ils allaient reprendre exactement là où ils s'étaient arrêtés. Puis elle croisa le regard sombre de Cail et ce fut comme recevoir une douche froide. Il était quasi livide, le visage durci, comme s'il se repentait de s'être laissé aller. Et sans doute en était-il ainsi.

Instinctivement, elle lutta pour se dégager. Cail la lâcha immédiatement, Elena en profita pour se mettre debout.

Elle était encore en train d'oublier qu'elle était une femme enceinte, enceinte d'un autre, se reprocha-t-elle avec amertume. Et pourtant elle savait par expérience combien ce fait pouvait être déstabilisant pour un homme. Oh, si elle le savait ! L'image de Maurice lui traversa l'esprit, mais elle la chassa. Il n'y avait pas de comparaison entre Maurice et Cail. Il n'existait aucune possibilité que Cail se comporte comme son beau-père. N'était-il pas là, avec elle ? Il pouvait s'en aller quand il voulait, il n'y avait rien entre eux, pas de promesse, rien qui l'oblige à se trouver là. Et puis leurs comportements étaient radicalement différents. Cail ne l'avait jamais contrainte, ni persuadée de faire ce qu'elle ne voulait pas. Il parlait clair... bien sûr, quand il parlait.

Elena soupira. Et se rendit alors compte qu'il y avait tout de même un doute, un doute léger, impalpable. Après tout, elle ne savait pas combien Maurice avait pu se montrer séduisant avec sa mère. Elle ne connaissait que le pire aspect de leur relation. Et si Cail, lui aussi, s'intéressait à elle, mais sans vouloir l'enfant ?

Elle se passa les doigts dans les cheveux, les tirant en arrière. Elle ne savait que penser. Soudain, elle ressentit le besoin de parler avec sa mère, un besoin urgent. C'était incroyable, mais Susanna était la seule personne qui pourrait la comprendre. Elles aimaient toutes deux un homme qui n'était pas le père de leur enfant.

Mais était-ce de l'amour, ce qu'elle éprouvait pour Cail ? Après Matteo, elle devait être prudente. Et puis maintenant il y avait l'enfant…

— Reviens ici, la pria Cail en tapotant de la main le canapé à côté de lui.

Elle fut tentée de refuser, de faire bien pire, peut-être même de lui demander de s'en aller. Mais elle préféra se taire.

— Parlons un peu, d'accord ? lui proposa-t-il de nouveau.

Il s'était levé à présent et s'était approché.

Bon, c'est déjà mieux, pensa Elena. Toutefois elle ne se laissa pas rejoindre, elle tourna autour de la petite table, encore trop blessée pour passer l'éponge.

— Ou tu veux que je m'en aille ?

La proposition de Cail brisa le silence plein de tension qui était tombé sur eux comme une chape de plomb.

Elle le regarda et sut que ce n'était pas ce qu'elle voulait.

— Non !

— Alors viens, asseyons-nous et parlons.

— Je n'en ai pas envie, je… je ne veux pas parler de… de tout ça.

— De nous ? demanda Cail.

Elena inclina la tête, les yeux fixés au sol. Elle n'était pas prête pour mettre au clair leurs tergiversations, pas encore et pas à ce moment-là, quand elle était si près d'éclater en sanglots.

— OK, nous ne sommes pas obligés de le faire. Nous n'allons pas nous disputer pour ça.

La voix de Cail était moins tendue maintenant, plus affable. Il retourna sur le canapé, mais d'abord choisit un macaron lilas parmi ceux qui étaient disposés sur le plateau, le préféré d'Elena, et le lui offrit.

— On fait la paix ?

Elle ravala ses larmes et sourit malgré elle.

— Tu es terrible, lui dit-elle.

Mais elle l'accepta et mordit dedans, incapable de résister à la délicieuse crème au cassis.

— C'est seulement pour les macarons que nous faisons la paix. Vu que c'est toi qui les as apportés, je ne voudrais pas que tu les reprennes.

Il ne répliqua pas, se bornant à lui glisser une mèche de cheveux derrière l'oreille. Il semblait encore absorbé dans des pensées peu agréables, mais son toucher était délicat et chaud, et doux.

— Une question chacun ? lui proposa-t-elle.

Cail réfléchit un moment.

— Entendu, mais c'est moi qui commence.

Il fit une pause.

— À l'hôpital, tu m'as dit que tu avais deux désirs, l'un était l'enfant… quel est l'autre ?

Elena s'humecta les lèvres.

— Il y a une question de rechange ?

— Non, mais tu n'es pas obligée de répondre, si tu ne veux pas, dit-il d'une voix grave, sérieuse.

Elena essaya de mieux s'expliquer.

— Ce n'est pas si simple. Ce n'est pas que je ne veuille pas répondre, mais tu fais partie de la réponse. Je ne peux pas te révéler ma stratégie. Il faut que je joue bien mes cartes, qu'est-ce que tu crois ? Allez, pose-moi une autre question.

Cail parut surpris. Il l'attira de nouveau à lui et l'embrassa, les doigts dans ses cheveux. Puis il recula encore une fois. Comme s'il venait d'être victime d'un élan irrépressible et puis s'en était repenti. Il s'éclaircit la voix.

— D'accord, une autre question. Voyons... l'Italie te manque ? Tu voudrais y retourner ?

Encore troublée par leur baiser, Elena secoua la tête comme pour s'éclaircir les idées.

— J'aime Paris, je pense que c'est l'une des plus belles villes du monde, je crois pouvoir le dire même si je ne les ai pas toutes visitées. Tu sais, quand j'étais petite, ma mère se déplaçait continuellement, avant de s'établir définitivement à Grasse. J'ai vu Bombay, Le Caire, Tokyo, New York. Partout où l'on réclamait ses capacités de parfumeuse, elle partait. Et j'allais avec elle. J'ai visité toutes les aires de jeux et tous les zoos possibles et imaginables. Quand je sortais avec les femmes qui me gardaient, j'observais tout. Il y avait des lieux qui me plaisaient, que je sentais faits pour moi, d'autres qui, même s'ils étaient très beaux, m'effrayaient. Un lieu est comme un parfum, comme un vêtement, il faut le sentir sur soi pour comprendre s'il vous convient ou pas.

Elle marqua un arrêt.

— Paris, le Marais, l'île de la Cité sont, tous, des endroits qui me plaisent.

— Donc tu ne retourneras pas à Florence ?

— Quelquefois, pour un petit moment, peut-être. Pour voir la maison. Tu sais, ça aussi c'est quelque chose que je n'arrive pas à comprendre. Avant, je le détestais, ce lieu, maintenant, il y a des moments, surtout la nuit, où je voudrais y être. C'est sans doute à cause de ce qu'il représente, à cause de son passé. Là-bas, il y a tout ce que m'a enseigné ma grand-mère et ce qu'ont créé et laissé les femmes de ma famille. Tu devrais voir le laboratoire, il y a des récipients de porcelaine émaillée plus grands que moi. Ils sont merveilleux. Dans toutes les pièces il y a de vieux objets, et une diffuseur de parfum.

— Comme celui-là ? demanda Cail en indiquant un pot en verre avec une bougie allumée sous une petite assiette dont se dégageait un parfum léger et aromatique.

— Oui. Ma grand-mère utilisait toujours les mêmes : l'orange pour la gaieté, la sauge contre la confusion et les doutes, la menthe pour stimuler l'imagination, la lavande pour purifier. Les parfums se sont déposés sur les meubles qui maintenant embaument comme si les herbes, les fleurs et les fruits s'y étaient intégrés. Quand je suis partie de Florence, j'ai glissé cette lampe dans ma valise, avec quelques essences.

— J'aime beaucoup ce parfum.

— Jasmin et deux gouttes d'hélichryse, spécifia-t-elle.

— Il est très stimulant, poursuivit Cail avec un petit sourire.

Elena écarquilla les yeux et rougit. De fait, quand elle avait dosé le jasmin, elle avait désiré créer une ambiance très intime.

Il continuait à la regarder, ses doigts caressaient d'un mouvement involontaire le dossier du canapé. Elena inspira profondément, puis essaya de reprendre là où elle s'était interrompue.

— Au rez-de-chaussée, il y a la vieille boutique de parfumerie. Le plafond est peint à fresque. Si on lève les yeux, on a l'impression de voir un pré plein de fleurs et d'anges, et dans un coin, un peu à l'écart, il y a un homme et une femme. Ils se tiennent par la main et vont vers une arche de roses. C'est très suggestif. Il y a un énorme paravent, si on l'ouvre, ça devient une petite maison, une cachette parfaite.

— C'est là que tu te réfugiais quand tu voulais faire des bêtises ?

Elena inclina la tête.

— J'étais une terrible déception pour ma grand-mère. Je la faisais vraiment enrager. Il y avait des jours où nous nous entendions et où il semblait que tout allait bien. Et elle était heureuse. Mais il y avait des moments où je la détestais. Et alors je mélangeais les parfums, je renversais les composés, je refusais d'étudier, ou de lui parler.

— Vraiment une enfant terrible.

Cail rit, mais bientôt sa gaieté se transforma en une songerie amère. Lui aussi, quelquefois, avait voulu réduire à néant le travail de son père. Une de leurs meilleures roses était d'ailleurs née de sa tentative de saboter un semis. Il arrivait souvent que Cail se mette en colère. Surtout dans les périodes où son père, Angus McLean, disparaissait. Sa mère restait seule avec lui et sa petite sœur pour s'occuper de l'entreprise. À l'intérieur de lui-même, il pouvait encore entendre ses sanglots étouffés. Oui, il comprenait la rage d'Elena enfant, le profond sentiment d'impuissance qu'on a à cet âge. Il la comprenait intimement.

— Tes racines se trouvent dans cette maison, Elena. Il est normal que tu y sois attachée.

Elle haussa les épaules.

— Ce serait normal, si je n'avais pas haï chaque instant que j'y ai passé.

Cail regarda au-delà d'elle, vers un point éloigné.

— La haine est un sentiment très complexe. On déteste ce qu'on désire intensément et qu'on ne peut pas posséder, on déteste ce qu'on ne comprend pas, ce qui semble trop lointain. Haine et amour sont trop proches, leurs contours indécis, ils n'ont pas de frontières bien définies.

Elena le regarda avec attention.

— Je n'avais jamais vu les choses sous cet aspect.

— Pourquoi détestais-tu cette maison ?

— Ma mère a fini par me laisser là, elle m'a dit que c'était pour mon bien, que je serais mieux avec ma grand-mère... C'était un prétexte, elle voulait juste se débarrasser de moi. La vérité, c'est que Maurice me détestait et qu'elle voulait refaire sa vie sans avoir dans les pattes la fille d'un autre homme.

Elle s'installa sur le canapé, s'éloignant de lui.

— Elle... Ça lui est arrivé de te faire du mal ?

— Non... Ma grand-mère m'a beaucoup aimée, même si c'était à sa façon. Tu sais que la nuit elle venait dans ma chambre ? Elle attendait que je m'endorme, puis elle entrait et s'asseyait à côté de mon lit. Au bout de quelques minutes, elle se levait, m'embrassait et retournait en bas. Ce sont les seules manifestations d'affection qu'elle m'ait jamais données. Pendant le jour, par contre, elle me parlait comme si j'étais une adulte, elle n'admettait pas d'erreurs... mais elle me respectait.

L'émotion arriva avec les souvenirs, avec les petits épisodes qui à présent lui revenaient à l'esprit comme des objets dont elle aurait perdu toute trace. Elle avait oublié à quel point le respect de sa grand-mère avait été important pour elle. Elle sourit et tira ses cheveux en arrière.

— Quand je disais quelque chose, surtout si ça avait à voir avec les parfums, elle s'arrêtait, suspendait toute activité et m'écoutait. Elle voulait que j'aille au-delà de la conception du parfum, au-delà de la fragrance en elle-même. Elle voulait que je cherche le parfum dans mon esprit, que je le trouve dans mon cœur. Elle disait que le parfum est le chemin, la voie vers la connaissance la plus profonde, celle de l'âme. Elle soutenait que les mots, les images, les sons et même le goût peuvent induire en erreur. Mais l'odorat, non, il transcende tout.

Elle fit une pause, elle entendait encore, dans sa tête, les mots exacts de Lucia Rossini. Ils étaient aussi présents qu'autrefois, gravés de façon indélébile dans sa mémoire.

L'odeur, le parfum, entre en toi parce que c'est toi qui l'y invites en le respirant, et puis il suit sa route. Tu ne peux pas décider s'il te plaira. Il voyage dans une autre dimension. Il n'appartient pas à la logique, ou à la raison. Mais il s'emparera de toi, avec une exigence de vérité absolue. Tu l'aimeras, alors, ou il te fera horreur. Mais il n'y aura rien de plus authentique dans ton existence que cette première émotion. Parce que ce n'est là rien d'autre que la réponse de ton âme.

Cail lui caressa la main.

— Et puis ?

Elena se tourna vers lui.

— Au magasin, elle suivait des rituels vieux de plusieurs générations. Elle ne voulait même pas entendre parler de changer les techniques et les instruments. Rien d'autre n'existait pour elle que ce qu'elle avait appris. Elle était obsessionnelle. Comme ma mère, comme Beatrice. Comme toutes ces femmes.

— Ta mère... c'est pour ça qu'elle s'en est allée ? Ta grand-mère ne lui permettait pas de gérer leur activité ?

Elena secoua la tête, les yeux assombris. Elle n'aimait pas parler du passé. Et pourtant, tandis qu'elle racontait tout cela à Cail, il lui semblait que le goût amer de son enfance solitaire s'atténuait.

Elena se concentra. Elle voulait être exacte, elle devait l'être.

— Non. Ce genre de parfumerie ne l'intéressait pas. Elle n'y croyait pas. Elle voulait voyager, voir le monde. Ma mère adorait tout ce qui était moderne. L'avenir de la parfumerie, selon elle, était dans la chimie, dans les produits de synthèse. Elle disait que le parfum de Beatrice, aujourd'hui, n'aurait servi à rien. Trop ancien, trop décalé. Ma grand-mère, par contre, était d'un avis diamétralement opposé. Pour elle, ce parfum était exceptionnel, parfait, c'était un concentré d'idées, de sensations et d'émotions ancestrales, les mêmes qui se trouvent dans la mémoire limbique de l'homme et qui lui sont transmises en même temps que le patrimoine génétique. Une sorte de code olfactif. Ce parfum resterait toujours actuel parce qu'il était l'âme même de l'homme. Il était l'amour, l'espérance, la générosité, le courage, la confiance, tout ce que le genre humain connaissait et avait produit de meilleur.

— Une utopie ?

De nouveau, Elena secoua la tête.

— En théorie, c'est possible, tu sais. Il est vrai que le parfum est subjectif, mais le parfum du feu est chaleur, réconfort, danger, action, et l'est pour tout le monde. De la même façon que la pluie est espoir, avenir. Pour certains elle représente aussi l'angoisse, oui, mais tout de même elle est synonyme d'abondance. Et puis il y a l'odeur de la mer, du blé, du bois... je pourrais continuer pendant des heures. Les odeurs, les bonnes et les mauvaises, sont élaborées par le cerveau au niveau instinctif, avant qu'on ne s'en rende compte. Et elles provoquent une réaction qui prend ses racines dans la partie la plus ancienne de nous-mêmes.

— Toi, qu'est-ce que tu en penses ?

— Moi, je sais seulement que c'est le parfum qui les a entraînées loin de moi, toutes les deux.

Cail la prit dans ses bras, en espérant parvenir à chasser l'immense tristesse qui transparaissait dans ces mots à peine murmurés. Il aurait voulu lui poser des questions sur Susanna, il sentait que c'était en elle que résidait le secret de la plus grande douleur d'Elena. Mais celle-ci était trop perturbée pour supporter une conversation de ce genre. Alors il chercha en lui les mots à lui dire et les trouva dans ce qui le rapprochait d'elle, dans ce mélange d'amour et de haine qu'il avait éprouvé, adolescent, pour son père, et qu'il avait dépassé par la suite.

— Peut-être les choses sont-elle plus compliquées qu'elles ne semblent. D'après ce que tu m'as dit, d'après ce que tu es devenue et ce que tu fais, le parfum pourrait être ce qui vous réunit...

Ce qui vous réunit. Elena, instinctivement, repoussa ces mots. Puis, tandis que Cail lui parlait de lui-même, et de l'hybridation qui était la seule chose qu'il avait en commun avec son père, elle revint sur ce qu'il avait dit et l'examina comme on fait quand on regarde un cours d'eau potentiellement dangereux, qu'il faut traverser à tout prix pour rejoindre l'autre rive.

Alors elle comprit que c'était vrai. Elle pouvait bien s'être obstinée à penser le contraire :

le parfum était peut-être la seule chose qu'elle avait en commun avec sa mère et sa grand-mère.

À ce moment-là lui revint à l'esprit ce que lui avait dit Joséphine. C'était l'obsession de Susanna et Lucia, le pouvoir hypnotique que le parfum avait exercé sur leurs existences, la raison du rejet qui avait été le sien envers celui-ci. Voilà pourquoi elle avait essayé de l'effacer de sa vie.

Mais le parfum faisait maintenant partie d'elle-même. Lentement, patiemment, il avait trouvé le moyen de la rejoindre et de la réclamer à son tour.

— Et si moi aussi... si moi aussi je négligeais mon enfant, si je l'abandonnais pour cette stupide obsession ? Si je ne trouvais pas le temps de m'occuper de lui ?

Voilà, j'ai enfin réussi à le lui faire dire, pensa Cail. Elle avait eu du mal, mais finalement Elena avait sorti ce qui la tourmentait vraiment.

— Tu pourrais affronter ça à visage découvert, sans tourner autour.

« Comme tu fais avec tout le reste. » Mais cela, Cail le garda pour lui.

Elena fronça les sourcils.

— Que veux-tu dire ?

— Ouvre ton magasin, crée tes parfums, cherche la formule perdue. Mais fais-le avec sérénité, tout est là devant toi. Choisis. C'est à toi de décider.

— Un jour peut-être. Pour l'instant je dois penser au bébé.

Cail plissa le front.

— Qu'est-ce qui t'empêche de faire les deux en même temps ?

Oui, qu'est-ce qui l'en empêchait ?

— Je ne sais pas, je ne sais pas…

— Aie confiance en toi-même.

— Il ne s'agit pas que de cela. Pour ouvrir un magasin, il faut beaucoup d'argent. Un sponsor, quelqu'un qui te présente aux personnes voulues, qui t'insère dans les canaux de distribution, et ce n'est même pas l'obstacle majeur.

Un soupir amusé, puis Cail lui releva le menton.

— Et c'est… ?

Elena le regarda dans les yeux.

— Tu sais comment ça fonctionne ? Comment on procède pour créer un parfum ?

Cail secoua la tête.

— Seulement en ce qui concerne les roses, mais je ne pense pas que ça serve à grand-chose.

Elena se lova dans ses bras et posa le menton sur sa poitrine.

— On part d'une idée. Ça peut être un événement, un rêve, une promenade. Un parfum est comme un récit, c'est une forme de communication, simplement plus subtile et plus immédiate. Quand le *brief*, on l'appelle comme ça, est bien clair, alors on commence avec le choix des essences. Je les sens toutes, elles deviennent couleurs, émotions, elles m'emportent, s'emparent de moi, je n'arrive plus à cesser d'y penser tant que le parfum n'est pas terminé.

Silence. Dans le séjour, on n'entendait que la respiration agitée d'Elena et celle, régulière, de Cail.

— C'est merveilleux. Ce que tu dis, ce que tu es, la passion que tu mets à faire ton travail. Ce n'est pas un empêchement, c'est un grand don. Tu es une femme hors du commun.

Il dit ce qu'il avait dans le cœur, et dans chaque mot il y avait admiration, respect, considération. À ce moment-là Elena commença à tomber vraiment amoureuse de lui.

Paris en novembre était étincelant et magique. Elena s'était habituée aux immeubles aux toits pointus et aux lucarnes saillantes qui capturaient les rayons du soleil, les renvoyant sur les passants, les jardins publics, les petits marchés de quartier. Elle se promenait avec Cail, partant à la découverte de lieux secrets, patinoires, musées qui conservaient tableaux, mobilier, bijoux, et un très particulier, celui qui abritait tous les parfums du monde.

Ils s'étaient beaucoup amusés à l'Osmothèque.

Le musée, situé en plein cœur de Versailles, conservait plus de mille huit cents fragrances, dont certaines désormais disparues, d'autres qui avaient signé la fin d'une ère olfactive et le début d'une nouvelle. Sur certains de ces parfums, des traités entiers avaient été écrits. Cail avait humé Hungarian Queen, de 1815, que portait Napoléon, et qui lui avait plu. Elena lui avait fait connaître le Chypre de Coty, et puis ils avaient retrouvé le sensuel Mitsouko créé en 1919 par Guerlain et le plus récent Shalimar. Ce parfum d'une qualité peu commune, qui partait d'une base d'iris et de vanille appelée Guerlinade, évoquait les célèbres jardins de Shalimar, l'hommage d'un prince indien à la femme qu'il avait aimée. Il était incroyable qu'un tel parfum ait été le résultat d'un accident : une petite fiole de vanilline versée par erreur dans un flacon de Jicky !

Dans le musée figurait aussi le N° 5 de Chanel, créé en 1921. Dans leur promenade olfactive, ils étaient également tombés sur Joy, de Jean Patou, créé par Henri Alméras. C'était, à l'époque, l'un des parfums les plus coûteux, il réclamait plus de dix mille fleurs de jasmin et plus de trois cents roses pour obtenir à peine trente millilitres de fragrance. Diffusé après la guerre, il devint symbole de revanche et de luxe.

En plus de ces parfums si célèbres, il y avait des fragrances extrêmement anciennes : le « parfum royal », créé à Rome au Ier siècle, quelques parfums tirés de recettes transmises par Pline l'Ancien, et l'Eau de la Reine de Hongrie, créée au XIVe siècle.

Jeanne Lanvin, de la maison du même nom, avait offert à sa fille Marguerite, en 1927, un parfum délicat et fleuri avec des notes de tête classiques : néroli, pêche, un cœur de rose, jasmin, muguet, ylang-ylang et pour finale santal, vanille, tubéreuse et vétiver. Ce parfum était son cadeau pour le trentième anniversaire de sa fille, une composition très élaborée de deux grands noms de l'époque : André Fraysse et Paul Vacher. La jeune femme l'avait appelée Arpège. Sur la bouteille en forme de pomme, il y avait le logo de la maison : l'image d'une femme qui dansait avec une enfant.

La chose qui surprit le plus Elena, toutefois, fut de trouver dans la liste des parfumeurs le nom de Giulia Rossini, l'une de ses ancêtres. Sa grand-tante avait été une parfumeuse habile, l'une des plus douées de la famille. De sa longue et fructueuse production, l'Osmothèque conservait Giardino Incantato, Jardin Enchanté, un parfum qu'Elena connaissait bien et que Lucia lui avait souvent cité comme modèle. Il s'agissait d'une fragrance délicate et en même temps très déterminée. Il y avait dedans fleur d'oranger, angélique et tubéreuse, puis bois de rose, cèdre, myrte et enfin ambre. Savoir que c'était l'une des Rossini qui l'avait créé, le voir aux côtés des fragrances les plus significatives de l'histoire de la parfumerie, la remplit de fierté et de bonheur. Le sentiment d'appartenance qu'elle avait éprouvé en le reconnaissant l'avait réchauffée, ç'avait été comme une douce caresse. Elle était l'une d'elles, une Rossini. Jardin Enchanté, dans sa première édition, était merveilleux. Le sentir, imaginer les sentiments et les émotions qui avaient amené son aïeule à la création de cette fragrance, fut l'un des moments les plus émouvants de la journée.

15

Thym. Énergétique, fortifiant. Dissipe la confusion, prédispose à la logique, dissout l'incertitude du rêve. Rétablit l'équilibre mental.

Depuis qu'elle prenait des micronutriments, Elena se sentait mieux ; les nausées aussi étaient passées. La grossesse était devenue pour elle quelque chose de magique, une condition qui la remplissait d'étonnement et de peur à mesure égale. Elle avait commencé à parler avec l'enfant ; après quoi elle restait à écouter, comme si elle espérait une réponse. Mais il était bien tôt pour le sentir bouger. La gynécologue lui avait dit qu'elle commencerait à percevoir ses mouvements vers le cinquième mois. Mais cela n'intéressait pas Elena, elle savait que son enfant l'écoutait. Parler avec lui était devenu fondamental. Susanna n'avait jamais aimé converser. Et c'était une chose qui avait toujours attristé Elena. Elle, au contraire, raconterait tout à son enfant.

— Avec qui étais-tu en train de parler ? lui avait demandé Cail un matin, en entrant chez elle.

— Avec le bébé, naturellement.

Il l'avait regardée, puis en silence l'avait rejointe et embrassée. Elena, un peu étonnée, lui avait jeté les bras autour du cou et Cail en avait profité pour la câliner un peu. Il aimait lui ramener les cheveux en arrière, lui libérant le visage. Il aimait la caresser, sentir sa peau sous ses doigts. Il aimait la toucher, l'avoir à côté de lui. Et la protéger. La garder à l'abri.

Mais il avait un mauvais pressentiment. Il avait déjà connu ça, et la douleur était encore là. S'il y pensait, s'il la cherchait, il pouvait la retrouver, et avec elle les souvenirs de son amour de jeunesse qui avait si tragiquement fini. Ce n'était pas le moment de se jeter dans une relation compliquée. Il avait même pensé à s'en aller. Mais il en était incapable, c'était plus fort que lui.

À présent, tout semblait s'arranger dans la vie d'Elena. Chez Narcissus, Philippe ne lui avait pas présenté d'excuses, mais peu après ce déplaisant épisode, il était parti. Montier voulait ouvrir une filiale à Londres et l'avait chargé de la logistique.

C'était presque l'heure de fermeture quand Adeline Binoche entra dans le magasin, suivie par une femme d'une cinquantaine d'années, aux cheveux roux très courts.

— Vous vous souvenez de ma belle-sœur ? lui demanda Adeline avec son habituel sourire amical. Je vous ai parlé d'elle quand je suis venue la dernière fois.

— Bien sûr… Geneviève, c'est ça ?

Par bonheur, cette femme portait un prénom particulier, pensa Elena avec un certain soulagement.

Elle ne se souvenait jamais des noms des gens ; à l'inverse elle se souvenait parfaitement de leur parfum.

Adeline Binoche, par exemple, sentait la vanille, avec un cœur de rose et de musc de chêne. Sereine, vive et pénétrante. Cette fragrance lui allait bien. Claire et limpide, sans mollesse. Comme son regard.

— Geneviève Binoche, précisa la femme en lui tendant la main. J'ai entendu parler de vous très élogieusement. Puis-je vous appeler Elena ?

— Oui, bien sûr.

— Bien, répondit la femme.

Elle était sophistiquée, élégante et avait un comportement franc et direct. Elle évoqua à Elena l'été, doré et lumineux. Une pincée de bergamote, du foin séché étalé au soleil, et des fleurs champêtres.

— J'espère que vous allez pouvoir m'aider. J'aurais besoin d'un parfum, le parfum de Notre-Dame.

Elena sentit un frémissement au fond de sa gorge, mais s'efforça de le réprimer, en tentant de conserver une expression imperturbable. Si Cécile parvenait à rester sérieuse devant les requêtes les plus absurdes, ça voulait dire que c'était possible. Elle le ferait donc elle aussi.

— Dans un sens métaphorique, n'est-ce pas ?

Geneviève secoua la tête.

— Non, littéral. J'ai besoin de sentir quelque chose qui puisse m'inspirer, qui me donne une indication. Je suis en train d'écrire un essai sur *Notre-Dame de Paris* et je veux qu'il soit différent de tous ceux qui l'ont précédé, je veux qu'il soit unique. Victor Hugo a écrit une œuvre extraordinaire. Le sacré et le profane à la fois. Le bien et le mal, le beau et le laid. Mon parfum doit être tout cela. Solide et grand comme la cathédrale. Sensuel et innocent comme Esmeralda. Capable d'évoquer la cruauté de Phœbus, la folie de Frollo et surtout l'amour absolu de Quasimodo.

Le silence tomba un instant sur elles. C'était l'idée même de la vie. C'était la vie dans toute sa complexité.

— Je me demande ce qui pourrait sortir du rapprochement entre parfums et littérature. L'histoire, la narration stimule l'imagination et donc la vue, le toucher et l'ouïe. Musique, mélodie… tout cela, c'est entendu. Et si les idées étaient également transposables sous forme d'odeurs ? En réalité, Notre-Dame a un parfum à elle : encens, bougies, l'odeur des choses anciennes, de cette humidité charmante des siècles passés, la patine que des millions de souffles ont déposée sur les statues. Ce serait l'union des sens et la perception deviendrait tridimensionnelle.

Quelqu'un avait déjà parcouru un chemin pareil. On avait créé des fragrances inspirées de tableaux. Cette idée était venue à Laura Tonatto, la célèbre parfumeuse italienne, en contemplant l'*Aurore* d'Artemisia Gentileschi ; et par la suite elle avait décidé de créer la fragrance qu'évoquait *Le Joueur de luth* de Caravage.

C'était une façon magnifique d'emmener le spectateur à l'intérieur de ce chef-d'œuvre. Le lui faire humer, en plus de le voir. La vision de Laura Tonatto avait tellement plu à Elena qu'elle avait mis la visite de l'Ermitage de Saint-Pétersbourg, où se trouvait *Le Joueur de luth*, dans la liste des choses à faire au plus vite. Le parfum d'un tableau, à bien y réfléchir, il était presque naturel de l'imaginer. Il était sollicité par la vue. Mais le parfum de *Notre-Dame de Paris*, alors là, c'était un concept tellement compliqué, qu'il était tout et rien en même temps.

— Expliquez-moi exactement votre idée.

Et Geneviève le fit. Avec une grande abondance de détails, elle exposa à Elena comment le parfum qu'elle avait en tête devait montrer le parcours et les diverses étapes de la vie, les sentiments et les émotions. La façon dont il devait représenter les méandres de l'âme humaine.

— Vous comprenez bien que ce que vous me demandez réclame une longue période d'élaboration.

Geneviève inclina la tête.

— Naturellement. D'ailleurs, je ne prétends même pas qu'il s'agisse d'un parfum terminé. Vous pourriez seulement choisir des essences à me faire respirer de manière que je puisse y puiser de l'inspiration. Mais si vous arriviez à créer le parfum, ce serait… le must ! Évidemment, l'argent n'est pas un problème. Votre prix sera le mien.

— Alors, voyons. Laissez-moi quelques jours pour y réfléchir. Nous pourrions nous appeler lundi prochain ?

— Ça me semble une excellente idée. Je vous remercie. Voici ma carte de visite. J'espère vous avoir bientôt au téléphone. J'y tiens beaucoup.

Geneviève et Adeline se dirigèrent vers la sortie en bavardant avec animation.

— Qu'est-ce que je t'avais dit ? S'il y a un moyen de trouver ce parfum, Elena y arrivera.

Si seulement c'était si facile, pensa la jeune femme.

Ce soir, si elle n'était pas trop fatiguée, elle jetterait de nouveau un coup d'œil au journal de Beatrice. Ces derniers temps, c'était sa seule lecture. Qui sait si dans ces pages anciennes elle parviendrait à trouver une trace, à suivre un indice. Jusqu'à présent elle ne s'était jamais trop intéressée au fameux parfum de son aïeule. Elle en avait toujours entendu parler, bien sûr, mais pour elle ç'avait été juste une légende que l'on se racontait de mère en fille. Elle n'y avait jamais réfléchi pour de bon. Probablement le moment de le faire était-il arrivé.

Elle remit une crème parfumée à la violette à une cliente, puis partit retrouver Cécile. Elle ne l'avait jamais vue rire franchement, cette femme. La requête de Mme Binoche fissurerait peut-être son air imperturbable. Elle était curieuse de le voir.

Rien de moins que le parfum de Notre-Dame…

Tandis qu'elle longeait le couloir, elle commença à étudier sérieusement la question. Les notes de cœur et de fond devaient naître du roman. L'encens, c'est sûr, et le bois, la cire aussi. Les notes plus volatiles, elles, les notes de tête qu'on percevait immédiatement, pouvaient correspondre à ce que Geneviève supposait être la pureté et la sensualité. Des fleurs blanches, peut-être. Parce que ce parfum partait d'une vision objective, certes, mais devait entrer dans la sphère émotionnelle de cette femme. Pour finir, il s'agissait d'un concept subjectif. Il faudrait donc qu'elle travaille avec elle.

— On vient de me commander un parfum, annonça-t-elle à Cécile en entrant dans son bureau après avoir frappé.

— Dis-moi tout.

Elena rapporta la proposition de Geneviève Binoche et le sourire de Cécile, en effet, apparut dans tout son éclat, mais s'éteignit presque tout de suite, remplacé par une expression intense.

— Et tu dis qu'elle serait disposée à payer le prix que nous demanderions ?

Elena haussa les épaules.

— C'est ce qu'elle a dit.

— Tu saurais le faire ?

Elena avait espéré s'entendre poser cette question. En elle, quelque chose s'agitait, plein d'enthousiasme.

— Je peux essayer.

Mieux valait être prudente, pensa-t-elle, même si, en réalité, elle voulait se mettre tout de suite au travail, parce que l'idée était fascinante et la tentait.

Assise à son bureau, Cécile l'évaluait froidement, tout en l'écoutant avec attention. Elle leva la main et indiqua la chaise devant elle.

— Assieds-toi, nous devons bien réfléchir. Nous pourrions le traiter comme une simple personnalisation.

Elena secoua la tête.

— Non, si c'est à moi de le faire, j'ai besoin de travailler sur le texte. Je ne peux pas me servir d'un mélange déjà prêt et puis le corriger. Je dois trouver les essences voulues, ce n'est qu'à ce moment-là que je pourrai avancer dans l'élaboration d'une formule à proposer. Ensuite je déclinerai toutes les variantes possibles, en suivant les exigences de la cliente.

Cécile la regarda avec attention.

— Il te faudra combien de temps ?

Elena sentit un petit frisson de bonheur la parcourir. Cécile allait la charger de travailler à ce parfum. Elle était impatiente de le raconter à Cail. Un parfum important, rien de moins que le parfum de Notre-Dame !

— Deux mois au moins, probablement trois.

Tandis que Cécile réfléchissait, comptant les jours sur un agenda de bureau, Elena émit un petit raclement de gorge.

— Qu'y a-t-il ?

Le ton de la jeune femme était soudain devenu sec.

— Et si M. Montier voulait s'occuper personnellement de ce parfum ?

Cécile pinça les lèvres.

— Il est trop pris, en ce moment. Mais je me charge de l'informer. Toi, pour l'instant, élabore le projet. Dès que tu seras prête, nous commencerons à préparer les mélanges.

Elena se leva.

— D'accord.

Elle était arrivée à la porte quand Cécile la rappela.

— J'attends de toi la plus grande discrétion. Si ce projet aboutit, le retour financier – et d'image – sera considérable. Le parfum de *Notre-Dame de Paris,* tu te rends compte ? Philippe devra ravaler tout ce qu'il a soutenu à ton sujet.

Elena détourna le regard.

— C'est sûr, répondit-elle.

Elle referma la porte derrière elle, pensive, puis retourna au travail. Mais, malgré les paroles rassurantes de Cécile, elle n'arriva pas à se débarrasser d'une étrange sensation. Et ce malaise était en grande partie causé par l'expression de sa collègue. Il y avait dans son regard quelque chose de fuyant. De quoi qu'il pût s'agir, ça lui avait fait froid dans le dos.

Cail dut frapper deux fois avant qu'Elena ne se décide à lui ouvrir.

— Salut. Ça va ? lui demanda-t-il en la scrutant attentivement.

Elena avait l'air renfrognée.

— Pourquoi continues-tu à frapper alors que tu as les clefs ?

— Les clefs ne servent qu'en cas d'urgence.

— Un moyen comme un autre de garder les distances, répondit Elena entre ses dents.

Elle était de très mauvaise humeur, et s'évertuer à déchiffrer des passages du journal de Beatrice n'avait pas arrangé les choses.

Cail ignora ce qu'elle disait. Ils n'avaient jamais discuté sur la nécessité de maintenir leur relation dans des limites précises, mais tous deux essayaient de se tenir à cette espèce de pacte qu'ils pensaient être la meilleure solution pour tout le monde. Elena, cependant, l'oubliait quelquefois. Et pour lui il était de plus en plus difficile de rester sur la réserve, alors qu'il la désirait tellement. Chaque fois qu'il la touchait, il devait s'obliger à s'arrêter, à s'écarter d'elle.

Il s'approcha et lui donna un baiser sur les lèvres.

— Ça tourne mal ?

Elle fit une grimace, puis posa la tête sur sa poitrine.

— Tu sens bon. Je pourrais t'asperger d'huile puis distiller ton parfum comme fait Grenouille, le héros du livre de Süskind. Je ferais de l'argent à la pelle et je n'aurais plus à me tuer à tenter de comprendre ce maudit journal. En comparaison, Nostradamus était explicite, marmonna-t-elle avec colère.

Cail lui releva le visage et l'embrassa de nouveau. Cette fois, il prit son temps, glissant les doigts dans ses cheveux et les lâchant sur ses épaules.

— On dirait des fils de soie, lui dit-il après s'être un peu éloigné.

Elena entrouvrit les yeux.

— Dans un livre que je lisais quand j'étais petite, le héros était un comte, grand et ténébreux. Il avait aussi une balafre sur le visage qui au lieu de le défigurer le rendait terriblement séduisant. Il me plaisait à en crever. J'étais folle amoureuse.

Elle fit une pause, les yeux dans ceux de Cail. Puis elle agita l'index.

— C'est à lui que tu dois ton succès avec moi. Sache-le !

Cail sourit.

— Allez, raconte. Que s'est-il passé ?

Elena retourna sur le sofa, puis lui tendit le journal et se laissa aller contre le dossier moelleux.

— Voilà, regarde. Dis-moi si tu y comprends quelque chose. Moi, je me rends.

Cail prit le cahier avec beaucoup de précaution, l'ouvrit et fronça les sourcils.

— Mon italien est scolaire… et ces vers semblent très difficiles.

— Mais non… ce n'est qu'un poème.

Elle tendit la main.

— Donne-le-moi. Je vais te le traduire.

Elle commença à lire :

« Rosa, riso d'amor, del Ciel fattura… Porpora de' giardin, pompa de' prati, / gemma di primavera, occhio d'aprile… Tu, qualor torna agli alimenti usati / ape leggiadra o zefiro gentile, / dai lor da bere in tazza di rubini / rugiadosi licori e cristallini. » Autrement dit : Rose, sourire d'amour, œuvre du Ciel… Pourpre des jardins, orgueil des prés, / gemme de printemps, œil d'avril… Toi, quand à ses aliments coutumiers / revient la gracieuse abeille ou l'aimable

zéphyr, / tu leur donnes à boire dans une coupe de rubis / de fraîches boissons cristallines.

Elle s'arrêta.

— À part la citation évidente de *L'Éloge de la Rose* de l'*Adonis* de Giambattista Marino, il n'y a pas grand-chose là-dedans qui puisse être utilisé pour créer un parfum, dit-elle.

— Pourquoi insistes-tu justement sur ce passage ?

— C'est le seul passage qui puisse faire référence à une recette. Le reste, avant et après, ce sont des observations sur les lieux et la vie à la cour. Il y a un autre poème, toujours de Marino. Il fait allusion aux pierres précieuses. Et puis la partie finale du journal est exclusivement consacrée au commanditaire du parfum. Beatrice a habité dans son château quand elle le préparait. Un printemps entier et un été. En automne, elle est rentrée en Italie, elle s'est mariée quelques mois plus tard. Ce n'est que juste avant sa mort qu'elle a tout raconté à sa fille et qu'elle lui a donné le journal. Mais elle n'a jamais clairement dit où elle avait mis la formule. Ni qui était la destinataire du parfum, ni l'homme qui l'avait commandé. Elle n'a même pas dit le nom du château, la famille à qui il appartenait, ou le village auprès duquel il se trouvait. Mystère absolu. Ma grand-mère a passé des années à compulser les archives à la recherche de la formule. Elle croyait dur comme fer que Beatrice l'avait conservée quelque part. Selon ma mère, par contre, elle l'avait détruite.

Cail observa le petit cahier, avec une expression pensive.

— Je ne peux pas t'aider pour le texte. C'est un italien trop archaïque pour moi. Il y a des mots en provençal, et ceux-là, je les comprends. Mais...

Il marqua un arrêt.

— Je peux le scanner ?

Elena inclina la tête.

— Oui, pourquoi ?

— Il y a quelques petites choses que je voudrais vérifier. Tu as vu les dessins ? demanda-t-il en se levant et se dirigeant vers le petit bureau, dans un coin du salon, où Elena laissait son ordinateur.

— Oui, ce ne sont pas des symboles alchimiques, ceux-là, je les connais. On dirait un mélange de plusieurs codes, ou de simples gribouillages, comme dit Jo. J'ai l'impression que l'un des symboles est la tête d'un lion, même si, à vrai dire, ça pourrait aussi être un loup. C'est assez stylisé. En tout cas, je ne pense pas que Beatrice se soit mise à griffonner ses petits dessins parce qu'elle ne savait pas comment tuer le temps, je veux dire, ils n'avaient pas de stylo à bille à l'époque, et puis le papier était cher... Mais je divague.

Elle reporta son attention sur Cail.

— Qu'est-ce que tu fais ? Laisse tomber avec le scanner. Tu peux prendre l'original.

Cail s'immobilisa. Ce journal appartenait à la famille d'Elena depuis presque quatre siècles, c'était un document extraordinaire, peut-être le plus grand trésor de sa famille. Et elle le lui offrait.

Il le serra fort, le retourna et y passa dessus la paume de la main, en une lente caresse.

Cécile avait fait en sorte qu'Elena se concentre uniquement sur le parfum de Notre-Dame. Avec Philippe qui avait débarrassé le plancher et Grégoire lui aussi presque tout le temps à Londres, elle était arrivée à organiser les choses de façon que la jeune femme puisse utiliser le laboratoire chaque fois qu'elle en avait besoin.

Geneviève était revenue deux fois. La première, elle avait apporté à Elena un exemplaire illustré de *Notre-Dame de Paris* de Victor Hugo. La fois suivante, un CD de la célèbre comédie musicale. Non que ce fût nécessaire, vu que Cail, par l'intermédiaire de son ami Ben, avait réussi à trouver deux billets pour le spectacle. La comédie musicale, par chance, se donnait de nouveau à Paris. Elena était impatiente d'y aller. La cathédrale, en revanche, Cail, Geneviève et elle-même iraient la visiter ensemble le dimanche suivant.

Mais les tours, non. Cela aussi, c'était quelque chose qu'ils feraient après la naissance du bébé. La gynécologue avait été très claire à ce sujet. Pas d'efforts. Et Cail l'avait pris à la lettre. Moto incluse. Quand Elena avait vu la Citroën bleu nuit à la place d'Hermione, elle avait été si contrariée qu'elle avait refusé de monter dans la voiture. Cail avait dû lui jurer qu'il ne s'était pas défait de la moto : la Harley, de fait, était saine et sauve. Ne pouvant la garder à Paris parce qu'il n'avait pas deux emplacements de garage, il avait été obligé de la faire ramener chez lui, en Provence, et elle allait y rester pour l'instant.

Là-dessus, il s'était montré inébranlable. Il n'y avait aucune possibilité qu'il la ramène à Paris.

On ne peut pas mettre de siège de bébé sur les Harley. Et devant cette réponse, Elena n'avait pas su que répliquer.

— Alors, comment est-ce que ça se passe ?

Cécile s'était lavé les mains avant d'entrer dans le laboratoire et, faisant bien attention à ne pas même effleurer les flacons d'aluminium qui abritaient les essences, elle s'était approchée d'Elena pour mieux observer le contenu du cylindre que la jeune femme tenait devant elle.

— J'ai les notes de tête, répondit Elena, les yeux rivés sur le compte-gouttes. Et peut-être même le cœur. Mais le fond m'échappe encore.

Elle était pâle et tendue. Les essences s'étaient mélangées, mais l'ensemble manquait d'équilibre. Le résultat ne la convainquait pas complètement. De façon instinctive, elle sentait que quelque chose lui échappait. Elle avait même essayé d'en sentir la couleur, en se concentrant profondément. Mais cet effort l'avait épuisée et n'avait abouti à rien. Par bonheur, Cail devait passer la prendre au magasin. Ces jours-ci, elle se fatiguait facilement.

Elle effleura son ventre, comme il lui arrivait de le faire de plus en plus souvent. Son état était chaque jour plus visible. Il lui faudrait bientôt dire à Montier qu'elle était enceinte. Et c'était là un sujet qui la préoccupait. Elle ignorait comment il le prendrait et surtout si cette nouvelle ne risquait pas d'avoir des conséquences pour Joséphine. Elle savait qu'ils continuaient à se voir et que son amie était malheureuse. C'était comme du poison, cette relation. Clandestin, par-dessus le marché, étant donné que, d'après les journaux, Montier allait bientôt se marier.

— Fais-moi voir, lui dit Cécile en trempant une *mouillette* dans le composé.

Elle l'approcha de son nez et se raidit. Elle ferma les yeux et inspira de nouveau, une fois, puis une autre encore.

Elle n'arrivait pas à y croire. Ce parfum encore incomplet, selon Elena, était l'une des meilleures compositions qu'elle ait jamais eu la chance de respirer. Il évoquait la structure complexe du chypre, mais était plus neuf. Harmonieux, enveloppant, et frais en même temps. Il était parfait. Il était « juste ». Elle inspira, se remplissant les poumons : des hespéridés, sans aucun doute. Mais elle n'aurait su dire s'il s'agissait de citron, de néroli, de bergamote... Non, il lui sembla que c'était quelque chose de plus délicat. Elle était encore en train d'y réfléchir quand la fragrance changea, se transformant en un jardin plein de fleurs à l'arrivée du crépuscule. Le jasmin prit la place de la rose et puis lui aussi disparut, remplacé par une senteur musquée puis terreuse ; enfin, alors qu'elle arrivait à la conclusion de ce voyage olfactif, Cécile sentit la sensualité du santal et de la myrrhe l'envelopper.

— Répète-moi la composition, demanda-t-elle à Elena après quelques secondes.

Elena inclina la tête. Elle aurait pu lire la formule, mais elle préférait repasser le mélange dans son esprit, séparant, décomposant et recomposant les essences une par une.

— Pamplemousse rose, lavande et lime comme notes de tête. Pour le cœur : rose, jasmin, armoise, angélique. Et pour le finale, myrrhe, musc de chêne, cuir et ambre.

Cécile secoua la tête.

— Je sens quelque chose d'autre... Tu as mis un fougère ?

Elena acquiesça.

— Oui, vanille et lavande.

— Ça, tu ne l'avais pas mentionné.

Elena fronça les sourcils, on avait presque l'impression que Cécile était en train de l'interroger. Quel sens est-ce que ça avait de faire ces histoires quand la formule était écrite sur le bloc-notes juste là à côté ?

— Je t'ai dit que je suis en train d'y travailler. Le parfum n'est pas prêt, il manque complètement l'idée de la cathédrale, sa grandeur. Et c'est l'un des aspects fondamentaux. Il faut réessayer avec les *blends* et remplacer quelques éléments.

Elle commençait vraiment à s'énerver.

— Non ! Comme ça, il est plus que parfait.

— On peut savoir ce qui te prend ? Non, il n'est pas parfait. Ça se sent de loin, protesta-t-elle.

Elle s'échauffait et n'arrivait pas à comprendre le comportement de Cécile.

À ce moment-là, la porte s'ouvrit et Philippe Renaud entra dans le laboratoire, suivi de Grégoire Montier.

— Mais que se passe-t-il ? tonna Grégoire.

— Je ne savais pas que vous étiez déjà de retour. Bonsoir, leur dit Elena.

— Ça me paraît évident.

La réponse sèche de Philippe la déconcerta.

L'homme croisa les bras sur sa poitrine, son expression était grave, son regard accusateur.

Elena regarda Cécile qui avait gardé le silence, raide comme un piquet. La tension dans la pièce était palpable. Elle se demanda ce qui arrivait. Un frisson d'appréhension lui passa le long de l'échine, accentuant la sensation d'alarme que l'étrange comportement de sa collègue avait provoqué en elle. Elle décida d'intervenir, il valait mieux tout expliquer. Peut-être Cécile n'avait-elle pas communiqué à Montier que ce soir-là elles continueraient avec la recherche des mélanges.

— Je crois qu'il manque une note au parfum, répondit-elle en se penchant en avant pour prendre le bloc-notes où elle avait marqué tous les passages de la journée.

— Ne touchez pas à ce carnet ! cria Philippe.

Mais Cécile fut plus rapide et le lui arracha des mains.

Instinctivement, Elena recula, effrayée.

— Vous êtes tous devenus fous ?

Sa voix n'était même pas un murmure.

Cécile ne répondit pas, se bornant à serrer dans ses doigts le bloc-notes d'Elena. Philippe continuait à la toiser avec mépris.

— Qu'aviez-vous l'intention de faire dans le laboratoire ? Vous n'avez pas l'autorisation d'y pénétrer. Comment avez-vous fait pour entrer ? gronda Montier.

Elena saisit sa carte et la lui montra.

— Bien sûr que j'ai l'autorisation d'y pénétrer. C'est vous qui avez signé mon pass.

Le visage de Grégoire devint rouge de fureur.

— Cette carte est un faux.

— Vous l'avez entendue, monsieur ? Que vous avais-je dit ? Elle est si impudente que mentir ne la dérange pas, dit Philippe.

La surprise initiale d'Elena devint sidération puis fureur. Quelque chose ne tournait pas rond dans cette histoire.

— Vous devriez vous trouver un bon thérapeute, Philippe, vous avez un problème.

L'homme secoua la tête. Il était écarlate.

— Oh, non. C'est vous qui allez avoir des problèmes, et des gros, même. Vous vouliez voler les formules ? Elles ne se trouvent pas ici.

Il avait détaché les mots comme s'il parlait à une simple d'esprit.

— Il n'y a rien que vous puissiez faire ici, à part abîmer le matériel, évidemment.

— Mais pourquoi en avez-vous à ce point contre moi ? Qu'est-ce que je vous ai fait pour que vous me traitiez de cette façon ?

Philippe se raidit.

— Vous n'avez pas été sincère, dès le départ.

— Je... je ne comprends pas, murmura Elena, bouleversée.

L'angoisse qui l'avait tourmentée toute la journée s'était maintenant transformée en un nœud qui lui étreignait l'estomac.

— Cette discussion est absurde.

Elle chercha patiemment à rassembler ses pensées et à tout expliquer. Probablement ne voulaient-ils pas qu'elle travaille au parfum. Mais c'était Cécile qui lui avait donné les permissions nécessaires, ils devaient forcément le savoir !

— Le parfum de Notre-Dame est un projet ambitieux, je le sais, mais…

— De quoi diable parlez-vous ?

En deux pas, Montier rejoignit Cécile qui n'avait pas ouvert la bouche.

— Je veux savoir ce que vous êtes en train de faire. Qu'est-ce que cette histoire du parfum de Notre-Dame ?! s'exclama-t-il.

— Rien, rien, une bêtise. Elena, Mlle Rossini, a conclu aujourd'hui une grosse vente, alors je me suis dit que j'allais l'encourager et lui montrer comment se composait un parfum. Une cliente a demandé une fragrance qui lui évoquerait la magnificence de Notre-Dame. Il s'agit d'une romancière célèbre, Mme Binoche. Nous étions en train d'essayer des *blends* et Mlle Rossini m'a montré quelques idées.

Philippe grinça des dents.

— Elle n'est pas autorisée à entrer dans le laboratoire.

— Comme tu viens de le dire, il n'y a rien ici qu'elle pourrait prendre, répliqua Cécile, sans toutefois le regarder.

— Arrêtez, tous les deux.

Grégoire tendit la main.

— Le carnet, s'il vous plaît.

Cécile le lui donna. Grégoire, après l'avoir regardé, commença à le feuilleter. Il y avait des pages et des pages de formules, d'essais, de notes. Il connaissait l'écriture de Cécile, et ce n'était pas celle-là. Et cependant il n'avait jamais signé un pass pour Elena Rossini. Il ne prit même pas la peine de se demander ce que Cécile avait l'intention de faire en entraînant en cachette Elena dans cette affaire. Parce qu'il le savait. Il s'occuperait plus tard des deux femmes. La seule chose qui lui importait en ce moment-ci était le parfum, pas la personne qui l'avait créé. Il jeta un rapide coup d'œil sur les mélanges. Il s'agissait de vision, de pure intuition. Cette fille suivait une technique obsolète, elle était partie des notes prises individuellement. En commençant par les notes de tête, jusqu'à trouver celles de fond. Personne aujourd'hui ne se serait hasardé à une élaboration de ce genre. Mais le parfum était bon, il était plus que bon. Il relut encore quelques-uns des passages les plus complexes, puis s'empara délicatement du cylindre et le porta à son nez.

De la chance, tout simplement de la chance, continua-t-il à se répéter. Mais les notes qui s'exhalaient du parfum étaient enivrantes. Comment avait-elle donc fait pour obtenir une telle harmonie en ignorant les techniques les plus modernes ? Grégoire s'assombrit soudainement.

Elena Rossini pouvait toujours croire qu'elle était une parfumeuse, mais lui ne se laisserait pas avoir. Il ne changerait pas d'idée sur les capacités de cette femme simplement parce qu'elle avait réussi à dégoter un bon *mélange*. Cette pensée lui fit regagner un peu de terrain. Il lui sembla aller mieux. Oui, il ferait en sorte que cette femme reste loin du laboratoire.

— Il y a eu un malentendu, mademoiselle. Vous n'avez pas été engagée dans ce magasin pour composer des parfums, vous vous en souvenez ? Nous en avions parlé. J'ai du personnel, expert, qui s'en occupe. Votre travail est de vendre. Vous devriez vous y appliquer davantage et laisser la composition à qui remplit les conditions requises pour s'en acquitter. Comme vous le voyez, vous n'êtes pas apte à mener à bien cette tâche délicate. La parfumerie n'est pas un art qui s'improvise.

Elena était pétrifiée. Elle était restée à écouter les mensonges de Cécile sans savoir quoi répliquer. Elle s'était fiée à cette femme et elle avait été trompée. Cécile voulait la formule du parfum pour elle-même. Voilà pourquoi elle lui avait permis de le créer, de sa propre initiative, sans en informer les chefs. Et elle s'était laissé prendre. Elle n'avait jamais vérifié si Renaud ou Montier étaient au courant de son projet, elle ne s'en était même jamais souciée, parce que ce qui l'avait complètement occupée était la création du parfum de Notre-Dame : pour finir, c'était elle, la responsable.

Mais elle ne resterait pas travailler là. Elle ne resterait pas dans cet endroit un instant de plus.

— Vous avez raison. Il y a eu un malentendu, dit-elle en enlevant sa blouse. Je prends mes affaires et je vous laisse la charge de créer, vendre et porter vos parfums, conclut-elle, un instant avant de rejoindre la porte.

Puis elle s'arrêta et revint sur ses pas.

— Rendez-moi mon cahier.

Un sourire railleur apparut sur le visage de Montier.

— Vous voulez dire cela ? demanda-t-il en lui montrant le bloc-notes.

— Exactement.

Elena serra les dents, sa patience était réduite en loques. Elle fixa son attention sur Grégoire parce que, si elle avait regardé Philippe ou Cécile, elle se serait mise à hurler.

— Cela ne vous appartient pas. Tout ce qui est formulé, essayé, ou simplement expérimenté à l'intérieur de Narcissus est à moi. Vous n'avez pas lu le contrat ?

— Que dites-vous ?

Grégoire lui sourit.

— Il est probable que cette clause vous ait échappé. Quoi qu'il en soit, tout cela est de la compétence des parfumeurs et vous, mademoiselle, comme je vous l'ai déjà dit, vous avez été engagée pour un autre travail.

Elle mit dans le regard qu'elle lui adressa tout le mépris qu'elle ressentait. Puis elle s'éloigna, parce qu'elle ne voulait pas respirer une seconde de plus le même air que ces gens détestables.

— Vous me dégoûtez. Gardez-les donc, mes notes.

Ce n'était rien d'autre que des considérations, des idées de transitions. Bien sûr, il y avait les mélanges et un bon parfumeur parviendrait à tout récupérer, mais elle avait modifié les doses au dernier moment. Quand Cécile était entrée, elle était sur le point de les réajuster. Ils devraient faire une chromatographie, pensa-t-elle. Cette analyse était le seul moyen à leur disposition pour établir avec certitude quelles essences – et combien d'entre elles – elle avait utilisées dans sa composition. C'était une maigre consolation, mais elle lui donna la force d'appuyer sur le poussoir pour ouvrir. Une fois dans le couloir, elle le parcourut jusqu'au bout, rejoignit le vestiaire, mit sa veste, prit son sac dans le casier et sortit par la porte de service.

L'air était comme de la glace sur sa peau. Elle resta quelques instants immobile, essayant de s'y habituer. Elle se sentait mal. Une douleur montait de sa poitrine à sa gorge. Elle ne pleurait pas, non. Mais il aurait peut-être mieux valu. Cependant, cette rage, ce nœud, elle les retint comme un avertissement. Elle venait d'être volée à cause de sa sotte confiance dans les autres. Et elle voulait s'en souvenir pour toujours. Elle venait de perdre son travail, son avenir, ses rêves du fait d'une femme qu'avec trop de légèreté elle avait prise pour une collègue loyale. C'était la seconde fois qu'elle plaçait sa confiance en une personne qui ne la méritait pas.

Elle mit les mains dans les poches et commença à marcher. Autour d'elle, les passants allaient d'un pas rapide vers leurs destinations. Elle ne leur prêta aucune attention, elle ne sentait rien. Une épaisse torpeur l'enveloppait et la protégeait comme un cocon. Elle devait juste marcher, elle aurait bientôt rejoint le Marais et sa maison. Il lui faudrait la laisser, se dit-elle. Mais en cet instant elle n'avait pas envie d'y penser.

Tout à coup, elle entendit une voix derrière elle.

— Elena, que se passe-t-il ? Pourquoi ne m'as-tu pas attendu ? Je t'avais dit que je passerais te prendre.

Elle continua à marcher. Un pied devant l'autre, elle pouvait y arriver. En attendant, *il* n'arrêtait pas de l'appeler. Mais elle ne voulait pas lui répondre, et puis qu'aurait-elle pu lui dire ? « Je ne t'ai pas attendu parce que je ne pouvais pas rester une minute de plus dans cet endroit » ?

Cail la suivit sur quelques mètres, l'expression tendue. Quand Elena continua à garder le silence, il la prit par un bras et la conduisit à l'intérieur d'un café.

— Un thé peut faire des miracles, dit-il en l'aidant à enlever son manteau.

Il commanda pour eux deux et demanda une part de Sachertorte.

— Tu t'assieds toute seule, ou tu veux que je te donne un coup de main ?

Cail s'exprimait d'un ton léger, mais il était inquiet. Elena était pâle à faire peur et tremblait. Ses yeux étincelaient, pleins de fureur.

— J'ai donné ma démission, lui annonça-t-elle à brûle-pourpoint, toujours debout.

Cail se passa les doigts sur le front, puis les fit glisser en arrière dans ses cheveux.

— OK, tu trouveras un meilleur endroit. Celui-là ne te plaisait pas suffisamment, à l'évidence.

Il lui en coûta de dire ces mots. Et aussi de rester assis dans ce café. Il brûlait d'envie d'aller demander des explications au patron d'Elena. Et peut-être le ferai-je, décida-t-il. Mais pour l'instant il voulait seulement qu'elle s'asseye, boive son thé et se calme.

— Il m'a volé mes notes, il a dit que tout ce qui est fait là-bas, chez Narcissus, lui appartient.

Cail lui indiqua la chaise.

— Et si tu me racontais tout depuis le début ?

Elena renifla. Puis, quand le garçon arriva avec les commandes, elle se décida enfin à s'asseoir.

— Bois-le tant qu'il est chaud.

Cail lui servit une généreuse portion de gâteau, sucra le thé et ajouta du citron. Quand elle prit un petit bout de la Sachertorte, il lui sourit.

Il fallut un peu de temps avant qu'Elena ne commence à parler. Cail remplit cette attente pesante en lui racontant comment s'était passée sa journée, s'attardant sur les prouesses de John et lui disant ce qu'il allait lui préparer pour le dîner.

— Tu te souviens de Mme Binoche ?

— Bien sûr, la femme de Notre-Dame.

— Aujourd'hui j'ai travaillé à son parfum...

Elena lui rapporta tout de cette terrible journée. À la fin de son récit, sa lèvre inférieure tremblait. Elle but une gorgée de thé et ravala ces larmes qui lui piquaient les yeux et que, se promit-elle, elle ne verserait pas.

Quand elle eut terminé de lui dire ce qui s'était passé, elle prit sa respiration et déglutit.

— Montier m'a pris le carnet où j'inscrivais mes notes.

Cail serra le poing, raidit le bras le long de son corps.

— Je ne sais pas comment fait Jo pour rester avec lui. C'est un homme horrible, murmura Elena, puis elle porta une main à sa bouche : Je ne me sens pas très bien.

— Tu veux rentrer ?

Elena secoua la tête.

— Je le lui ai dit, tu sais.

— Quoi ?

— Qu'il était un homme méprisable.

Cail sourit sans gaieté. Il s'en chargerait, lui, d'avoir une petite conversation avec ce Montier. Et il lui dirait bien autre chose.

— Tu as encore faim ? Ça t'irait de faire une promenade ? On va jusqu'à la Seine ? proposa-t-il.

Pourquoi pas ? De toute façon elle n'était pas attendue au travail le lendemain. Elle remit son manteau et suivit Cail. La nuit était une plaque de cristal noir et glacé.

16

Poivre noir. Met les sens en alerte, rassemble la force intérieure. Enseigne que lorsque le chemin semble définitivement perdu, on n'a souvent fait que l'égarer.

— On peut savoir pourquoi vous ne vous servez pas des clefs que je vous ai données ? Et ne me dites pas que vous les avez oubliées.

Elena planta Cail et Joséphine sur le seuil de l'appartement et se traîna à l'étage du dessus sans se retourner.

Ses deux amis échangèrent un regard, puis la suivirent. Cail mit la bouilloire sur le feu et ouvrit la boîte colorée qui contenait les macarons. Il était allé jusqu'au 75, avenue des Champs-Élysées pour les acheter. C'étaient ceux de Ladurée. Il les disposa sur la table. Un léger parfum de meringue et de crème aux fruits s'éleva du plateau, se répandant dans la cuisine.

— Nous avons une proposition à te faire, annonça Joséphine.

— Tiens, bien sûr, grommela Elena en rejoignant sa place préférée devant la fenêtre.

Elle attrapa un plaid, le jeta sur elle et se mit à jouer avec les franges. Elle était d'une humeur massacrante. Cela faisait maintenant une semaine qu'elle ne sortait pas de chez elle.

Cail continuait à préparer le thé tout en la regardant à la dérobée. Il espérait que le plan de Joséphine fonctionnerait, autrement il agirait, lui, à sa façon.

— Cail et moi y avons un peu réfléchi, reprit Joséphine. Vu les bases encourageantes, nous pensons que le moment est arrivé d'ouvrir une parfumerie. Ou mieux, tu l'ouvriras, et nous, nous serons tes associés et bailleurs de fonds.

Voilà, elle l'avait dit. Joséphine soupira, prit la tasse que lui tendait Cail et se concentra sur le liquide ambré. Elle avait vraiment besoin de quelque chose de chaud. Il faisait un froid polaire dans l'appartement. Était-il possible qu'Elena n'ait pas allumé le chauffage ?

— Alors, qu'en dis-tu ? lui demanda-t-elle après quelques minutes d'attente.

— Je… je suis fatiguée. Je vais dormir, répondit Elena.

Elle se détourna, la tête baissée.

Elle était presque arrivée dans sa chambre quand Cail lui barra le chemin.

— Si ça ne te va pas, si tu ne te sens pas de le faire, tu dois au moins nous dire pourquoi.

Elena en avait assez. Elle n'avait rien fait d'autre que chercher une solution ces derniers jours, mais de quelque côté qu'elle les prît, ses projets se brisaient devant les « si » et les « mais » issus des décombres de son estime de soi. Elle ne cessait de penser à la perfidie de Cécile, et ce qui lui faisait le plus mal, ce qui la blessait le plus, c'était la conscience qu'au fond elle s'était trompée elle-même. Des doutes auraient dû lui venir sur le comportement de sa collègue... Mais non, elle avait ignoré toutes les bizarreries, les balayant avec négligence. Parce qu'elle désirait créer ce parfum.

Elle n'arrivait pas à se le pardonner, elle n'arrivait pas à le surmonter. Elle s'était fiée à qui il ne fallait pas et se sentait stupide. Et cette erreur allait lui coûter cher, parce qu'elle n'avait aucune chance de se faire embaucher ailleurs avec le bébé qui s'annonçait. Et comme dans un mécanisme pervers, cela la mettait devant un autre problème : l'argent. Il lui en restait peu, trop peu pour pouvoir subvenir à ses besoins jusqu'au terme de sa grossesse.

Il allait lui falloir quitter Paris. Retourner à Florence, où elle avait une maison : c'était la seule possibilité qui lui restait, et cela signifiait renoncer à ses projets. Et à Cail.

Parce qu'elle ne prendrait pas leur argent. Elle n'avait rien à leur donner en échange, rien qu'elle puisse engager pour participer aux dépenses. Ce n'était pas là une association, c'était un cadeau.

Elle releva brusquement la tête.

— Je n'ai rien à vous expliquer ! cria-t-elle avant d'éclater en sanglots. Je ne suis pas une pauvre victime. Je peux trouver un autre travail, je peux y arriver..., bafouilla-t-elle en reculant.

Cail la laissa libérer ses émotions encore quelques minutes. Il s'appuya au montant de la porte, les bras croisés. Plissant les yeux, il la regarda en silence, l'expression résolue.

— Tu as fini ?

— Non, et je pleurerai autant et aussi longtemps que je voudrai, lui dit Elena en s'essuyant rageusement le visage.

Joséphine, sentant croître la tension, décida de les laisser seuls un moment. Elle descendit à l'étage inférieur en espérant que Cail arriverait à lui faire entendre raison, ou du moins qu'il l'arracherait à cet état d'auto-apitoiement profond dans lequel elle était tombée.

Quand Cail fut suffisamment sûr qu'Elena n'allait pas avoir une autre crise de nerfs, il lui prit la main et l'entraîna dans la salle de bains.

— Prends une douche, calme-toi et viens nous retrouver. Nous avons une proposition à te faire, et il ne s'agit ni de pitié ni d'un cadeau. Et puis je voulais te demander de venir avec moi en Provence. Je dois partir pour quelques jours. Changer d'air fera du bien à l'enfant.

— Je n'irai pas avec toi.

— Pourquoi pas ? J'aimerais vraiment te présenter ma mère. C'est quelqu'un de très gentil, tu verras, elle te plaira.

— J'ai dit non !

— Même si je te disais que j'ai probablement découvert où Beatrice a écrit son journal ?

Elena écarquilla les yeux.

— Ce n'est pas vrai, murmura-t-elle.

— Je t'ai déjà menti ?

Elle garda le silence, puis secoua la tête.

— Je dois prendre ma douche, sors, s'il te plaît.

Il ferma la porte de la salle de bains et descendit l'escalier. Un léger sourire flottait sur ses lèvres.

— Elle va nous rejoindre dans un instant, dit-il à Joséphine.

La jeune femme releva la tête de la revue qu'elle était en train de feuilleter et acquiesça.

— Merci pour ce que tu fais pour elle.

— Ne me remercie pas, je ne le fais pas par générosité. Tu n'y es pas du tout.

— Je sais bien pourquoi tu le fais et je ne voulais pas dire ça, répliqua Joséphine.

Elle était fatiguée. Elle avait eu une discussion pénible avec Grégoire. La dernière d'une longue série. La dernière, pour de bon, espérait-elle. Tant qu'elle serait capable de lui résister.

— Cet homme… ce Montier, ce n'est pas quelqu'un de bien.

Cail n'ajouta rien d'autre, il se borna à lui jeter un bref regard d'avertissement.

— Grégoire m'a tout raconté, lui répondit Joséphine après un long silence. Il m'a dit que tu es allé le trouver dans son bureau.

C'était vrai. Cail était allé lui dire deux mots. Le jour suivant, Elena avait reçu son bloc-notes, un billet d'excuse et l'invitation à retourner au travail.

— Il m'a dit qu'il a licencié Cécile, poursuivit-elle.

— Il a volé le parfum d'Elena.

— Techniquement, il a juste tenté de le faire. Et de toute façon, dès que le parfum sera au point, Grégoire le mettra en vente. Il paiera à Elena ce qu'il donne comme rémunération à tous les parfumeurs dont il requiert les services. Et, crois-moi, c'est une belle somme. Il était très… contrarié de ce qui s'est passé.

Elle s'humecta les lèvres et regarda vers l'escalier.

— Ce n'est pas quelqu'un de méchant, conclut-elle.

— Il vaudra mieux pour lui qu'il se tienne éloigné d'Elena, lui répondit froidement Cail. Il a quand même l'air d'être ce genre de personnes qui ne savent rien faire d'autre que créer des problèmes.

Elena arriva juste à temps pour entendre ces derniers mots. Et elle eut honte. Elle avait très mal traité Cail, et lui, au lieu de s'en aller en claquant la porte, il était là, dans son salon. Il lui avait même apporté les friandises les meilleures de Paris.

— Je… je voulais dire que je regrette. Je ne suis pas de bonne humeur ces jours-ci, dit-elle à voix basse.

Elle était pâle, mais elle avait pris une douche et s'était changée. Avec ses cheveux défaits tombant sur les épaules et une robe noire en tricot à côtes, elle paraissait très jeune. Joséphine la rejoignit et l'entoura de ses bras.

— Tôt ou tard ce sera à toi de supporter mes sautes d'humeur de femme enceinte, lui dit-elle en effleurant le léger renflement de son ventre, à peine visible sous la robe moulante. Ne pense pas un seul instant que tu t'en tireras à bon compte.

— Attends quelques années quand même. Laisse-moi me remettre, OK ? lui répondit Elena en lui rendant son étreinte.

— Sois tranquille. Dans une dizaine d'années, ça ira ?

— Tu exagères.

— Bon, assieds-toi. Nous devons parler.

Cail tira de sa poche une poignée de feuilles et les lui tendit. L'écriture en était régulière. C'était un schéma complet. Il n'avait pas utilisé l'ordinateur, il avait tout écrit à la main.

— Tu te souviens de Ben, cet ami qui habite à côté d'ici ?

Elena inclina la tête.

— Sa compagne, Colette, travaille dans le bureau d'un très important conseil commercial. Elle peut s'occuper de la licence et, pour les débuts au moins, je dirais que ce serait bien qu'elle s'occupe aussi de la comptabilité, comme ça tu pourrais te consacrer entièrement au magasin.

— Tu en parles comme si tout était décidé.

Joséphine soupira.

— Ne fais pas tant traîner les choses en longueur, ça m'épuise. Nous savons tous qu'ouvrir une parfumerie est ce que tu désires. Tu as l'étoffe pour ça, les compétences. Tu sais traiter avec les clients...

Elena se leva du divan et se mit à marcher en long et en large. Joséphine ne se découragea pas et l'imita.

— Tu m'écoutes, pour une fois ? lui demanda-t-elle, exaspérée.

— Actuellement, je ne peux pas participer aux dépenses et donc ce n'est pas une société, répondit Elena avec obstination.

— Si tu t'arrêtais un moment, si tu te décidais à écouter, tu saurais que Montier te paiera le parfum.

— Tu ne me l'avais pas dit ! protesta Elena.

Joséphine leva les yeux au ciel.

— Si, je l'ai fait ; évidemment. Mais tu ne m'écoutes jamais !

— Pourquoi ne vous asseyez-vous pas, vous deux ?

Cail leur indiqua le canapé.

— Je n'arriverai pas à vous suivre si vous continuez à me tourner autour.

Les deux jeunes femmes le rejoignirent. Elena s'assit à côté de lui, Joséphine sur le canapé en face. Ils se regardèrent quelques secondes, puis Elena lissa de ses mains les feuilles que Cail lui avait données.

— Combien... hum, combien paiera-t-il pour le parfum ?

— Suffisamment pour régler les quittances et te permettre de subvenir à tes besoins pour un an au moins, répondit Joséphine. Fourniture d'essences comprise.

Ce n'était pas vrai, mais de cela, elle s'occuperait en traitant personnellement avec les fournisseurs de Le Nôtre, qui était très satisfait des parfums que Joséphine avait composés et lui avait accordé une grande liberté d'action. Elle ne l'avait même pas dit à Cail. Elle le garderait pour elle. Elle se sentait responsable de ce qui s'était passé. Elle aurait dû chasser Grégoire de sa vie, pour la façon dont il s'était comporté avec Elena. Mais non, elle avait écouté ses explications. Et, chose bien plus grave, elle les avait acceptées.

— Admettons que ce magasin se fasse, répliqua Elena. C'est vrai qu'il y a suffisamment d'espace ici…

Elle regarda autour d'elle. La pièce était en excellent état grâce aux travaux qu'avait faits Cail, et donnait directement sur la rue.

— Au-dessus, nous pourrions trouver un endroit pour le laboratoire et de toute façon, au début, je pourrais utiliser des essences déjà prêtes… Mais comment ferons-nous pour trouver les clients ?

— La publicité, répondit Cail. Ta parfumerie ne sera pas une parfumerie quelconque. Tu es capable de sentir l'âme des gens, de leur fournir ce qu'ils désirent. Dès que la nouvelle s'en répandra, tu auras plus de clients que tu n'en pourras satisfaire.

— Exact, confirma Joséphine.

Elena était encore pensive. Elle ne pouvait nier que cet aspect de parfumerie artistique, le dialogue avec ceux qui désiraient se faire faire un parfum, était une des choses qui lui plaisaient le plus. Ça la faisait se sentir importante, c'était à ce moment-là qu'elle se transformait en interprète. C'était le point de contact entre le parfum et le client.

— Mais comment ferons-nous pour les meubles ?

— C'est facile, nous les prendrons au marché de la Porte de Vanves, la rassura Cail. J'aime restaurer les vieux meubles. Et puis ils donneront du caractère au lieu. Il faudra juste que j'installe des spots pour mieux éclairer la pièce.

— Oui, c'est une superbe idée ! s'exclama Joséphine.

Elena pensa aux grands récipients de porcelaine émaillée entassés dans l'entrepôt du magasin de sa grand-mère. Ils seraient parfaits. Quelques livres aussi peut-être, disposés bien en vue sur des étagères. Lentement, cette espèce d'apathie amère qu'elle avait traînée tous ces derniers jours se dissipa, laissant place à un espoir, à un projet concret.

— OK... économiser sur l'ameublement et la déco nous donnera une marge de sécurité, mais ça ne suffira pas.

Elle réfléchit un peu, avant de reprendre.

— Au départ je pourrais utiliser les formules des Rossini. Il s'agit de parfums très simples et naturels. Les essences ne sont pas trop onéreuses, je pourrais les utiliser au moins jusqu'à ce que j'aie la possibilité d'en créer une moi-même.

— Ou tu pourrais recourir à des produits de synthèse, lui dit Joséphine.

— Bien sûr, je pourrais, seulement...

Elle marqua un arrêt.

— Si je veux réussir, si je veux avoir une possibilité de me différencier des autres, chaque parfum devra atteindre la conscience de la personne qui le portera. Et sans sa part mystique, sans l'énergie naturelle des essences, je n'arriverai pas à créer un parfum d'exception, mais seulement un bon parfum. Et puis je ne peux pas rivaliser avec les grandes marques, sinon en fournissant des arguments absolument convaincants. Bien sûr, les produits chimiques sont bien plus économiques, et ont des potentialités infinies, mais ils manquent complètement de *mystère*.

— De mystère ? C'est-à-dire ? demanda Cail, intrigué.

— En alchimie, chaque essence naturelle est composée par la lymphe, le suc, autrement dit, sa partie physique, et par le *mystère*, qui, lui, constitue la part parfaite du végétal, celle qui renferme sa potentialité, ses vertus et ses bénéfices. C'est un champ d'énergie. Elle ne peut émaner que d'organismes vivants. Cela veut dire que les parfums créés avec des essences naturelles sont différents des parfums synthétiques. Ils vivent. Et je mettrai en œuvre toutes les techniques que je connais. Tous les secrets que m'a enseignés ma grand-mère, qui était une tenante de cette philosophie. Le parfum est vie, il se mélange à l'énergie du corps et la fortifie. Je déploierai tout leur répertoire, je chercherai dans les journaux de famille. Je pourrais corriger les parfums sur la base des exigences des clients, les recombiner au moment voulu. De cette façon, tout le monde aurait son parfum personnalisé sans avoir à attendre.

Cail était entièrement d'accord. Joséphine, elle aussi, au bout de quelques minutes, inclina la tête.

— Tu sais que tu pourras compter au maximum sur... quatre cents, peut-être cinq cents fragances au lieu de trois mille au moins.

— J'y ai pensé, répliqua Elena.

— Alors, si c'est ton choix, entendu. Je suis d'accord.

Elle marqua un arrêt, puis sourit.

— Ta grand-mère sauterait de joie. Ça faisait si longtemps que je n'avais plus entendu ce mot, *mystère*.

Ils continuèrent à discuter pendant des heures. Ils prirent des notes, s'accordèrent sur certains aspects, sur d'autres moins. Mais, à la fin, quand Joséphine décida de rentrer chez elle, les bases de la société avaient été jetées. Jasmine recevrait un loyer pour l'utilisation du local, même si elle ne le savait pas encore. Cail s'occuperait de la décoration, de la manutention, de la publicité et de la partie bureaucratique. Elena créerait les parfums et tiendrait le magasin. L'idéal serait de faire l'inauguration pour Noël, mais comme on était déjà au début novembre, ils ne décideraient à quelle date ouvrir qu'après avoir reçu toutes les autorisations.

— Tu es sûre que tu ne veux pas rester dîner ? demanda Elena à Joséphine sur le seuil.

— Non, je te l'ai déjà dit. J'ai un autre engagement.

Elle lui sourit, elle était électrisée.

— Cette idée m'enchante, ma chérie. Pense, un magasin tout à nous, un rêve qui se réalise.

Et tandis que Jo sortait, Elena comprit qu'elle ressentait le même enthousiasme que son amie. Elle rentra dans l'appartement en frissonnant. Cail était en haut. Le parfum de la sauce tomate arrivait jusqu'à elle, lui rappelant qu'elle n'avait pas touché à de la nourriture depuis le matin.

Elle monta l'escalier avec appréhension. Il y avait beaucoup de choses qu'elle voulait lui dire, d'autres qu'elle aurait aimé faire. Leur relation était une longue suite d'événements toujours renvoyés à plus tard. C'était comme si l'enfant constituait un obstacle entre eux. D'un seul coup, elle s'immobilisa. Le souvenir de Maurice lui tordit l'estomac. Et si Cail, lui aussi... mais elle n'alla pas au bout de sa pensée. Parce qu'elle savait qu'il n'y avait pas la moindre possibilité que tous deux agissent de la même façon. Cail s'était tout de suite montré heureux de l'enfant. Non, Cail n'était pas Maurice.

Il était... mais elle ne trouva pas de terme de comparaison. Il n'y avait rien dans son passé qu'elle ait pu rapprocher de leur relation. Elle savait seulement qu'il la faisait sourire, qu'elle était merveilleusement bien avec lui. Quand ils étaient éloignés l'un de l'autre, elle ne faisait que penser à lui. Et ce n'est que lorsqu'il était près d'elle qu'elle parvenait à se sentir vraiment vivante.

— Merde, marmonna-t-elle pour elle-même.

Elle aurait dû avoir une petite conversation sur l'amour avec M. Lagose. Il était fort improbable qu'elle le revoie encore, dommage.

— Dans cinq minutes j'égoutte les pâtes, l'informa Cail en l'entendant entrer dans la cuisine.

Il était penché sur la casserole, un spaghetti entre les dents. Elena sentit son cœur se serrer. C'était comme une douleur, mais douce. C'était quelque chose qui la réchauffait et l'effrayait mortellement.

— Je mets la table, lui dit-elle en s'obligeant à se bouger.

Il acquiesça distraitement. Les pâtes une fois mises dans un plat creux, il ajouta deux louches de sauce et une généreuse poignée de parmesan. Il allait l'acheter dans un magasin qui vendait des produits italiens, il le faisait depuis longtemps, avait-il raconté à Elena. Il était fou de sauce tomate. C'est une Américaine qui lui avait appris à la faire ; elle mettait de l'huile d'olive extra vierge, un petit bout d'oignon, un soupçon d'ail, des tomates mûres ébouillantées et écrasées à la fourchette, et cuisait le tout dans une poêle en argent. Au début, Elena n'y avait pas cru, alors Cail lui avait montré les photographies.

— La batterie entière devait coûter une fortune, avait-elle commenté, les yeux ronds.

Elle coupa le pain en tranches et termina de dresser la table, plongée dans ses pensées.

— Tu as vraiment trouvé le château de l'amant de Beatrice ?

Cail remplit son assiette de spaghettis.

— Mange d'abord, et après je te raconterai tout.

Elena fronça les sourcils, mais elle avait trop faim pour discuter. Et une odeur merveilleuse s'élevait de son assiette. Elle s'arrêta un instant, ferma les yeux le temps d'inspirer avec calme.

— Alors, comment as-tu fait ? lui demanda-t-elle peu après en commençant à manger.

Cail haussa les épaules.

— Il y a quelques indications de lieux dans le journal, à bien y regarder… des éléments qui vous disent quelque chose seulement si on les a déjà vus. Mais c'est juste une théorie que j'ébauche, ne l'oublie pas.

Elena secoua la tête.

— Quoi qu'il en soit, trouver la formule du Parfum Idéal n'a plus d'importance à présent. Mme Binoche achètera le parfum de Narcissus, c'est sûr.

— Et alors ? Si nous résolvons l'énigme, tu pourrais quand même utiliser la formule de Beatrice comme base pour une ligne particulière, répondit Cail.

Mais plus Elena y pensait, moins elle y croyait.

— Maintenant, nous devons nous concentrer sur le magasin. Mais tu as dit quelque chose de bizarre, avant.

Cail haussa un sourcil.

— Tu fais allusion à quoi ?

— Tu as dit que tu as reconnu le lieu, le château ?

— J'ai dit qu'il y avait de bonnes probabilités, précisa-t-il. Il n'est pas très loin de la propriété de mes parents. Alors, tu viens avec moi ?

Elena réfléchit.

— Un week-end... oui, je pense pouvoir me le permettre.

— Formidable ! s'exclama Cail.

17

Cannelle. Parfum corsé, intensément féminin. Exotique et épicé. Passionné et chaud comme le soleil des lieux lointains d'où il est issu.

Montier avait tenu parole. Et avec l'argent, les préoccupations d'Elena sur son avenir et sur celui de sa société s'étaient atténuées, tandis que sa détermination grandissait. Elle regrettait un peu de ne plus travailler au parfum de Mme Binoche. Elle y pensait quelquefois encore, mais avait de moins en moins de temps pour ce genre de choses. Le magasin était presque prêt et elle avait beaucoup à faire.

— Ici, ça va bien ?

Cail la regardait, attendant sa décision.

Elena se mordilla la lèvre, pensive.

— Un peu plus à droite. Voilà, comme ça.

Mais elle ne semblait pas très convaincue. Elle secoua la tête.

— Non… ça ne va pas. Essayons par là.

Ben lança un coup d'œil exaspéré à Cail, puis tous deux commencèrent à pousser le lourd comptoir vers le côté opposé de la pièce.

— Tu ne pouvais pas lui faire faire un plan sur l'ordinateur ? murmura Ben en ravalant un juron.

— Ferme-la et active-toi !

— Mais on l'a pratiquement mis dans tous les coins possibles !

— Et on a encore les fauteuils et la table basse à placer. Alors, épargne ta salive, ça vaudra mieux, souffla Cail.

Elena les rejoignit.

— Je ne vous entends pas si vous chuchotez, dit-elle en les dévisageant, l'œil soupçonneux.

— C'est bien ce qu'on recherche, lui répondit Ben avec une grimace.

— C'est vous qui avez été volontaires pour m'aider, protesta Elena. Vous avez dit qu'arranger les meubles serait un jeu d'enfant. Je m'en souviens parfaitement. Tu veux que je te cite les mots exacts ?

Cail leva les yeux au ciel. Puis il prit son ami par l'épaule et l'entraîna dehors.

— Elle est enceinte, Ben, tu ne peux arriver à rien avec elle, elle va te mettre en pièces et puis tu te retrouveras à lui demander pardon.

Un silence.

— C'est comme ça qu'elle te traite ? répliqua Ben.

Cail le fixa méchamment.

— Non, moi c'est une autre histoire.

— Je ne comprends pas pourquoi elle en a après moi, ce n'est pas moi quand même qui l'ai mise dans cette situation. C'est sur toi qu'elle devrait s'aiguiser les ongles.

Le front plissé, Cail était sur le point d'expliquer à son ami que l'enfant n'était pas de lui. Mais les mots restèrent coincés dans sa gorge.

— C'est que je lui plais encore, marmonna-t-il en soulevant le lourd fauteuil.

— Vous vous mariez quand ?

Cail fit entendre un grognement. Il donna un à-coup et traîna le fauteuil à l'intérieur. Ben, qui n'avait aucune intention de lâcher prise, le suivait avec un grand sourire aux lèvres.

— Tu n'as pas l'impression d'avoir sauté une étape ? reprit-il avec une certaine véhémence. D'abord on se marie, puis on met les enfants en chantier. Ta mère ne te l'a pas dit ? Je parie que si Elena est si nerveuse...

— Elle n'est pas nerveuse. Tu ne l'as jamais vue nerveuse, le coupa Cail avec agacement. Et si tu as fini, il y a une autre étagère à installer.

Ben ouvrit de grands yeux.

— Une autre ? Mais vous allez y mettre quoi, bon sang ?

— Des savons, des essences, des eaux et tout ce qui sert à faire des parfums... Tu ne l'avais pas encore compris ?

D'un geste, Cail indiqua la porte.

— Il faut mettre le distillateur en haut, dans le laboratoire d'Elena. Et fais attention, c'est très fragile.

Ben décida qu'à partir de ce moment-là il se tairait. Chaque fois qu'il émettait une protestation, Cail lui trouvait quelque chose d'autre à traîner, dépoussiérer, bouger...

— J'entends un portable, dit brusquement Elena.

Non loin d'elle, à côté de l'étagère des parfums, il y avait la grosse veste de cuir de Cail.

— C'est le mien, répondit-il.

Elena était plus proche, elle s'en empara puis le lui tendit.

— McLean, annonça Cail sans regarder qui appelait. Quoi ? ajouta-t-il, après un instant. Comment est-ce arrivé ? Calme-toi, maman, calme-toi et répète-moi tout depuis le début.

Son expression était tendue, sa voix dure.

Elena s'approcha. Elle lui effleura le bras et Cail chercha sa main pour la serrer.

— Où est-il maintenant ?

Il attendit quelques secondes, puis se passa la main dans les cheveux.

— OK. Je prends le premier vol. J'arrive.

Il referma le portable, puis saisit la veste qu'Elena lui tendait.

— Mon père a eu un accident de voiture. Il faut que je parte tout de suite.

Ben l'observait en silence.

— Je peux faire quelque chose ? lui demanda-t-il.

Cail inclina la tête.

— Finis d'aider Elena, s'il te plaît.

Elle l'accompagna à la porte.

— Je suis vraiment désolée, Cail.

— Je t'appelle plus tard. Ben portera à l'intérieur le reste des meubles. Téléphone à Jo, dis-lui que je ne sais pas quand je rentrerai et que tu as besoin d'aide, répliqua-t-il sans s'attarder.

— Je peux très bien me débrouiller toute seule, lui répondit-elle en le suivant dans l'entrée.

Cail fit volte-face, excédé.

— Putain, Elena, pourrais-tu faire pour une fois ce que je te demande ?

Il n'attendit pas sa réponse, il la planta là et descendit l'escalier en courant.

Elena resta sur le seuil. C'était la première fois que Cail lui parlait de cette manière et, bien qu'elle ait compris qu'il était bouleversé, elle était blessée par le regard qu'il lui avait lancé, par la dureté de son ton.

Ils avaient presque fini de ranger, quand Cail passa de nouveau devant l'appartement. Elena le vit se diriger vers la porte d'entrée de l'immeuble. Il ne lui avait même pas fait un signe d'au revoir. Elle se retourna, s'obligeant à se concentrer sur les flacons qu'elle déballait.

— Elena, tu peux venir un moment ?

Elle releva la tête. Cail était devant elle.

— Tu n'étais pas parti ?

— Je suis revenu. Je peux te parler un instant ?

Elena ne répondit pas. Cail lui tendit la main pour l'aider à se lever.

— J'y arrive toute seule.

Un long soupir, puis Cail lui désigna la porte qui donnait sur l'entrée.

— Viens, sortons.

Une fois dehors, ils se regardèrent en silence.

— Tu ne t'es pas dit qu'il ne s'agit pas uniquement de toi ? C'est peut-être moi qui ai besoin de te savoir en sécurité. Peut-être que je ne peux pas partir avec la pensée que tu vas te retrouver seule.

Elena croisa les bras.

— Je ne suis pas une incapable.

— Tu es enceinte, Elena ; pas incapable, mais enceinte. Tu te souviens de la fois où tu as failli tomber dans l'escalier ?

— Mais je ne suis pas tombée ! Tu ne peux pas te prendre la tête pour quelque chose qui ne s'est pas passé. On ne peut pas vivre comme ça, protesta-t-elle.

Il la considéra un instant, puis plissa les yeux.

— OK, d'accord. Comme tu veux. Alors je reste.

Il attrapa le sac à dos qu'il avait posé à côté de la porte et repartit vers l'escalier qui menait à son appartement.

Elena le suivit du regard, et ravala un juron. Cet homme était impossible.

— D'accord ! J'appellerai Joséphine ! cria-t-elle dans son dos.

Il s'arrêta, puis la rejoignit.

— Promets-le.

— D'accord, d'accord… je le promets, dit-elle à contrecœur. Maintenant, dépêche-toi, ta famille t'attend.

Cail s'inclina vers elle, lui effleura la joue de ses lèvres.

— Merci, murmura-t-il.

Elena retint son souffle. Elle était en colère, inquiète, elle voulait l'embrasser, et tout cela à la fois. Il était arrivé au portail d'entrée quand elle le rappela.

— Et John ?

— Ben s'en occupera. Rentre maintenant et couvre-toi, lui ordonna-t-il sèchement.

— Ne me parle pas de cette façon, Cail. Je n'aime pas ça.

Il se raidit.

— Alors, fais comme je te dis. Nous en reparlerons à mon retour.

— Peut-être, ou peut-être pas, rétorqua-t-elle alors qu'il s'éloignait.

Elle avait une envie folle de casser quelque chose. Il se prenait pour son père, maintenant ? Elle n'était pas une gamine. Il n'avait pas à lui donner des ordres.

Cail resta absent une semaine. Les conversations téléphoniques furent brèves, monosyllabiques. Les deux derniers jours Elena ne répondit plus. Elle mourait d'envie de l'entendre et de le voir. Et cela la faisait enrager. Mais elle ne céderait pas. Il avait dépassé les bornes.

Quand il revint, le magasin était pratiquement prêt à être inauguré. L'autorisation pour la vente était tout de suite arrivée grâce au patron de Colette et Joséphine avait fait le reste en ayant recours aux fournisseurs de Le Nôtre. Il fallait encore une autorisation pour le laboratoire, mais ce n'était pas le plus important pour le moment.

— Salut.

— Salut.

Elena garda les yeux fixés sur les flacons qu'elle était en train d'arranger. Elle ignora les battements frénétiques de son cœur et s'obligea à continuer.

— Vous avez fait un excellent travail.

— Oui, répliqua-t-elle. En effet.

Elle était nerveuse, ses doigts tremblaient. Il vint près d'elle et lui tendit une rose.

— On fait la paix ?

— Je n'aime pas qu'on me donne des ordres.

— Moi non plus.

— Bizarre, parce que tu avais l'air d'un foutu dictateur. Ça t'allait comme un gant, crois-moi.

Cail continua à lui agiter sous le nez la merveilleuse fleur. Ses pétales étaient d'une chaude couleur dorée qui sur les bords virait rose carmin.

— Elle s'appelle Paix, reprit-il.

Elena sentit le parfum léger et fruité qui s'échappait de ces pétales satinés ; fascinée, elle l'accepta.

— Mais son deuxième nom est Joie.

— Comment est-ce possible ?

Cail lui caressa le visage du pouce. Elena était pâle et avait des cernes profonds sous les yeux.

— Parce que chaque pays lui a donné un nom. En Italie, elle est devenue Joie, en Amérique elle a été Paix, en Allemagne Gloria Dei. Pour Meilland, son créateur, elle était simplement Madame Meilland, et elle a décidé du sort de cette famille qui, mise à genoux par la Seconde Guerre mondiale, a réussi grâce à elle à se relever et à gagner une fortune.

Il marqua un arrêt, puis lui releva le menton du bout du doigt.

— Alors ? On fait la paix ?

Elena inclina lentement la tête, mais resta toute raide dans ses bras. Y compris quand il la serra fort contre sa poitrine, pressant ses lèvres sur sa tempe.

Le père de Cail avait été tamponné, mais s'en était sorti avec un bras et quelques côtes cassés. C'est tout ce qu'il lui raconta de son voyage. Il n'avait pas envie d'en parler et Elena n'insista pas. Ils avaient bien d'autres préoccupations.

Les jours suivants furent consacrés aux préparatifs de l'inauguration. Tout leur temps, toute leur énergie y passait. Et Cail semblait contrarié. Ses regards sombres, presque furtifs, n'avaient pas échappé à Elena.

— Il nous faudra remettre à plus tard le voyage au château de Beatrice, lui dit-il un soir.

Ils étaient assis sur la première marche de l'escalier, épuisés. Cail venait juste de finir d'installer les extincteurs dans le laboratoire. Pour le moment, Elena se bornerait à utiliser des essences déjà prêtes, mais dès que l'autorisation arriverait, elle s'emploierait à les extraire elle-même.

— Sans doute, admit-elle, pensive.

Elle demeura silencieuse un moment, puis lui effleura la main.

— Quel genre de femme penses-tu qu'était Beatrice ? Je veux dire, ça fait quelque temps que nous lisons son journal... tu es arrivé à te faire une idée ?

Cail fixa un point du plafond, serra les lèvres.

— C'était une rêveuse. Elle a eu son heure de gloire, mais ça ne lui a pas suffi. Rien ne lui suffisait jamais. C'était l'un de ces êtres qui ne se sentent jamais satisfaits, qui doivent toujours prouver quelque chose, aller plus loin.

Sa voix était plate, lointaine. Trop intense, ce qu'il disait là, trop personnel.

— On dirait que tu parles de quelqu'un que tu as connu.

Cail haussa les épaules.

— Et toi, que penses-tu d'elle ?

— Qu'elle a suivi son cœur. Et je ne pense pas que ce soit une mauvaise chose.

— Non, mais elle en a payé le prix.

— Tout a un prix, Cail. Après, chacun décide s'il est disposé à le payer et prendre des risques, ou s'il vaut mieux reculer et rester à regarder quelqu'un de plus courageux.

— Nous sommes en train de parler de Beatrice, c'est bien ça ?

— C'est bien ça.

Elle retira sa main. Cail détourna le regard.

— Je regrette un peu d'avoir à remettre le voyage, dit Elena.

Elle aurait voulu approfondir ce qu'avait dit Cail, mais il était plongé dans ses pensées, l'œil noir, l'expression sévère, alors elle se mit à babiller pour remplir ce fossé qui s'était soudain creusé entre eux.

— Beatrice, sa vie, son amour malheureux. C'est une énigme fascinante. Tu sais, je pensais au parfum qu'elle a créé. Tout le monde, dans ma famille, en a toujours parlé comme s'il s'agissait de la fragrance par excellence, le meilleur parfum du monde, capable de changer l'humeur de quelqu'un. Un véritable élixir. La pierre philosophale du parfum. Je me demande ce qu'étaient ses ingrédients de base...

Cail bâilla.

— Je ne pense pas qu'ils aient été très différents de ceux d'aujourd'hui... Peut-être en existait-il moins. Beaucoup de substances ont été récemment découvertes. Non ?

— Si. Mais ça ne réduit pas le nombre d'ingrédients, parce que du temps de Beatrice il existait des essences aujourd'hui introuvables, comme la civette, les muscs, les racines et certaines qualités de santal, sans même parler de l'ambre gris.

Cail réfléchit un instant.

— Que dirais-tu de poursuivre nos recherches au printemps ? Le magasin sera déjà lancé.

— Oui, ça paraît la meilleure solution.

À ce moment-là elle se rendit compte que Cail semblait redevenu l'homme qu'elle avait rencontré à son arrivée à Paris. Taciturne, laconique.

— Tu es encore curieux de découvrir la formule cachée dans le journal ?

— Je ne sais pas s'il s'agit seulement de cela, ou simplement de savoir si j'ai vu juste. Mais je veux aller jusqu'au bout.

Il lui caressa les cheveux et elle ferma les yeux, posant la tête sur son épaule.

— J'aime le nom que tu as décidé de donner au magasin.

Elena se redressa et lui sourit.

— Vraiment ? « Absolue », la partie la plus pure de l'essence... oui, je l'aime beaucoup moi aussi.

— Demain matin je passerai prendre les *flyers*. Nous les distribuerons un peu partout.

Elena soupira.

— Tu sais que je craignais qu'ils n'arrivent pas à les faire à temps ?

Cail fronça les sourcils.

— Pourquoi ?

— Eh bien, tu sais... on est presque à Noël. Certaines boîtes ferment à cette période.

— Nous, par contre, nous ouvrons, répliqua Cail avec un sourire qui eut pour effet de lui serrer le cœur.

Noël, ils étaient presque à Noël. Elle détourna le regard.

— Quand pars-tu ? lui demanda-t-elle.

Cail l'observa bizarrement.

— Pour aller où ?

— Tu ne rentres pas chez toi pour les fêtes ?

Elle essaya de rester impassible. Mais la pensée de passer ces jours seule la plongeait dans une profonde tristesse.

— Je suis déjà chez moi. Et puis c'est notre premier Noël ensemble. Ça mérite d'être célébré, tu ne crois pas ? Et pour le nouvel an, on pourrait sortir, faire quelque chose de spécial. Mais c'est moi qui cuisinerai... Enfin, tu pourras aussi faire un gâteau si tu veux.

— Bien sûr. Parfait.

Elle était si heureuse, si surprise qu'elle ne put en dire plus.

Ils parlèrent encore un peu, puis il lui effleura les lèvres d'un baiser et lui souhaita une bonne nuit.

Une fois au lit, Elena resta des heures à fixer le plafond, écartant les pensées, les questions, tout ce qui la préoccupait. Depuis qu'elle était arrivée à Paris, elle avait appris à vivre dans le présent, et pour la première fois elle avait l'impression d'être en plein dans le mille. Il lui semblait que par le passé elle avait tout fait pour éviter ce qu'elle désirait vraiment. Elle s'était acharnée à tourner autour, voilà. N'importe quoi, pourvu qu'elle se tienne éloignée du parfum. Mais il avait trouvé le moyen de se faire entendre.

Elle pensa aussi à Cail... Parfois, cet homme était une énigme. Mais, de quelque façon que les choses se passent, il était toujours là. Il était là, comme une certitude. Elle n'était pas prête pour l'instant à faire le point sur les sentiments qu'elle éprouvait pour lui, elle le savait. Elle décida d'affronter un problème à la fois. Faire autrement n'avait aucun sens. Elle savait seulement que chaque moment passé avec lui était beau. Cail le rendait unique, magique.

Enfin, elle ferma les yeux, dans cette frontière indécise qui sépare la veille du sommeil, et se laissa emporter par la fatigue.

Il avait plu toute la journée. Elena allait et venait dans le magasin, attentive à chaque détail, elle déplaçait quelques flacons, disposait plus avantageusement un présentoir, et souvent caressait son ventre. Le poids du bébé commençait à se faire sentir. De temps en temps elle regardait nerveusement vers la fenêtre. Joséphine faisait les cent pas, Cail bavardait avec Ben. Ce soir-là, il y avait aussi Colette, la compagne de ce dernier. Tout était prêt, le champagne, les verres, le buffet.

Il y aurait beaucoup de monde et quelques journalistes. C'était le grand soir. Ce soir, on inaugurait Absolue.

— Heureusement, ça s'est arrêté.

Joséphine s'était approchée de la fenêtre, avait soulevé le rideau et examiné le ciel.

Un long soupir, puis elle se tourna vers Elena.

— C'est ce que tu voulais, n'est-ce pas ?

— Qu'il cesse de pleuvoir ?

— Non, je veux dire Absolue.

Elena fronça les sourcils.

— Pourquoi me le demandes-tu de cette façon ?

— Je ne voudrais pas t'avoir forcé la main. Tu n'as pas l'air heureuse.

Elena secoua lentement la tête. Elle était très jolie dans sa robe de soie noire, les cheveux tressés. Mais son regard trahissait sa nervosité.

— Il y a des moments où j'éprouve une joie tellement forte qu'il me semble exploser. C'est effrayant, tu sais... D'autres où les inquiétudes me paralysent, comme un vent glacé qui vous pénètre, vous saisit, et la seule chose à faire est d'attendre que les frissons cessent. La gynéco m'a dit que les sautes d'humeur sont normales pendant la grossesse. Mais je ne sais pas s'il s'agit de ça, ou simplement de la conscience qu'une nouvelle chance m'a été donnée. Quelque chose qui doit réussir à tout prix, parce qu'il n'y a pas d'alternative. Avant, la vie glissait sur moi. C'était commode. Absolue est une frontière entre ce que j'étais et ce que je vais devenir. Et c'est aussi un avertissement, ça me rappelle ce que je ne dois plus jamais faire.

Joséphine détourna le regard.

— Se laisser porter par le courant semble parfois la seule chose à faire. Puis un jour on se réveille et on se rend compte que tout a été décidé, mais pas par vous. La commodité a un prix très élevé. C'est comme rester avec un homme qu'on n'estime pas, avec lequel on ne réussira jamais à construire quoi que ce soit.

Elle marqua un arrêt et se passa la langue sur les lèvres.

— Quand il vous transporte au septième ciel, on pense que ça ne fait rien, qu'on n'a pas besoin de construire quelque chose pour être heureuse. Puis le matin suivant on se contemple dans le miroir et on voit une nouvelle ride. On commence à se poser des questions, on garde le téléphone à côté de soi, le souffle bloqué, en attendant un appel qui n'arrive pas, murmura-t-elle. On disparaît, petit à petit, et l'autre prend toute la place qu'on lui a laissée. Bien sûr, il vous reste toujours le travail, la famille. Et je suppose que ça suffit à certains. Je t'admire, tu sais, tu es différente.

La voix de Joséphine avait baissé de quelques tons.

Elena fronça les sourcils.

— Alors là, ça mérite une explication.

— Je t'ai toujours admirée pour ta capacité à trouver des combinaisons merveilleuses, des fragrances capables de vous emporter dans leur magie. C'était quelque chose que je désirais pour moi-même. Ne m'interromps pas, s'il te plaît.

Elle marqua un arrêt.

— Je pense aussi t'avoir détestée pour cela, parfois. Pas dans le vrai sens du terme, ne te méprends pas, s'il te plaît, s'empressa-t-elle de préciser, en cherchant la main d'Elena. Tu as dépassé les limites que tu t'étais imposées. Tu vis. Tu as juste fléchi un peu, mais tu continues à tout affronter.

— Ce n'est pas moi qui ai décidé, et tu le sais. J'avais d'autres plans, puis les choses sont allées dans une direction différente. Le fait est qu'il ne me restait rien d'autre à faire que chercher une nouvelle voie... qui en réalité était l'ancienne.

Elle roula des yeux.

— Oh là là, je m'embrouille...

Elle replaça une mèche de cheveux derrière son oreille, puis sourit.

— Mais j'aime bien ta façon de transformer la vérité. Tu as toujours été très forte pour me remonter le moral.

De nouveau cette sombre mélancolie dans les yeux de Joséphine. Elena feignit une gaieté qu'elle ne ressentait pas ; les mots de son amie l'avaient troublée. Et elle éprouva le besoin de parler d'autre chose.

— Merci pour les fleurs, lui dit-elle, à propos des petits bouquets de roses séchées que Joséphine avait réussi à se faire expédier de Grasse.

Elle les avait disposés au centre de l'une des tables et, en plus de parfumer la pièce entière, elles étaient très belles à voir. C'étaient de petits boutons qui gardaient encore leurs couleurs d'origine et dégageaient une merveilleuse senteur.

— Tu es prête ? C'est l'heure d'ouvrir.

— Oui, je suis prête.

Elle inspira profondément et Joséphine ouvrit toute grande la porte qui donnait sur la rue. Cail avait allumé le spot qui éclairait l'enseigne du magasin. Tout était prêt. Pendant un long moment, où absolument rien ne se passa, le silence régna, tous les yeux fixés sur l'entrée.

— Que diriez-vous d'un toast ? On ne peut pas faire une inauguration sans un toast, dit Ben, rompant la tension.

Il sortit du petit réfrigérateur portable une bouteille de champagne et après l'avoir débouchée remplit les coupes.

— Il est bon, commenta Joséphine.

— Un peu, qu'il est bon !

Ben se lança dans une explication détaillée sur les origines de ce vin que produisait l'un de ses amis du nord de la France. Mais bientôt Elena perdit le fil de son discours. Elle était tendue, elle était préoccupée. Même si elle ne s'était jamais sentie aussi vivante.

Les premières personnes arrivèrent. Une, deux, cinq. Tout à coup, le magasin fut plein. Joséphine s'approcha de l'entrée, Cail alla derrière le comptoir. Elena rejoignit l'autre table. Il y avait beaucoup de spécialistes, invités par Joséphine. Des gens qui travaillaient dans le domaine de la parfumerie, des mannequins, des préparateurs, des publicitaires. Puis arrivèrent les collègues de Cail, ceux de Ben et de Colette.

Le cœur d'Elena battait fort. Elle parla un peu avec un journaliste, prit date pour quelques interviews. Elle répondit aux questions les plus banales et les plus étranges. Et puis elle fit sa première vente.

— Bonsoir. Est-il vrai que vous préparez des parfums sur mesure ? lui demanda un homme d'environ trente-cinq ans.

Il avait un regard gentil, le visage émacié, des yeux à fleur de tête.

Sur mesure... C'était une définition bizarre, mais elle était juste, en un certain sens, pensa Elena.

— Nous préférons les appeler les parfums de l'âme.

— Vraiment ? Et pourquoi ? Je veux dire, l'âme a un parfum ?

Mais avant qu'Elena puisse lui répondre, il s'était tourné.

— Et ça ? interrogea-t-il en montrant une pyramide d'emballages colorés.

— Ce sont des eaux parfumées obtenues par la distillation d'herbes et de fleurs. Vous aviez déjà une idée ou vous voulez encore jeter un coup d'œil ?

— Aucune idée. Je ne suis pas fort pour faire des cadeaux. Mais cette fois... Ma femme et moi traversons vraiment une mauvaise période. J'ai des journées de travail très chargées, j'enchaîne les heures supplémentaires, et quand je rentre chez nous je suis mort de fatigue. Elle ne supporte plus ce rythme. Elle dit que je la néglige.

Il marqua un arrêt. Son sourire s'assombrit.

— C'est vrai, vous savez... que je la néglige. Alors, quand j'ai vu la publicité pour votre parfumerie, j'ai pensé que peut-être il y aurait chez vous quelque chose de spécial. Bref, vous mettriez son nom sur le parfum, n'est-ce pas ?

C'était un client. Son premier client. Elena décida qu'elle lui donnerait ce qu'il voulait, à tout prix.

Elle lui sourit, essayant de le mettre à l'aise, parce qu'il était presque plus nerveux qu'elle. Il n'avait fait que se dandiner d'un pied sur l'autre, jeter des regards circulaires, passer le bout du doigt sur la surface de la table. L'anxiété transparaissait dans ce regard qui sautait d'un côté à l'autre, et était contagieuse.

— Oui, c'est l'une des choses que nous faisons. Parlez-moi un peu de votre femme, quel genre de fleurs préfère-t-elle ? Quel est le parfum qu'elle utilise le plus ?

— Je ne sais pas... C'est important ?

Une profonde respiration. Elena savait qu'elle pouvait y arriver. Elle commencerait par le début, entraînant son client dans son raisonnement.

— Pourquoi désirez-vous que votre femme ait un parfum spécial, monsieur... ? lui dit-elle en lui tendant la main.

— Leroy, Marc Leroy.

— Elena Rossini, enchantée.

Elle lui serra la main et il sembla se détendre.

— Vous étiez en train de me parler de votre femme. Vous cherchez un parfum particulier... Pourquoi donc ?

Marc se mordit la lèvre, une ride s'était formée entre ses sourcils. Il parut réfléchir attentivement.

— Comme ça, elle comprendrait que je pense à elle. Il s'agirait d'une odeur qu'elle porterait, elle, et personne d'autre.

— Ce parfum personnifierait votre femme.

— Voilà. C'est exactement ce que je voulais dire.

— Il serait unique comme elle, c'est ça ?

— Oui, oui. Unique.

— Revenons aux fleurs. Vous vous rappelez l'une ou l'autre de ses préférences ?

Question difficile, le regard de l'homme redevint vide, puis brusquement s'éclaira.

— Les roses, elle aime beaucoup les roses blanches.

Merci, Seigneur, pensa Elena. Elle avait un bon stock de diverses eaux de roses, des centifolia aux roses bulgares.

— Il y a une couleur que votre femme aime particulièrement ?

— Le vert, répondit l'homme, heureux de s'en être souvenu.

Elena avait quelque chose de prêt, qui pouvait aller même si c'était une simple eau parfumée.

— Venez, je vais vous faire sentir quelque chose qui pourrait vous convenir. Avec des notes d'agrume et la fraîcheur de la menthe. Mais ce n'est pas un parfum. Pour cela, il faut du temps, un mois au moins, et je crois comprendre que vous voudriez emporter votre cadeau aujourd'hui.

— Oui, tout de suite.

— C'est bien ce que je pensais. Voilà, sentez si cela vous plaît.

Elena ouvrit un flacon, prépara une *mouillette* et la tendit au client.

Il inspira, puis ferma les yeux, et inspira encore.

— Ça me plaît, c'est délicat, mais on sent vraiment bien l'odeur. Je le prends.

Elena prépara le paquet et glissa sous le ruban une carte de visite aux couleurs et au logo d'Absolue.

— Alors, vous écrivez dessus Marie Leroy.

Elle fit comme le lui avait demandé le client et, une fois le paquet terminé, y vaporisa quelques gouttes de vanille.

— Et pour le parfum, comment fait-on ? demanda Marc.

— Parlez un peu avec votre femme, qu'elle vous dise tout ce qui lui vient à l'esprit, parce qu'il faut beaucoup de réponses pour pouvoir faire un parfum personnalisé. Il doit vous plaire à vous aussi, mais la personne qui le porte doit le ressentir comme sien. Ne vous limitez pas aux objets, faites-lui raconter ses rêves, ses ambitions, ses désirs les plus cachés, et puis revenez me voir.

— Ses désirs cachés.

Il avait l'air grave en répétant ces mots. De tout ce qu'Elena lui avait dit, il semblait que seuls ces deux mots aient de l'importance. Il ne savait donc rien des désirs les plus profonds de sa femme. Oh, mais il comblerait bientôt cette lacune. Elena l'aurait parié.

Le parfum était le sentier, le parcourir signifiait trouver le chemin.

Toujours et en quelque situation que ce soit.

Qui a dit que les gens disparaissent avec la mort ? Ce n'est pas vrai. Il y a des moments où leur présence est incisive, puissante. Elena se trouvait face à l'un de ces moments-là. Les mots de sa grand-mère n'étaient plus un écho lointain. Jamais comme en cet instant elle n'en comprit pleinement la signification.

Tandis qu'elle observait le client qui sortait du magasin avec son bagage de pensées et son sachet à la main, le regard d'Elena croisa celui de Cail. Elle sentit un frémissement dans sa poitrine, comme à chaque fois qu'il la regardait de cette façon. Elle le désira ardemment, elle voulait le rejoindre et l'étreindre, mais il se retourna et après un instant elle revint à son travail, pour servir un autre client.

18

Géranium. Concret, énergique, rappelle le parfum de la rose sans avoir son raffinement. Fleur féminine par excellence, il est symbole de beauté, d'allure et d'humilité.

Ce fut un succès. Le jour suivant, les clients revinrent, ne fût-ce que pour jeter un nouveau coup d'œil sur le magasin. Elena souriait, expliquait et se souvenait.

C'était peut-être la chose qu'elle avait faite le plus, se souvenir : de mots, d'instants, de séquences entières. C'était comme s'ils avaient toujours été là, attendant qu'elle se décide à les prendre en considération, qu'elle soulève le voile du passé. Ils étaient familiers, exempts de cette légère stupeur qui accompagne les nouvelles découvertes et qui laisse un sentiment de prudence et de crainte.

Mais elle connaissait, ou plus exactement, reconnaissait tout.

Elle commença à créer des parfums. D'abord mentalement, rappelant à elle l'odeur de chaque essence, puis les unissant une à une, imaginant ce qu'elles donneraient ensemble. Dans ces moments-là, elle travaillait fiévreusement, se laissant emporter par les émotions que faisaient naître ces odeurs. Parce que chacune d'entre elles était comme un mot, mais sans barrière linguistique.

Le parfum était depuis toujours la plus subtile, immédiate et efficace méthode de communication.

Elena composait mentalement les parfums en partant des notes de tête, puis elle y unissait celles de cœur, et enfin celles de fond. Avant qu'elle ne commence à le créer concrètement, le parfum était déjà prêt en elle. Mais l'élément vraiment important était la conscience d'être enfin heureuse. À chaque fois qu'elle utilisait la première essence, qu'elle en inhalait la fragrance, elle sentait la joie l'envahir. Elle éprouvait, dans ces moments-là, une sorte de plénitude. Il lui semblait alors être enfin réunie à une part d'elle-même perdue puis retrouvée.

Elle prépara des fragrances de toutes sortes. De celles qui rappelaient des nuits passionnées à celles qui évoquaient de fraîches promenades en montagne ou des flâneries dans les chauds jardins ensoleillés et fleuris de l'Italie du Sud. Ciste, citron, menthe et puis rose, santal, iris, violette, musc, en passant de notes fruitées à d'autres plus intenses, presque hypnotiques.

C'était l'émotion qui guidait sa main, ou l'histoire qu'elle désirait raconter.

Et cela l'amenait à repenser à Notre-Dame et au parfum de Mme Binoche. Elle avait regretté de devoir interrompre ce projet. Les mots n'auraient jamais pu exprimer l'émotion qu'on ressentait en entrant dans la cathédrale, ils n'en auraient montré qu'une partie. Le parfum, en revanche, serait allé directement à la source de la conscience, à sa source jaillissante, et là aurait agi.

Tout le monde aurait compris, sans distinction aucune.

À la différence des mots, les odeurs arrivaient droit aux sens. L'odorat est le premier des sens dans l'absolu, parce qu'il se niche dans les replis obscurs de l'âme et réagit aux sollicitations selon une série d'archétypes olfactifs nés avec l'être humain. Il est émotion pure.

Elle réfléchit un peu, puis finalement se décida à donner ce coup de téléphone auquel elle songeait depuis longtemps. Un soir, assez tard, elle appela. Geneviève répondit tout de suite.

— Madame Binoche ?

— Oui.

— Bonsoir, c'est Elena Rossini.

— Enfin. Je désespérais de parvenir à vous entendre encore. Comment allez-vous ? On m'a dit à la parfumerie que vous aviez quitté votre travail.

— Oui, en effet. Je voulais vous parler du parfum de Notre-Dame.

Elle s'interrompit, rassembla à la hâte ses mots et reprit :

— J'avais préparé une version assez dans la ligne de votre idée initiale et j'avais l'intention de vous la montrer dès que je l'aurais terminée. Il y avait des choses qui ne me convainquaient pas. Mais la situation s'est… compliquée. Maintenant, je ne sais pas bien ce qu'ils ont décidé de faire chez Narcissus. Vous pourriez leur demander de vous donner à sentir quelques propositions.

Elle fit une autre pause. C'était une conversation difficile. Elle avait pris un engagement et n'avait pu le mener à son terme. Que la responsabilité ne lui en incombât nullement n'était qu'un détail.

— Je ne pense pas le faire, ou plutôt, à vous dire la vérité, j'ai déjà signifié à M. Montier que le parfum qu'il m'a proposé ne m'intéresse pas. Je n'ai même pas voulu le sentir, dit Geneviève Binoche après avoir poussé un long soupir. Vous savez, ces choses-là, pour moi du moins, sont le fruit d'une sorte de feeling. J'ai besoin de regarder en face les gens à qui j'ai affaire. Et je dois pouvoir leur faire confiance. Je suis quelqu'un de très instinctif. Ce travail... l'essai que j'écris sur *Notre-Dame* est extrêmement important. J'aurais aimé le compléter par le parfum. Ç'aurait été un lancement parfait. Le hic, c'est que je voulais que ce soit vous qui vous en occupiez.

Elle marqua un arrêt.

— Tant pis. Probablement les choses devaient-elles se passer ainsi. Dites-moi, allez-vous bien ?

— Oui, vu la situation, répondit Elena. J'ai ouvert une parfumerie artistique, qui pour le moment suscite beaucoup d'intérêt, en tout cas beaucoup de curiosité.

Geneviève s'éclaircit la voix.

— Je pourrais venir vous voir... J'aimerais bien bavarder avec vous. Je n'ai pas compris la différence entre les parfums griffés et ceux que vous créez. Ils ne sont pas faits de la même façon ?

— Pas vraiment ; à part les compositions, qui dans les industries sont en général de nature synthétique, alors que dans les boutiques artisanales elles sont presque toujours à base d'huiles essentielles, le projet au départ est substantiellement différent. Et puis le client, le destinataire final n'est plus l'individu moyen, standardisé, mais une personne bien précise, avec des exigences particulières, une personne unique, à tenir en grande considération parce que le parfum naît pour elle et doit avoir en lui tout ce qu'elle désire et qui l'identifie. C'est un peu ce que nous disions en parlant du projet de Notre-Dame.

— Extraordinaire, fit Geneviève au bout d'un long instant.

— Venez me voir, répondit Elena. Nous approfondirons le sujet, je vous montrerai mes notes, peut-être vous seront-elles d'un certain secours, même s'il me semble comprendre que la première rédaction de l'essai est déjà finie. La parfumerie se trouve dans le Marais, rue du Parc-Royal.

— Ah, bien ! Le Marais est un quartier magnifique. J'en toucherai un mot à Adeline. Nous viendrons ensemble. Je suis vraiment heureuse que vous m'ayez appelée. Je savais que je ne m'étais pas trompée sur votre compte.

— Je suis impatiente de vous voir, répondit Elena, cependant qu'une chaleur réconfortante se répandait dans sa poitrine, lui remontant le moral. Saluez pour moi votre belle-sœur. À bientôt.

La veille de Noël, ce fut du délire. Cail dut rester dans le magasin pour aider Elena. Même Ben fut enrôlé. Joséphine avait dû partir de nouveau et serait absente pour toute la période des fêtes.

Elena espérait que ce voyage en Russie avec le staff de Le Nôtre aiderait son amie à faire le point sur ses sentiments pour Grégoire. Joséphine était de plus en plus irritable et malheureuse.

Le magasin était devenu le seul terrain sûr dont on pouvait parler et sur lequel on pouvait se rencontrer.

Finalement, ils avaient été obligés de commander des parfums artisanaux réalisés par d'autres parfumeurs. Ceux qu'Elena avait créés ne seraient pas prêts avant quelques mois. Absolue ne pouvait continuer rien qu'avec des talcs, des crèmes et des savons, aussi avaient-ils décidé de proposer des produits confectionnés par d'autres, mais bien sûr d'excellente qualité. Les *bouquets* étaient simples, rattachés surtout aux saisons et aux états d'âme. Et les clients les appréciaient. L'impératif était que chaque fragrance soit composée de substances naturelles.

La parfumerie à la mode, scintillante, faite de glamour et de produits de synthèse, était un univers éclatant, à certains égards extraordinaire, mais n'était pas l'affaire d'Elena Rossini. Elle le savait maintenant avec certitude.

— Tu es prête ?

Elena venait juste de fermer la parfumerie et était assise sur l'un des canapés.

— Bien sûr, tout ce qu'il y a de plus prête.

Cail l'aida à mettre son lourd manteau.

— Il t'est un peu petit, dit-il en fronçant les sourcils.

— Plus rien ne me va, marmonna Elena en effleurant son ventre.

Sortir à l'air libre fut comme se heurter à un mur de glace.

— C'est dingue, ce froid, grogna Elena.

Cail passa un bras autour de ses épaules et l'attira à lui.

— Ça va passer, tu verras.

— Mais comment fais-tu ? Je veux dire, regarde-toi, tu as une veste, ouverte, par-dessus le marché, et dessous, quoi ? Un chandail ? Mais de quelle laine est-il fait pour te réchauffer de cette façon ?

Elle était indignée. Cail n'avait jamais froid.

— Je suis écossais, ce doit être pour ça.

Cail sourit en marchant d'un bon pas.

— Regarde, nous sommes presque arrivés, lui dit-il en montrant le pont qui conduisait à l'île de la Cité.

Lumière et or : où qu'on regardât, ils dominaient la nuit, se reflétaient sur la Seine, se détachaient sur le ciel. Le pont, lui aussi, n'était rien d'autre qu'une longue bande dorée. Elena et Cail marchaient en silence, se tenant par la main, plongés dans cette atmosphère qui réjouissait le cœur, dans ces parfums de fête qui donnaient l'envie de mettre de côté les mauvaises pensées, parce qu'il n'y avait pas de place pour elles devant tant de splendeur. Les chants de Noël en arrière-fond jouaient aussi leur rôle.

Et alors ce fut simple de se laisser aller, de sourire, de jouir de ce spectacle qui était une fête pour l'âme. Le religieux n'avait pas d'importance.

Elena ne pratiquait plus depuis des années, Cail pas davantage. Mais en ce moment-là, en ce lieu, il y avait tout ce que le génie humain avait pu créer de plus beau. Et c'était en tout cela, à la projection de cette idée du Bien, que tous deux croyaient fermement.

Quand ils arrivèrent aux portes de Notre-Dame, la messe de six heures avait déjà commencé. Ils cherchèrent un coin où s'asseoir et restèrent jusqu'à la fin, et même au-delà, à écouter le chœur de voix d'enfants qui après une pause se remit à chanter. La mélodie s'élevait vers les hauteurs et rejoignait chaque coin de l'église. L'encens se mélangeait à la cire fondue, à la fumée et à la myrrhe, au parfum des siècles passés.

Elena ferma les yeux, Cail lui avait enlevé ses gants et la tenait serrée. Sa peau était chaude, réconfortante. À ce moment-là, la jeune femme se rendit compte qu'elle éprouvait quelque chose qui, si ce n'était du bonheur, y ressemblait terriblement.

— Oh, il neige.

Le visage tourné vers le ciel, Elena sentait sur sa peau les flocons qui se dissolvaient en gouttes glacées.

Cail lui essuya le visage avec un bout de son écharpe.

— C'est juste un petit crachin.

— Mais aujourd'hui c'est la veille de Noël, c'est particulier.

Il s'approcha d'elle, prit son visage dans ses mains et la regarda longuement.

— Viens, rentrons à la maison.

Elena était émue. Cet homme parvenait à la faire se sentir si bien, il lui suffisait d'un regard...

La neige tombait dru maintenant et Cail décida de héler un taxi. Quand ils arrivèrent dans le Marais, Elena eut l'impression d'entrer dans un monde à part. C'était un pays enchanté : tourelles, tympans immaculés, édifices qui paraissaient sortir de l'une de ces cartes postales de Noël où tout était magie.

Une fois arrivés chez eux, Cail laissa Elena au rez-de-chaussée.

— Attends une minute avant de monter, j'ai quelque chose à faire. Et ne triche pas, entendu ?

Elena soupira bruyamment.

— Sache-le, ta méfiance m'offense grandement.

Cail sourit et s'élança dans l'escalier.

Quand Elena fut suffisamment sûre qu'il ne reviendrait pas, elle entra dans le magasin. Le cadeau qu'elle lui avait acheté était dans le tiroir où elle gardait le journal de Beatrice. Elle prit le paquet, le tint un instant dans ses mains, en fixant le nœud un peu de travers. Alors qu'elle fermait le tiroir, elle effleura le petit cahier du bout des doigts.

— Pas de pensées cafardeuses aujourd'hui. Aujourd'hui, on célèbre une fête, dit-elle doucement en le repoussant au fond du tiroir.

Tandis qu'elle montait avec son cadeau dans les mains, elle se demanda pour la millième fois si Cail l'apprécierait. Elle était nulle en matière de cadeaux, sans parler de leur emballage : là, c'était encore pire. Mais celui-là l'avait tout de suite attirée. Elle l'avait trouvé au marché de Noël des Champs-Élysées. Elle y était allée seule et elle avait adoré acheter des présents pour ses amis.

— J'entre.

La porte était ouverte et la terrasse était plongée dans l'obscurité, excepté une petite lumière qui lui servit pour s'orienter. Elena avança avec circonspection, souriante, tout émoustillée. L'attente du plaisir n'est-elle pas en soi un plaisir ?

Quand elle arriva devant les baies vitrées du séjour, elle les trouva entrouvertes. Elle entra et à ce moment-là, dans un coin de la pièce, un arbre s'éclaira. Cail la rejoignit, l'embrassa et lui tendit un petit paquet.

— Joyeux Noël.

Elena refoula ses larmes.

— Merci, murmura-t-elle, en lui présentant à son tour son cadeau.

— Mais il n'est pas encore minuit, nous allons les laisser sous l'arbre ! s'exclama Cail en reprenant son paquet.

— Oh non ! protesta la jeune femme.

Puis elle s'aperçut qu'il y avait beaucoup d'autres paquets. Peut-être Cail attendait-il quelqu'un. Cette pensée l'alarma. Elle n'avait jamais rencontré personne de sa famille. Elle ne savait pas trop y faire avec les belles-mères. La mère de Matteo lui revint à l'esprit et elle frissonna.

— Tu attends quelqu'un ?

La question était sortie avant qu'elle ait pu y réfléchir.

— Excuse-moi, s'empressa-t-elle d'ajouter. Je ne voulais pas être indiscrète.

Cail fronça les sourcils.

— Si tu y réfléchis bien, Elena, nous avons dépassé depuis un bout de temps le stade de l'indiscrétion.

— C'est que, je ne sais pas... Ta famille peut-être..., jeta-t-elle.

— Je t'ai déjà répondu il y a quelques jours. J'ai ici tout ce qu'il me faut et tout ce que je veux.

Si ce n'était pas une déclaration en bonne et due forme, ça... Néanmoins un zest de sa prudence ancienne freina l'enthousiasme d'Elena. Ces derniers temps, Cail lui avait semblé de plus en plus lointain, de plus en plus absent. Et elle s'était fait un serment, à elle-même et à cet enfant qu'elle portait en elle. Elle ne laisserait pas entrer dans sa vie un homme inadéquat, nocif pour elle et pour son fils, ou sa fille. Elle n'avait pas voulu savoir le sexe de l'enfant, elle voulait que ce soit une surprise.

Ils mangèrent à la lueur des bougies, en bavardant, détendus, comme ils ne l'avaient pas fait depuis longtemps. Cail avait préparé un vrai festin : risotto à la courge, soufflé au fromage, omelette, diverses quiches aux légumes. Tout était bon, simple et merveilleux. Et elle se sentait importante, elle était importante. Elle l'était pour elle-même, elle l'était pour Cail. Elle savoura chaque instant, respirant le parfum des plats, du gâteau, de la pièce, et le sien, à lui. Ah, le parfum de cet homme était parfait...

Après dîner, elle l'aida à ranger puis ils s'assirent côte à côte sur le canapé, recouverts d'un plaid écossais.

— Pour l'instant tu dois te contenter de la couverture… Peut-être un jour te montrerai-je le vrai *feileadh breacan*, autrement dit le grand kilt écossais, et pas cette espèce de jupe que certains s'obstinent à porter en mémoire du passé. Mais ce n'est pas aujourd'hui que ça arrivera.

Elena fit une moue.

— Zut, et moi qui pensais que ce serait ma surprise de Noël.

— Raté ! Mais au fait, ça y est, il est minuit et ces petits trucs, dit-il en indiquant le tas de paquets, t'attendent.

Elena le dévisagea, ahurie.

— Tous ?

— Absolument tous. Mais le petit, là, ouvre-le en dernier, d'accord ?

Il y avait un peu d'incertitude dans sa voix. Elena ressentit l'envie de le serrer fort dans ses bras, de l'embrasser…

John s'était approché et la regardait, plein d'espoir. Elle n'avait pas encore surmonté sa vieille peur. Elle souriait au chien, oui, et lui parlait quelquefois, mais le caresser lui restait encore difficile.

Elle contempla les paquets, puis s'approcha presque avec défiance de l'arbre décoré.

— Je peux t'assurer qu'il n'y a aucun crocodile dedans, ni même un putois.

Mais Elena ne rit pas de la plaisanterie. Elle s'assit à côté des cadeaux, sur le tapis de laine, sans y toucher.

— Les premières années, je retournais chez ma mère pour Noël. Maurice n'était pas croyant et il n'aimait pas non plus le sapin et les décorations.

Il disait que c'étaient des bêtises. Une fois, ils venaient de se disputer, et il a donné un coup de pied à la crèche que ma mère avait faite pour moi. Elle a ramassé les santons en silence, sans protester, avec résignation, et l'a refaite.

Un instant, la scène se présenta, vive, devant ses yeux. Elle la repoussa, et avec elle l'amertume et la douleur.

— Je ne suis plus retournée chez eux pour Noël. J'ai été quelquefois invitée chez Joséphine.

Elle marqua un arrêt et murmura :

— Il y a des moments où la solitude arrive à vous toucher jusqu'au fin fond des os. Peu importe combien de gens on a autour de soi. Peu importe...

Cail s'était maintenant agenouillé à côté d'elle.

— Un jour ou l'autre il faudra que tu me présentes ton beau-père, lui dit-il en lui tendant le premier paquet.

Il ne la toucha pas, ne la consola pas, il n'en était pas besoin. Elena le sentait près d'elle, en elle. Il était là.

— Il ne te plairait pas. Et puis ça fait maintenant tant d'années que je ne le vois plus... Toi d'abord, lui dit-elle brusquement, brisant ainsi la tension et désignant son paquet.

Cail le prit avec cérémonie et entreprit de le déballer, avec un soin qui énerva Elena.

— Ce genre de lenteur, mets-la de côté pour le jour où tu décideras de me faire un strip-tease. Et à ce moment-là tu devras porter le kilt, ou ce truc imprononçable dont tu as parlé tout à l'heure. Et maintenant dépêche-toi de déballer ton cadeau, ou c'est moi qui m'en charge.

— Occupe-toi des tiens, de cadeaux, celui-ci est à moi et je le déballe comme il me plaît, répliqua Cail avec une expression si comique qu'elle arracha un rire à Elena.

Un instant plus tard, une vieille montre à gousset, en argent massif, apparut dans ses grandes mains. Il l'ouvrit avec délicatesse et à ce moment-là se rendit compte que sa couronne de remontoir était en réalité une minuscule rose stylisée.

Cail resta muet. La montre était très belle, et contenait en elle la perfection et la fragilité de la fleur qu'il aimait plus que toutes. Elle l'avait compris. C'était là sa façon de le lui dire. Il se sentit serein. Il y avait du respect dans le geste d'Elena, et de la considération. Cail n'avait jamais accordé trop d'importance aux sourires ironiques que les gens lui adressaient quand ils découvraient qu'il travaillait dans le domaine des fleurs et des roses. Mais ce geste si délicat le frappa profondément.

Elena retint sa respiration. Puis elle lui toucha la main. Quand elle s'aperçut qu'il tremblait, elle la retira.

— Ça ne te plaît pas ? Je… excuse-moi. Je pensais que pour toi ça aurait un sens…

Cail ne la laissa pas terminer. La montre serrée dans la main, il saisit Elena et l'attira à lui.

— Merci, c'est le plus beau cadeau que j'aie jamais reçu, souffla-t-il.

Elena n'oublierait jamais le regard qu'il lui adressa. Et elle espéra le revoir encore bien souvent, bien, bien souvent. Mais comme elle était aussi une femme pragmatique et que les lèvres de Cail étaient juste là, à un souffle des siennes, elle décida de lui montrer quel type de remerciement lui ferait plaisir.

Elle l'embrassa avec enthousiasme, en mettant dans ses gestes, dans ses caresses, toute la passion qu'elle ressentait pour lui, oubliant les doutes, les silences. Et Cail se laissa emporter, lui rendant ses baisers avec lenteur, jusqu'à ce qu'entre eux les choses deviennent ardentes. Alors il s'arrêta, tenant le visage d'Elena enserré dans ses grandes mains. Son expression était grave, sérieuse, son regard assombri par le désir et par ce qu'il n'avait pas le courage de mener à son terme.

— Merci, lui dit-il avant de l'aider à se relever.

— Merci à toi, tu ne sais pas tout ce que signifie pour moi cette soirée.

Cail lui prit une main et la porta à ses lèvres, en baisa la paume.

— Ce n'est pas encore fini, il y a d'autres choses à voir, lui répondit-il en lui indiquant les paquets restés intouchés.

Plus tard, avant de se laisser aller au sommeil, Elena joua du bout des doigts avec le pendentif ancien en or que lui avait offert Cail. Il s'agissait d'un porte-parfum français du XVIIIe siècle. Elle n'osait pas imaginer combien il avait pu lui coûter. Les autres cadeaux étaient dans l'armoire. Un manteau rouge en cachemire, une paire de bottes, deux chandails très fins et extraordinairement chauds dans les tons de bleu, une écharpe et des gants qui semblaient avoir été confectionnés pour elle. Deux robes et un pantalon. Chacune de ces choses était belle, pratique et colorée. Cail s'était donné bien du mal, même si en tout cela Elena voyait la patte de Joséphine.

Et il restait encore une surprise, lui avait dit Cail avant de l'embrasser longuement, sur le seuil de son appartement. La pensée d'Elena était tout de suite allée dans une certaine direction. Ça commençait à lui peser de rester près de lui en imposant des limites à cette relation qui se faisait de jour en jour plus intense. Elle le désirait et elle sentait qu'il en allait de même pour lui. Elle était une femme adulte, elle connaissait les signaux et, si cela n'avait pas suffi, son parfum aurait parlé pour lui, un parfum qui devenait plus fort et déterminé quand ils étaient ensemble.

Elle s'effleura la bouche, une légère douleur au fond du cœur. Comment cela serait, de faire l'amour avec Cail ? Elle se retrouva à fantasmer sur lui, mais bientôt ses pensées prirent un autre chemin. Et elle sentit que la douleur augmentait. Et puis elle devint humiliation. Pourquoi n'osait-elle pas aller plus loin ? Et pourquoi ne le faisait-il pas lui non plus ?

Et puis la réponse arriva accompagnée d'un petit frémissement, comme une pichenette de son bébé, suffisamment nette pour la faire sourire au milieu de ses larmes. Elle était enceinte, et cela clôturait la question. Elle se caressa le ventre, comme elle le faisait de plus en plus souvent. C'était mieux ainsi. Les éclaircissements devaient être renvoyés à plus tard : après la naissance de l'enfant, pensa-t-elle, bien qu'encore très troublée et contrariée.

Alors elle se concentra sur les baisers de Cail. Ces baisers... Elena frissonna et se demanda s'il n'y avait pas un prix à payer pour tout ce bonheur.

Rouge, bleu et une pincée d'or. Absolue avait accueilli les fêtes avec les couleurs que les trois associés préféraient. Ce jour-là, la lumière du soleil, elle aussi, inondait le magasin, préoccupant un peu Elena. Mais cela faisait si longtemps que le soleil ne se montrait pas... Alors elle décida de laisser entrer sa lumière et de déplacer les étuis de parfum, pour les protéger de la chaleur.

— Auréolée de soleil ! J'aurais dû savoir que vous vous en sortiriez remarquablement, lui dit Jean-Baptiste Lagose en entrant dans le magasin.

Elena alla vers lui.

— Mais quel plaisir, monsieur ! Comment allez-vous ?

— Maintenant que je vous vois, ma chère, beaucoup mieux.

Il lui baisa la main et regarda autour de lui.

— Intime, accueillant, très bien. Et vu que vous habitez ici, je suppose que c'est à vous.

Elena sourit.

— En partie, mais venez, asseyez-vous. Puis-je vous offrir quelque chose de chaud ?

— Non. Je ne peux trop m'attarder. Je vous avoue que je ne savais pas à quoi m'attendre. Je suis retourné chez Narcissus, mais vous n'y étiez pas. Et je n'ai pas non plus trouvé la sorcière... hum, cette femme, votre chef.

Elena ne dit rien. Elle préférait éviter de parler de Cécile.

— Vous avez bien fait de donner votre congé, continua Lagose. Au début, j'ai eu quelques problèmes pour retrouver votre trace, aucune Elena Rossini dans l'annuaire. Puis j'ai décidé de venir en personne. Je me souvenais où vous habitiez... Beau quartier. Le Marais a toujours été l'un des endroits de Paris où c'est un plaisir de vivre.

Elle était d'accord, le Marais semblait un monde à part.

— Et cette dame, cette... amie à vous ?

— Elle ne l'a jamais été. Et si j'avais jamais eu de doutes là-dessus, elle me l'a clairement fait savoir.

Lagose s'était raidi.

— Elle est têtue comme une...

Il grommela la dernière partie de la phrase.

— Elle dit qu'elle est trop vieille pour se marier. Y croiriez-vous ?

— Est-il vraiment indispensable de le faire ? Je veux dire... peut-être a-t-elle maintenant besoin d'un rapport différent.

Elena n'aurait jamais cru pouvoir prononcer une phrase de ce genre, elle qui avait recherché la sécurité en lui sacrifiant tout le reste. Mais la relation qu'elle avait avec Cail avait beaucoup changé sa perception de la vie. Maintenant, elle vivait chaque moment comme s'il était unique, et pas en vertu de ce qui avait pu arriver avant ou pourrait arriver après. Cette façon de faire l'avait obligée à se confronter à la vie telle qu'elle se présentait, en se mettant au centre, elle-même – et l'enfant.

— Que pensez-vous faire ?

Lagose haussa les épaules.

— Je ne sais pas. Rien, je suppose. Probablement me suis-je trompé. Ça n'a pas fonctionné avant, pourquoi est-ce que ça devrait le faire maintenant ?

— Mais cette dame partage vos sentiments, n'est-ce pas ?

— Il m'avait semblé. Les êtres humains aiment s'illusionner, vous savez, c'est l'un des sports préférés de la plupart des gens. Mais quoi qu'il en soit, à l'heure qu'il est, je n'en jurerais pas.

— Vous vous êtes disputés.

Elle espéra n'avoir pas été trop indiscrète, mais elle était curieuse.

— Vous pouvez l'affirmer sans crainte de vous tromper, répondit-il.

Puis il regarda sa montre.

— Je suis vraiment content d'être passé chez vous ce matin. Mais il se fait tard, je dois m'en aller.

Lagose reviendrait bientôt. Il voulait un autre parfum. Un chypre comme l'autre, lui avait-il expliqué, mais qui s'adapte mieux à sa personnalité, comme un vêtement, et il voulait être le seul propriétaire de cette odeur. Un autre parfum sur mesure.

Elena était contrariée pour lui. Il paraissait résigné, et c'était là un état dangereux. Quelqu'un de résigné ne combat pas, il se laisse aller.

Elle soupira et recommença à arranger les parfums.

Après Lagose, Elena revit une autre de ses clientes : Éloïse Chabot. Elle se souvenait bien d'elle. Elle se rappelait même avec précision le parfum qu'elle avait adapté pour sa fille.

— J'espérais tellement qu'il s'agissait de vous quand j'ai vu le prospectus ! Voyez la coïncidence, j'habite rue des Rosiers.

— Quel plaisir de vous voir, madame ! Juste à deux pas d'ici... quelle coïncidence en effet !

Éloïse l'embrassa. Un nuage de parfum doux et pénétrant enveloppa Elena, lui piquant le nez. Il y avait quelque chose d'étrange dans le mélange que portait cette femme. Comme une dissonance. Une rupture de style. Pourtant son aspect était toujours impeccable, de sa coiffure à son tailleur anthracite. Chanel, probablement. Pourquoi portait-elle ce parfum si bizarre, quand elle pouvait se permettre le meilleur ?

— Absolue, quel nom fascinant. Le magasin est à vous ?

— En partie.

Éloïse balaya la pièce du regard, observa chaque détail. Elle était charmée.

— Les parfums ont toujours eu une grande importance pour moi. Je ne pourrais m'en passer. C'est la première chose que l'on perçoit de nous, et aussi la dernière. Vous savez que ma fille Aurore veut devenir parfumeuse ? Vous en êtes en partie responsable, d'ailleurs ! Le parfum que vous m'avez conseillé lui a beaucoup plu. Quand je lui ai dit que je l'avais fait corriger pour l'adapter à nos exigences, ça a été comme si je lui ouvrais un monde. Depuis lors, elle n'a rien fait d'autre que mélanger mes parfums, puis elle est passée à ceux de son père.

Elle soupira.

— Il est inutile que j'en achète d'autres, parce qu'elle continue à jouer avec. C'est en train de devenir quelque chose de vraiment... embarrassant.

Elena retint un sourire.

— Vous voulez dire que ce que vous portez est un parfum qui a fait une mauvaise rencontre ?

— Avant, c'était un merveilleux Coco Noir de Chanel. À présent, je ne sais pas. Mais il n'est pas à proprement parler mauvais. Simplement, à un certain moment, l'harmonie se fêle. Il me donne l'impression d'un ongle magnifique, peint de façon extraordinairement élégante, qui soudain se met à crisser sur une ardoise.

Elena eut un petit rire.

— Quel âge a Aurore ?

— Dix-huit ans.

Un long soupir, plus éloquent qu'aucune phrase.

— Pendant les treize premières années tout est allé bien. Habituels problèmes d'enfant. Mais je vous assure que ces dernières années ont été vraiment difficiles. Maintenant, toutefois, elle est heureuse. Comme ça, d'un jour à l'autre. Je n'arrive vraiment pas à comprendre.

Elle fit une pause et leva les deux mains.

— Rien n'a changé, sinon ce jeu auquel elle se livre avec les parfums. Ne vous méprenez pas, il y a des moments où il reste toujours difficile de lui parler, mais au moins maintenant nous la voyons sourire. En général, ce bonheur coïncide avec le fait que nous mettons ses créations. Dès qu'il arrive au bureau, mon mari doit se laver soigneusement. Aurore ne semble pas faire attention à la distinction entre notes masculines et notes féminines. La dernière fois, elle a mélangé l'après-rasage de son père à une eau à la violette.

Elena sourit.

— Vous avez pensé à lui faire suivre un cours de parfumerie de base ?

Éloïse arqua ses sourcils parfaits.

— Ce n'est pas une enfant très sociable, vous savez…

Elle n'ajouta rien de plus, mais Elena perçut tout de même une grande préoccupation.

— Elle pourrait venir me voir. Un après-midi par semaine, par exemple.

Éloïse ouvrit de grands yeux.

— Sincèrement ? Vous lui donneriez des leçons, ici au magasin ?

— En réalité, j'ai un laboratoire en haut. J'ai la moitié de la journée libre et il ne s'agirait pas de vraies leçons. Je dirais plutôt des conversations, des rendez-vous qui me permettraient d'expliquer à Aurore les bases de la parfumerie naturelle. Et puis, si sa passion pour la parfumerie ne se dément pas, elle pourrait en faire une profession.

— Son père voudrait qu'elle devienne ingénieur comme lui… Vous savez, cette année elle termine le lycée.

— Les adultes cultivent ce genre d'espoirs.

Éloïse regarda Elena, puis lui sourit.

— Je crains que vous n'ayez raison. Cela vous est arrivé à vous aussi ?

— Plus ou moins...

— Je suppose qu'il en est ainsi, répliqua Éloïse, pensive. Mais dites-moi maintenant, vous avez aussi des bougies ?

— Oui, naturellement.

Elena lui en montra quelques-unes. Les bougies étaient très élégantes dans leurs emballages simples mais raffinés. Elles étaient carrées ou rondes, de couleurs franches, comme les parfums qu'elles dégageaient. Les fragrances étaient fleuries ou encore chargées, épicées, toujours enveloppantes.

— Celle-ci me plaît beaucoup.

— Sa base est le jasmin, sensuel, enivrant. En aromathérapie, il aide à abattre les barrières, à s'ouvrir à la vie et aux sentiments. Humez encore, ne vous semble-t-il pas vous trouver dans une chaude nuit d'été ?

— Oui, vous avez tout à fait raison.

C'était vrai, une chaude nuit d'été, sur la terrasse de Cail... sous un ciel étoilé.

19

Genêt. Riche comme la couleur de ses fleurs, c'est un parfum enivrant, frais, avec une note florale émouvante. Annonce le printemps, le passage de l'ancien au nouveau. Combat le découragement.

— Vous êtes Elena Rossini ?

Une question directe, pas de bonjour, aucune hésitation. La nouvelle venue n'avait même pas regardé autour d'elle. Elena avait relevé la tête du journal de Beatrice et tourné les yeux vers la porte où une fille aux cheveux bleus, vêtue d'une robe longue, les traits enfantins sous un lourd maquillage, la dévisageait effrontément.

Jusqu'à quelques instants auparavant, Elena était dans une autre époque, dans un autre monde. Son cœur battait fort encore, sa gorge était serrée, un certain désespoir retenait ses pensées. Mais ce n'étaient pas les siennes, elle les avait empruntées. C'étaient celles de Beatrice.

Elle se leva, posa le journal et alla vers la jeune fille.

— Oui, c'est moi. Tu dois être Aurore, entre donc.

Elle n'aurait pu s'y tromper. Éloïse l'avait avertie que sa fille passerait cet après-midi-là et qu'elle était un peu particulière. Très maigre, les cheveux teints, un piercing à la lèvre, une jaquette de laine sur sa robe de dentelle blanche, une paire de Dr Martens brillante. Elle avait encore joué avec les parfums ; cette fois, elle avait utilisé de la lavande, insolite et attrayante. Et il y avait aussi du muguet et de l'œillet. Puis la fragrance changeait abruptement, devenant poussiéreuse, écœurante. Et alors on sentait tout à coup le santal. Mais en plus des parfums mélangés de ses parents, il y avait quelque chose qui lui appartenait à elle seule, et c'était un léger arôme de fleur d'oranger, qui lui était resté sur la peau, un résidu, sans doute, de sa précédente expérience. La définir comme « particulière » était assurément peu dire. Si la jeune fille cherchait à se singulariser, elle y avait réussi, là-dessus, il n'y avait aucun doute.

— Ma mère m'a dit que vous m'expliqueriez comment on fait les parfums.

Elle ne s'était même pas avancée d'un pas. Elle restait là, raide, à côté de la porte, l'expression tendue, le regard soupçonneux.

— Exact ! lui répondit Elena. Pour commencer, je vais te parler des bases de la parfumerie naturelle, après ça, c'est toi qui décideras que faire. Si tu continues en t'engageant dans des études, ou si tu laisses tomber. Ce n'est pas une voie facile et elle demande beaucoup de discipline et pas mal de sacrifices.

Aurore plissa les yeux.

— Vous pensez que je n'en suis pas capable, hein. Je me trompe ? Tout ça à cause de mon apparence.

— Ton aspect est la seule chose que tu aies voulu me montrer pour l'instant. Mais je ne t'ai pas jugée. Je t'aurais dit les mêmes choses si tu t'étais présentée vêtue de rose et avec des ailes d'ange, précisa-t-elle. Les parfums que je crée sont composés d'essences naturelles extraites par des procédés qui réclament un soin scrupuleux, avec des temps et des calculs qu'il faut respecter. La moindre goutte modifie un parfum. Il faut compter, calibrer, tout garder en tête. Il faut savoir que certaines substances couvriront les plus ténues, que d'autres les exalteront. Un gros travail t'attend. La parfumerie peut être ennuyeuse, mortellement ennuyeuse. Comme toute chose, elle possède un côté technique et un côté créatif. On ne peut avoir l'un sans l'autre, donc, décide, Aurore. C'est mon moment de repos, je n'ai aucune intention de le gaspiller.

Elena retourna s'asseoir. Ignorer Aurore lui demanda beaucoup de détermination. Mais ce n'était pas de gentillesse qu'avait besoin cette fille. Et elle ne lui en offrirait pas. Elle lui donnerait autre chose, elle lui ferait désirer d'arriver au but. Elle se surprit à espérer qu'Aurore accepte ses conditions. Au fond, cette fille l'avait attendrie. Il y avait de la vulnérabilité derrière son apparente agressivité. Et elle était prête à parier que pour Aurore, le parfum était un moyen de communiquer, son langage.

— Et si j'étudie ? Admettons que je suive ces... règles, vous m'apprendrez ?

Son désir était là tout entier, dans cette requête pleine de crainte, exempte de l'arrogance derrière laquelle elle s'était cachée jusque-là. Bien sûr, le terme « règles » était sorti de cette bouche comme un gros mot, mais il y avait pire, pensa Elena soulagée.

— C'est ce que je ferai, du moins si tu m'écoutes.

Aurore avança vers le milieu du magasin. Des pas timides, légers, comme sur la pointe des pieds. Tout était contradiction chez cette fille. Son regard, son aspect, ses vêtements. Mais plus que tout, son parfum.

Joséphine entra à cet instant-là. Elle était rentrée de son voyage la veille, plus tôt que prévu. Elena soupçonnait que c'était à cause de Montier, mais elle ne lui avait rien demandé et Jo avait été très réservée. Elles n'avaient parlé que des cadeaux reçus à Noël. Elena était très curieuse de savoir ce que Cail avait dû lui promettre pour se faire aider et lui faire en plus garder le silence.

— Rien, lui avait-elle répondu. C'est simplement qu'il tenait tant à te faire une surprise. Cet homme sait comment conquérir une femme.

Et la douleur au fond des yeux de Joséphine avait fait regretter sa curiosité à Elena.

— Bonjour, dit-elle en s'adressant à Aurore.

Cet après-midi-là, Joséphine portait une mini-robe très élégante vert émeraude. Elle avait défrisé ses cheveux qui lui descendaient jusqu'à la taille en une cascade de soie noire. Aurore la contemplait bouche bée. Jo faisait souvent cet effet aux gens, songea Elena avec un sourire.

— Désolée pour le retard, ma belle. Tout va bien ?

— Oui, je t'ai laissé quelques notes. Il y a des livraisons à faire. Voici Aurore, elle aime les parfums.

Joséphine savait parfaitement qui était la jeune fille. Et l'idée de donner des cours lui plaisait énormément.

— Ravie de te connaître, Aurore. Elena m'a dit que tu voudrais apprendre l'art de la composition. Je suis impatiente de sentir l'une de tes créations. Je pense que ce sera intéressant, dit-elle en survolant du regard l'habillement excentrique de l'adolescente.

Elena eut un petit rire.

— Tu es déjà en train d'en sentir une, pas vrai, Aurore ?

La jeune fille inclina la tête. Son visage perdit enfin son expression renfrognée, se détendit.

Joséphine ouvrit de grands yeux. Oh mon Dieu ! C'était de cette fille que provenait cette odeur bizarre ?

— Hum... Je suis sûre que quelques leçons résoudront les problèmes liés à l'harmonie des fragrances, dit-elle en reculant de quelques pas avant de se tourner vers Elena, les yeux exorbités. Tu commenceras par là, n'est-ce pas ?

— Viens, Aurore, répliqua Elena avec un sourire. Le laboratoire est en haut.

En réalité, elle donnerait sa première leçon dans la cuisine, c'était plus intime et elle ne voulait pas décourager son élève. Elle mit la bouilloire sur le feu.

— Un thé, ça te va ?

— Oui.

Aurore était assise sur le bout du siège, raide comme un piquet, le dos droit, l'expression sérieuse. Elle était terriblement tendue.

— Tu vois ces herbes ? lui dit Elena en indiquant une gerbe de branches de myrte qu'elle venait de recevoir d'un cultivateur de Sardaigne, qui la fournissait aussi en ciste et en romarin sauvages. Si tu les distilles, tu obtiens un liquide composé en partie d'eau, en partie d'huile. La plupart des essences s'obtiennent de cette façon. Des milliers de feuilles sont nécessaires pour quelques millilitres de produit.

— Et vous les faites comme ça, les parfums, avec des herbes ?

— Non, c'est juste le début : par ce procédé tu obtiens un liquide parfumé composé d'eau et d'huile. L'eau obtenue par distillation s'appelle hydrolat, l'huile, essence, ou huile essentielle. Pour faire un parfum, on utilise l'huile.

Elle marqua un arrêt, parce que c'était là le principe le plus important et elle voulait qu'Aurore le comprenne bien.

— Mais il existe aussi d'autres substances odorantes. Elles sont obtenues par d'autres méthodes d'extraction et prennent toujours le nom d'essence, substance ou matière odorante. Donc, récapitulons, les essences sont un élément fondamental du parfum. Elles sont tirées de fleurs, de feuilles, de muscs, de bois, de racines, de fruits, d'écorces, de résines de nature végétale, animale, ou encore de synthèses chimiques. Bref, elles peuvent être naturelles, ou d'origine synthétique. Les essences – ou substances odorantes, ou matières – sont mélangées puis diluées dans un milieu inerte qui leur sert de support. Ça peut être de l'alcool ou encore une autre huile. Le résultat de tout ce processus est précisément le parfum.

Aurore se mordit la lèvre et détourna le regard.

— Moi, je me sers de parfums déjà prêts, murmura-t-elle.

— Oui. Je m'en suis rendu compte, répondit Elena. Mais, tu vois, il faut que tu considères qu'en faisant ainsi tu effaces le message que voulait donner le parfum, tu n'en crées pas un nouveau. Ton parfum ne racontera rien, ce sera un mélange d'un tas d'odeurs qui ignorent de quel côté aller.

— On dirait vraiment que le parfum raconte quelque chose.

— Précisément, le parfum est le langage le plus immédiat qui existe et aussi le plus compréhensible.

— Je n'y avais jamais pensé.

Elena servit le thé.

— Mais comment peut-on décider quelles essences mettre dans un parfum ?

— Le parfumeur connaît les odeurs, s'en souvient et sait quelles substances peuvent recouvrir, exalter, ou annuler les essences. Sur la base de ces connaissances et à partir de ses intuitions, il utilise telle et telle substance.

Elle fit une pause. Elle alla chercher les biscuits au chocolat que lui avait envoyés Jasmine et les disposa sur une assiette qu'elle présenta à la petite. Aurore semblait plongée dans une profonde réflexion.

C'était toujours ainsi, pensa Elena. Le parfum était souvent considéré de façon très réductrice et, quand quelqu'un découvrait qu'il y avait derrière un univers entier, il restait déconcerté. Le parfum n'est pas seulement un bel accessoire à mettre sur soi, il requiert que l'on s'implique.

— Tu vois, Aurore, le parfum est quelque chose en quoi nous nous reconnaissons, sur quoi nous projetons rêves, aspirations, souvenirs, ou qui simplement suscite en nous un profond bien-être, ou, pourquoi pas... une répulsion instinctive. C'est quelque chose qui naît de l'harmonie, de l'objectivité et de la subjectivité la plus profonde. Voilà pourquoi une odeur peut te plaire à la folie, tandis que d'autres pourront t'inspirer de l'inquiétude, de l'angoisse, du dégoût.

— C'est extraordinaire. Je veux dire... c'est tellement complexe.

Aurore but son thé à petites gorgées, les yeux sur la nappe rouge. Puis elle reporta son attention sur Elena.

— Mais d'où est-ce que je dois partir pour commencer à en faire un ? Je ne comprends pas..., murmura-t-elle.

Elena mordit dans un biscuit.

— Essayons de partir des bases, OK ? Nous y arriverons peu à peu.

Aurore acquiesça.

— Les parfums peuvent être subdivisés en sept familles olfactives : les hespéridés, les floraux, les fougères, les chyprés, les boisés, les ambrés ou orientaux, les cuirs. Quand on crée un parfum, il faut en tenir compte.

— Mais comment comprend-on quels éléments mélanger ou pas ? lui demanda encore Aurore.

— Tu pourrais commencer par ceux qui appartiennent à la même famille, c'est pour cela qu'il est fondamental de connaître les classifications. C'est un peu comme mélanger des couleurs. Quand on en réunit deux, on obtient une série de nuances, non ? On crée une nouvelle couleur. Si on utilise les couleurs pastel, on obtient une nuance douce, de la même façon, avec des couleurs vives on aura des gradations fortes. C'est la même chose qui se passe avec les parfums, mais au lieu de voir, on sent…

— Génial !

— Tu dois aussi garder à l'esprit une autre chose très importante. Le parfum est toujours un parcours, une idée. Les personnes qui s'occupent de créer des parfums sont appelées « nez », parce qu'elles savent distinguer les diverses essences, parfois trois mille odeurs différentes, et les mélangent, donnant vie aux parfums. Chacun d'eux est créé en suivant un schéma préétabli, tu sentiras tout de suite les notes de tête, puis celles de cœur et enfin celles de fond. Ce système, appelé pyramide olfactive, est la carte d'identité du parfum. Si tu veux savoir ce que contient, par exemple…

Elle s'arrêta. Un instant, elle pensa à citer à Aurore un parfum artistique, mais elle doutait que la petite puisse le connaître : c'étaient des productions confidentielles. Elle se replia donc sur quelque chose d'universel. Un parfum très célèbre. L'important, au moment présent, était qu'Aurore comprenne ce qu'elle était en train de lui expliquer.

— Disons For Her de Narciso Rodriguez : tu sentiras immédiatement la fleur d'oranger et l'osmanthus, puis la vanille et enfin une senteur boisée, et le musc qui agit comme stabilisant et fixe les autres fragrances. Ce sont là les fondamentaux. Nous en reparlerons à chaque fois, nous ferons une récapitulation générale, puis nous aborderons un thème spécifique. S'il y a des choses que tu ne comprends pas, arrête-moi.

Mais Aurore semblait hypnotisée ; les yeux rivés sur Elena, elle suivait avec attention tout ce qu'elle lui disait. L'heure passa en un éclair. Quand elles se dirent au revoir, la jeune fille souriait.

— Mais après, nous en ferons, un parfum ? Je ne suis pas un nez, ajouta-t-elle avec un peu de déception dans la voix.

— Ça, nous ne le savons pas encore et puis, en réalité, tout le monde peut créer des parfums. Naturellement, les résultats seront différents suivant la connaissance de la matière, la compétence, la technique et l'intuition. Mais cela ne signifie pas que quelqu'un ne puisse pas arriver à une composition extraordinaire, incroyable, gagnante en mélangeant simplement les essences qui le séduisent.

Dans les cas de ce genre, on pouvait comparer le résultat au fait de gagner à la loterie. Mais cela, Elena ne le dit pas à Aurore. Casser son enthousiasme n'avait pas de sens. Elle lui fournirait une base sur laquelle travailler, et le reste serait le choix de la jeune fille. Et puis il était possible qu'elle possède une prédisposition olfactive et mentale naturelle. Déjà, qu'elle aime les parfums au point de jouer avec de cette façon était un signe.

— Nous ferons un parfum, ou plutôt, c'est toi qui en feras un.

Elle l'encouragea d'un sourire, qu'Aurore lui rendit timidement.

— Il me tarde de le dire à ma mère. Merci, j'ai vraiment apprécié. Quand est-ce que je peux revenir ?

— Dans une semaine, qu'est-ce que tu en penses ?

— Même heure qu'aujourd'hui ?

— Ce sera parfait, répondit Elena en la raccompagnant à la porte.

Le magasin était silencieux, Joséphine occupée avec un client. Tout paraissait tranquille. Elena avait devant elle sa soirée de repos. Et elle savait déjà comment elle allait la passer. Elle rejoignit son bureau, ouvrit le tiroir et prit le journal de Beatrice, puis retourna en haut.

— C'est à cause de quelque chose que j'ai dit ?

Cail s'essuya le front du poignet et regarda Elena. Ça faisait un moment qu'elle était dans un coin à l'observer travailler sans dire un mot.

— Je ne comprends pas. À quoi fais-tu allusion ? lui demanda-t-il en plongeant de nouveau les mains dans la terre.

Les pots s'étaient remplis de mauvaises herbes et Cail avait décidé que ce dimanche ensoleillé était le jour le plus adapté pour rattraper un peu de travail en retard.

Elle se serra dans la vieille veste de travail de Cail. Elle avait les cheveux défaits, tombant sur les épaules, et l'air abattu. John lui-même semblait s'être aperçu de l'état dans lequel elle se trouvait. Il était à quelques pas d'elle, comme d'habitude. Depuis la fois où ils étaient tombés l'un sur l'autre, John se tenait à une distance de sécurité de deux mètres exactement. Il se bornait à la regarder, ou alors la suivait, mais il ne dépassait jamais cette limite.

En fait, il n'y avait pas tellement de différences entre eux, pensa Cail.

— Alors c'est à cause de l'enfant ?

Ils étaient dans la serre. Ils venaient de terminer de ranger la cuisine. Elena avait bavardé pendant tout le dîner, lui n'avait guère eu envie de parler. Puis ils s'étaient tout simplement tus. Parfois, le silence était la seule forme de communication possible.

— Qu'est-ce que l'enfant a à voir là-dedans, maintenant ?

Elena perdit patience. Elle n'aimait pas tourner autour du pot. Elle n'aimait plus.

— Écoute, je ne vais pas m'excuser pour quelque chose que je ne sais même pas avoir fait, donc si je t'ai blessé en quelque façon, tu ferais bien de me le dire, ou tu peux courir pour que je te demande pardon.

Il se mit à rire. C'était toujours comme ça avec elle. Cail secoua la tête.

— Pourquoi penses-tu que je t'en veuille ?

Elle était vraiment furieuse, le visage rouge, les yeux brillants de colère.

Elle laissa tomber la prudence et alla droit au but.

— Parce que tu ne me parles pas comme tu faisais avant, tu ne ris plus. Tu restes tout le temps à ruminer ce qui t'afflige, comme ces chameaux qui ne font rien d'autre de toute la sainte journée. Dépasse ça une bonne fois pour toutes, quoi que ce soit. Tu peux y faire quelque chose ? Bien, alors fais-le, merde ! Ce n'est pas possible ? Alors qu'est-ce que tu fiches à ressasser ?

Cail la regardait, sourcils froncés. Elena l'avait rejoint et se trouvait à cinquante centimètres de lui.

— Tu veux savoir ce qui me tourmente ?

Elle le savait, que quelque chose ne tournait pas rond. Une boule glacée de peur se forma au creux de son estomac.

— Oui, c'est l'idée. Je t'écoute, se força-t-elle à répondre.

Cail enleva d'abord un gant, puis l'autre. Les yeux dans les yeux d'Elena. Il se redressa et fit un pas en avant.

— Le temps, dit-il.

Un silence, puis Elena prit une profonde inspiration.

Il y avait des moments où il ne lui suffisait pas de rêver de le prendre dans ses bras, de le serrer fort, d'être avec lui. Puis il y avait d'autres moments, comme celui-là. Non seulement il la désarçonnait, mais il la contraignait à le suivre. Et elle voulait avoir des raisons valables pour ce faire.

— Tu veux bien m'expliquer ce que le temps vient faire ici, maintenant ?

Il ne bougea pas. Il continua à la dévorer du regard.

— Le temps marque nos vies, et toute chose. Le temps change tout.

C'était vrai. Mais c'était là une évidence et Elena n'avait aucune envie de s'entretenir avec Cail de spéculations philosophiques.

— Je suis en attente, Elena.

Elle baissa la tête, puis observa John qui n'avait pas bougé d'un millimètre depuis la dernière fois qu'elle l'avait regardé, enfin elle reporta son attention sur Cail. Elle était suffisamment calme, pensa-t-elle. Elle pouvait soutenir une conversation sans se mettre à hurler, elle pouvait y arriver.

— Je dois t'avouer que je préfère ta part dynamique, tu sais, ta part réflexive est pour le moins inquiétante.

Il lui sourit comme il ne le faisait plus depuis longtemps.

— Je t'ai promis une surprise. C'est le jour, aujourd'hui. Allons-y.

Il lui offrait une échappatoire. Et, un instant, Elena songea à l'accepter.

— Tes surprises, je les adore. Plus que tes phrases sibyllines, répondit-elle. Mais ça ne s'arrêtera pas là.

Il secoua la tête.

— C'est bien ce que j'espère.

— Ce que tu espères ?

Cail n'était pas homme à se fier à de simples espoirs. Et maintenant elle avait l'impression de n'avoir jamais rien compris à leurs rapports.

Elle n'attendrait pas davantage pour éclaircir la situation, décida-t-elle. Et puis elle ne voulait pas d'échappatoire. Cette période-là était terminée depuis un moment, à présent.

— Pourquoi ne la résolvons-nous pas, cette chose, au lieu de tourner autour ?

— Et s'il n'y avait rien à résoudre ? répliqua Cail.

Elle tint bon. Elle ne bougea pas d'un pouce, parce qu'elle voulait des réponses et les voulait tout de suite.

— Il y a une raison particulière qui t'a fait penser que tu n'avais plus de temps ?

— Je n'ai jamais dit que le problème est le temps que je n'avais pas.

Elena ravala le juron qui lui montait aux lèvres. Elle inspira profondément pour retrouver un peu de calme, puis elle fit un pas en avant.

— Tu sais, Cail, il est scientifiquement prouvé que les femmes enceintes ne sont pas très patientes. Toute leur patience, elles l'emploient à s'empêcher de penser au point auquel la grossesse change leur apparence : on passe sa vie à se garder en forme et puis en quelques mois tous vos efforts s'envolent en fumée... Ce sont des choses qui minent votre estime de soi, qu'est-ce que tu crois. Alors il n'en reste pas beaucoup pour tout le reste. Je te prierai donc d'être plus clair. Beaucoup plus clair. Je vais faire une crise d'hystérie, je t'avertis. Je pousserai des cris aigus et peut-être que je pleurerai. Et tu te repentiras de ne pas m'avoir écoutée.

— Voilà une menace vraiment terrible.

Cail lui entoura les épaules d'un bras, puis baisa ses cheveux.

— J'aime ton esprit, la façon que tu as de plaisanter en toutes circonstances. Allez, rentrons, tu veux ? Je prépare un thé et nous en parlons ensemble, assis sur le canapé.

Plaisanter ? Mais de quelle plaisanterie s'agissait-il ? Elle devenait folle à force d'imaginer les raisons du comportement trop réservé de Cail.

— D'accord pour le thé, mais dis-toi bien que je parlais sérieusement. Je veux tout savoir sur ton temps, sur ce qu'il représente pour toi.

Maintenant qu'il lui semblait avoir ouvert une brèche dans ses défenses, elle ne reculerait plus.

La cuisine de Cail était très lumineuse et toujours parfaitement en ordre. La couverture de John se trouvait près de la porte, le soleil filtrait à travers les vitres sans rideaux, éclairant les petits pots de pousses et de feuilles vert émeraude posés sur le rebord des fenêtres. Le parfum qui flottait dans l'appartement était dû en partie aux essences que dégageaient les plantes aromatiques. Sur la table, il y avait un bouquet de tulipes jaunes acheté au marché aux fleurs deux ou trois soirs auparavant. C'était désormais une habitude bien ancrée. Deux bouquets de tulipes, un pour lui, un pour Elena. Et toujours de la même couleur. Elles leur plaisaient beaucoup à tous deux. À l'autre bout de la pièce, Cail avait aménagé un coin séjour, avec canapé, table et un téléviseur qui restait éteint la plupart du temps.

Elena, installée sur le canapé, le regardait s'affairer. Le silence subsistait entre eux. Mais à présent Cail n'était plus tendu, il était plutôt occupé à chercher les mots justes.

Cail posa le plateau sur la table basse du séjour et s'assit à côté d'elle. Il passa un bras autour de ses épaules et se mit à jouer avec ses cheveux.

— Tu te souviens de l'accident qu'a eu mon père ? dit-il au bout de quelques minutes.

— Oh, mon Dieu, c'est de ça qu'il s'agit ? Il va mal ? demanda-t-elle en se redressant.

— Non, il va bien. Il ne s'agit pas de lui. Pas directement, du moins.

Il soupira et ferma les yeux un instant.

— Tu vois... il y a cinq ans, j'ai eu un accident moi aussi, avec la moto. Ce qui est arrivé à mon père a fait resurgir de vieux souvenirs.

Il pensa que le moment était venu de tout lui dire, de lui parler de Juliette et de la façon dont elle était morte. Et puis il ne le fit pas. Il attendrait un moment plus propice. Ce qu'ils étaient en train de vivre à cet instant n'appartenait qu'à eux seuls. Et puis il n'avait aucune envie de lui parler de son passé. Il était mort et enterré avec Juliette, alors que lui avait survécu.

— Je ne me souviens pas de grand-chose de cet épisode. Mais il m'en est resté un atroce sentiment d'impuissance. On ne peut pas éviter certaines choses, on ne peut que les subir.

Il lui prit la main, la portant à sa joue.

— C'est un souvenir de ce jour.

Et il y en avait d'autres, aurait parié Elena. Aussi indélébiles que cette cicatrice, plus cachés, seulement.

— Tu as été gravement blessé ?

Il inclina la tête.

— Six mois de rééducation.

Elena ne l'aurait jamais imaginé. Cail avait la souplesse d'un athlète, on n'aurait pas cru qu'il ait été victime d'un événement aussi traumatique. En général, ce type d'accidents laissait des traces, ou pour le moins une sorte de prudence instinctive. Cail, en revanche, était sûr de lui, se mouvait avec sûreté, ne se souciait pas trop des autres, allait droit son chemin sans compromissions. Bien sûr, c'était aussi un homme concret, comme concentré sur la substance des choses plus que sur le reste. Par exemple, il faisait vraiment peu de concessions à son aspect. Paris était plein d'hommes qui avaient fait de leur choix vestimentaire un emblème. Cail tranchait par sa sobriété. Non que ce fût un problème : les simples vêtements sportifs qu'il portait lui allaient extraordinairement bien, et Elena ne pouvait s'empêcher de le remarquer.

— Et pourtant tu continues à monter sur ta moto, à t'en servir. C'est toujours toi qui décides, pas tes peurs. Il ne s'agit donc pas de ça.

C'était vrai. Ce n'était pas pour lui-même qu'il avait peur. Cail pensa lui dire combien elle était devenue importante pour lui et à quel point cela l'effrayait. En fin de compte, ce qu'il redoutait vraiment était ce vide qu'il ressentait quand ils n'étaient pas ensemble, quand il ne la voyait pas et ne pouvait lui parler. Il n'avait pas besoin de grand-chose pour être tranquillisé. Il lui suffisait ne serait-ce que de la regarder. Sa vie était différente depuis qu'Elena en faisait partie. Et c'était un fichu problème, parce qu'elle était enceinte d'un autre. Un enfant, un bébé qui aurait pu être un élément d'union entre eux et qui en fait ne l'était pas du tout, parce que, quel qu'ait été son désir que les choses soient différentes, cet enfant la lierait toujours à un autre homme.

Et c'était là un élément qu'il ne pouvait modifier. Il ne pouvait qu'attendre.

Il n'avait jamais été du genre à aimer partager. Dans son travail aussi, c'était un absolutiste. Et cet aspect de son caractère le portait à éviter le travail d'équipe. Il avait fait une exception pour Absolue. Mais ça, c'était autre chose. Il désirait qu'Elena soit heureuse et la satisfaire était ce qui l'avait tout de suite poussé à investir dans cette entreprise. Dans le passé, il avait déjà fait une tentative pour changer sa nature. Cette erreur lui avait coûté cher. Le résultat avait été ce maudit accident dans lequel Juliette avait perdu la vie. S'il ne s'était pas laissé convaincre de la laisser conduire, tout se serait probablement déroulé de façon différente.

On ne le persuaderait pas une autre fois de faire quelque chose en quoi il ne croyait pas. Il savait ce que signifiait de rassembler les morceaux épars de sa vie et de continuer avec la conscience d'avoir commis une grave erreur, une erreur aux conséquences désastreuses.

Avec Elena, il agirait comme il le fallait.

Il attendrait. Il attendrait parce qu'il ne pouvait faire autrement.

— J'aurais pu l'éviter. Pour finir, c'est ça la question.

Elena prit un moment pour réfléchir là-dessus, puis fronça les sourcils.

— Je n'ai jamais eu l'impression que tu étais l'un de ces hommes qui veulent tout garder sous contrôle. Ça, c'est plus le domaine de Grégoire Montier.

Montier ? Qu'est-ce qu'il venait faire là, maintenant ?

— Explique-toi.

Cette comparaison ne lui plaisait pas du tout. Et il ne la comprenait pas.

— Il décide de tout, il ne se préoccupe pas des conséquences et prétend que tout aille dans le sens qu'il estime juste. C'est une folie. Les choses vont comme elles doivent aller.

— Je ne te connaissais pas ce côté fataliste.

— Il ne s'agit pas d'être fataliste, mais pratique. Cail, tu ne me sembles pas arrogant au point de prétendre avoir le contrôle sur tout ce qui arrive.

Un long moment de silence, puis Cail la regarda droit dans les yeux.

— Je suis un homme, Elena. Bien sûr que je veux avoir le contrôle sur les choses. Ne pense pas, ne pense même pas une seconde, que je n'aie pas de désirs. Que je ne ressente pas le besoin de faire de cette relation ce qu'elle devrait être. Ou que je ne veuille pas te garder à l'abri. Tu te tromperais.

Sa voix s'était faite profonde, cinglante, comme son regard. Ses doigts trouvèrent l'attache de la nuque d'Elena, l'effleurèrent puis descendirent plus bas, à la recherche de la peau. Sa caresse se fit plus intime.

Elena avala sa salive. Voilà, elle avait eu sa réponse. Et bien qu'elle ait deviné que derrière les mots de Cail il y avait plein de non-dits, elle comprit que la situation dans laquelle ils se trouvaient lui pesait, à lui aussi. Et peut-être peser n'était-il même pas le mot juste. Sa franchise la remplit d'admiration et de peur à parts égales.

— Moi aussi, je suis en attente, Cail, murmura-t-elle.

Pendant un moment, après le lui avoir avoué, elle se sentit plus légère. Ils avaient un peu tourné autour, mais en fin de compte s'étaient dit ce qu'ils ressentaient.

Et cependant la prise de conscience n'était pas une solution. Cette façon qu'ils avaient de jouer sur la frontière d'un rapport qui était beaucoup plus qu'une simple amitié, et moins qu'une liaison amoureuse, la rendait folle. Parfois, elle aurait voulu que l'enfant soit déjà né pour comprendre s'il était possible pour eux trois d'être ensemble. D'autres fois, elle aurait voulu se laisser aller, sans pensée aucune.

Cail lui sourit.

— Voilà, tu vois ? Le temps est notre problème. Nous comprendrons mieux nos sentiments quand l'enfant sera né. Il faut avoir de la patience ; mais parfois c'est bien difficile.

Elle se laissa aller sur son épaule, inspira son parfum. Elle aimait la sensation qu'elle éprouvait dans ses bras. Cail lui pressa les lèvres sur la tempe, et elle soupira de plaisir.

Et puis ces pensées qui tournoyaient dans sa tête depuis la confession de Cail prirent forme. Elle avait toujours pensé que l'assurance qui transparaissait dans tout son comportement provenait de la profonde conscience qu'il avait de lui-même. Et il lui semblait étrange, à présent, de savoir qu'en fait il devait jongler avec ses problèmes personnels, exactement comme tout le monde. Elle eut alors l'impression de lui avoir manqué de respect et de considération. Et elle en eut honte.

Il continuait à la caresser de ses lèvres, il était si proche qu'elle pouvait sentir la chaleur de son souffle sur sa peau. Et son parfum d'homme, chaud et épicé, qui sentait le savon, l'après-rasage, qui sentait son odeur à lui, c'est tout, l'emprisonna, la tenant scotchée à ce canapé.

Elle lui toucha le visage et du bout du doigt suivit sa cicatrice, l'effleurant lentement.

— Que ferais-tu…

Sa voix se brisa, mais elle n'avait aucune intention d'abandonner.

— … que ferais-tu si la situation était différente ?

Cail appuya le front sur le sien. Il n'y avait plus de douceur dans ses gestes. Seulement du désir. Elena sentit l'impact de ce regard, la profonde sensualité de ses mouvements. Cail s'écarta à peine, prit son visage dans ses mains, puis l'embrassa. D'abord délicatement, puis avec plus d'assurance. Il était tendu vers elle. Encore nerveux à cause de ce qui était resté en suspens, des mille doutes qui continuaient à le tourmenter. Puis Elena lui passa les mains sur les bras, lui toucha la poitrine.

Quand Cail comprit que c'était le battement de son cœur qu'elle cherchait, il ressentit une vive émotion. Elle s'accrocha à son chandail, se serra contre lui, réduisant à néant l'espace qui les séparait encore. Et ce désir si pur balaya ses dernières pensées.

Il l'étreignit, les lèvres dans ses cheveux.

Il était heureux. Tout simplement heureux.

20

Ambre gris. Doux et séduisant, c'est le plus ancien parfum aimé des femmes. Transporté par la mer qui le dépose sur les plages comme un don précieux, il en conserve la mystérieuse et profonde fascination. Évoque l'éveil de la féminité, l'élégance, la chaleur d'une nuit d'été.

Après cette longue conversation, Elena et Cail avaient mis leurs manteaux et étaient sortis. Le soleil se couchait tôt à cette période de l'année, mais il voulait absolument lui montrer quelque chose.

— Alors là, ça oui, c'est une surprise, avait murmuré Elena en contemplant les gigantesques serres du Jardin des plantes.

Ils les longèrent jusqu'à en rejoindre une plus petite mais non moins belle. Elle y entra avec un sentiment de révérence, stupéfaite et fascinée. Et même après, immobile devant la végétation dense qu'elle découvrait, elle ne parvenait pas à en croire ses yeux. Mais l'odeur, elle, ne pouvait la tromper. Lourde humidité, fougère, muscs et fleurs. Elle aurait dû soupçonner que Cail allait la laisser sans voix.

Elle ne savait pas de quel côté regarder, parce que chaque coin de cet endroit lui coupait le souffle. Elle fit quelques pas, incapable de détacher son attention des grappes colorées de phalaenopsis, mais il y avait trop à voir pour qu'on puisse s'attarder longuement sur une fleur, quelque splendide qu'elle pût être, ou sur un détail. Non loin de là, une touffe d'orchidées fuchsia s'échappait du tronc d'un arbre, à côté des fougères. On aurait dit de tendres violettes. Elena éprouva la tentation de les effleurer, de humer leur parfum. Il y avait des plantes aux larges feuilles d'un vert brillant, d'autres en revanche aux feuilles si étroites qu'on aurait dit de longs rubans. Elle n'avait jamais rien vu de pareil.

Elle commença à longer l'allée. Son manteau enlevé, plongée dans cette atmosphère humide et parfumée, elle se sentait légère et joyeuse. Elle était passée d'un hiver glacé à la chaleur de la jungle en quelques secondes. Quand ils étaient arrivés, elle n'aurait jamais imaginé que ces gigantesques dômes de verre et d'acier cachaient un coin de forêt. Le contraste était extraordinaire.

Elle revint sur ses pas, sous le regard amusé de Cail, rejoignit les murs de cristal et regarda à l'extérieur les couches de glace qui entouraient le bâtiment. Le gel avait tout recouvert, la patine argentée reflétait les lumières de la serre et tout semblait plongé dans du gris perle.

Alors elle se retourna, et c'est alors que, comme par magie, elle fut projetée dans un autre monde. Elle fut happée par les couleurs. Le vert, dans toutes ses nuances possibles, le rose des orchidées, le jaune, le fuchsia, et même le bleu. L'eau d'un ruisseau baignait les pierres sur lesquelles étaient posés des dizaines de papillons aux couleurs les plus étranges, certains même aux ailes transparentes. Puis ils s'envolaient, brusquement, formant un nuage qui vibrait, avant de retourner sur les pierres et le sable.

Elena était en extase. Quand un papillon aux immenses ailes jaunes se posa sur l'une de ses épaules, elle se raidit, saisit le bras de Cail et ferma les yeux.

— Tu ne vas pas me dire que tu as peur d'un petit papillon ? se moqua-t-il.

— Il est plus grand qu'un perroquet, tu te rends compte ? souffla Elena sans rouvrir les yeux.

— Mais il n'a pas de bec. Il ne te fera rien, détends-toi. Regarde-le, il est merveilleux.

Elena ouvrit un œil. Un instant plus tard, la phalène s'envola. De ses ailes d'un jaune pur, brillant, avec deux taches d'orangé intense, partaient deux longues bandes d'or. Elena n'avait jamais vu un papillon aussi grand.

— Phalène comète, lui dit Cail tandis qu'elle continuait à le suivre des yeux.

— Phalène ?

— Oui, toutes les phalènes ne sont pas nocturnes, il y en a aussi de diurnes. Celle-ci, on peut la définir comme crépusculaire, elle sort tôt le matin et le soir.

— Je croyais qu'il s'agissait d'un papillon.

Cail secoua la tête.

— Regarde ses antennes : celles des papillons sont longues et fines, celles des phalènes sont plus grandes et ont des formes diverses, certaines ressemblent à de minuscules peignes. Les papillons replient leurs ailes comme on ferme un livre, les phalènes les disposent d'une autre façon, poursuivit-il en montrant les insectes arrêtés sur le sable du petit torrent.

Elena mourait d'envie d'en savoir plus. C'était toujours ce qui lui arrivait. Chaque fois qu'elle découvrait quelque chose de nouveau, il lui fallait apprendre tout ce qu'elle pouvait sur le sujet. Elle avait toujours pensé que les papillons étaient d'une grande beauté, mais elle n'avait jamais pris le temps d'y réfléchir. Elle s'apprêtait à poser une autre question à Cail quand un papillon se posa sur sa tête.

— Ouf, celui-ci est plus petit, chuchota-t-elle, comme si sa voix avait pu déranger l'insecte.

Elle ne voulait pas que cette merveilleuse créature s'envole. Son cœur battait fort, l'envie de rire montait dans sa gorge. Elle étendit les bras et attendit, immobile : quand sa constance fut récompensée, elle se concentra sur la sensation que lui procuraient les fines pattes du papillon sur sa peau, puis sur les couleurs intenses de ses ailes et sur l'odeur de ce lieu. Elle le respira plusieurs fois, le fixant dans sa mémoire. Car elle voulait s'en souvenir pour toujours.

— Je n'imaginais pas que tu connaissais tant de choses sur les papillons.

— De fait, je connais juste le nom de la phalène comète. Et de quelques autres... Au printemps, j'ai été consultant pour la roseraie du

Jardin des plantes. Lucien Musso, le responsable, m'a expliqué leur projet. Et il m'a montré les diverses phases d'introduction des insectes. Mettre des papillons dans la serre des espèces exotiques n'est qu'une expérience, pour l'instant. L'idée est de reconstituer un coin de forêt tropicale, en tenant compte de toutes les espèces qui l'habitent. Les papillons sont en train de disparaître, Elena. Même s'il y a beaucoup d'éleveurs qui s'efforcent d'en réintroduire le plus possible dans leurs habitats naturels, ils continuent à mourir avant d'avoir accompli leur cycle vital. Souvent, ils n'arrivent même pas à déposer leurs œufs.

— Laisse-moi deviner... des pesticides, là aussi.

— Il s'agit d'un mélange mortel, des molécules conçues pour détruire les insectes. Elles ne font pas de distinction entre une mouche, un papillon ou une abeille.

Il avait fallu un moment avant que Cail ne parvienne à convaincre Elena de sortir de la serre. Elle semblait n'en avoir jamais assez, mais pour finir elle s'était laissé entraîner dehors, avec sur le visage une expression rêveuse et dans le cœur un parfum différent, nouveau et merveilleux.

— Je t'y amènerai de nouveau au printemps !

La promesse de Cail l'avait persuadée de laisser derrière elle cet endroit incroyable, et maintenant ils se promenaient sur les quais de l'île de la Cité en se tenant par la main. La flèche de Notre-Dame se détachait sur le ciel noir, tout éclairée. Ils continuèrent à marcher en bavardant, cependant que leurs souffles se condensaient en vapeur – se racontant eux-mêmes à travers leurs espoirs, leurs désirs, ce qu'ils auraient voulu faire.

— Quel est exactement ton domaine ? Tu as dit que tu avais été consultant pour la roseraie du Jardin des plantes.

— Je le suis encore. J'ai un diplôme d'agronomie, et je me suis spécialisé dans les maladies des roses. Mais l'hybridation, comme tu le sais, est mon métier, c'est celui de ma famille depuis des générations, c'est ce que nous faisons pour vivre.

— Alors tu es une véritable autorité en la matière !

Un large sourire, un baiser à fleur de lèvres. Cail lui entoura les épaules d'un bras.

— Il y a toujours eu des roses... Disons que je m'assure qu'elles continuent à se trouver où elles doivent être.

Voilà, tout simplement. Il s'assurait que tout continue comme il se devait. Sans polémiques, sans grandes discussions. Cail agissait, en silence. Cette attitude était typique de ce qu'il était, pensa Elena. Il occupait une place dans le monde, il ne vivait pas seulement sa vie, en s'occupant exclusivement de ses affaires. Non, il laisserait une trace de son passage.

Et elle ? Cette pensée était à la fois joie et découragement. Elle s'était bornée à vivre, et plutôt, même, elle avait, un moment, survécu. Elle avait établi avec une certaine marge de sûreté ce qu'elle ne voulait pas et l'avait distingué de ce qu'elle désirait. Puis elle avait poursuivi son objectif en se fichant de tout le reste. Y compris d'elle-même. Elle avait été complètement butée.

Et maintenant ? Quels étaient vraiment ses projets ?

— Tout a changé, maintenant, souffla-t-elle.

Le sourire de Cail lui réchauffa le cœur.

— Un enfant change votre perception des choses.

Oui, et elle le savait bien.

— Je dois faire une échographie la semaine prochaine.

— J'aimerais beaucoup t'accompagner, si tu es d'accord.

Il le voulait vraiment, tout était écrit là, dans ce regard direct. Il lui demandait la permission d'entrer un peu plus dans sa vie. C'était toujours ainsi avec lui, songea Elena. Il lui laissait toujours de l'espace, il ne faisait pas pression sur elle. Il était facile d'être soi-même avec Cail. Et pourtant il y avait encore quelque chose qui n'allait pas bien entre eux. Quelque chose qui le tourmentait, quelque chose dont il ne lui avait pas encore parlé.

— Oui, j'en serais très contente.

Il restait tant d'inconnues. Elle allait devoir affronter certaines d'entre elles. Il n'était plus possible maintenant de remettre la question à plus tard. Un par un, ses pensées et les problèmes s'étaient regroupés, et ils attendaient patiemment, à la file, qu'elle les passe en revue, les résolve et enfin les mette de côté.

Le premier de tous concernait Cail.

Aujourd'hui, je lui ai donné le parfum. Il l'a réchauffé dans les paumes de ses mains, son regard adouci fixé sur le flacon. Je désire leur chaleur, je l'ai éprouvée sur ma peau. Je voudrais les chasser, et je voudrais qu'elles m'étreignissent encore, comme il arrivait vers le milieu de la nuit, quand le vent glacé soufflait des murs de pierre et qu'il m'accueillait.

Nous en sommes à la fin et j'ai crainte que plus rien ne subsiste pour moi. Mon cœur est plein d'inquiétude et d'angoisse, mais ce que j'avais à faire est achevé.

J'ai froid maintenant. Lui continue à regarder avidement le parfum, il ne me voit même pas, ni mes yeux pleins de larmes. Il ne voit plus rien. Il est perdu dans l'instant qui précède la découverte, dans l'allégresse de la victoire. Si ce que je lui ai remis est ce qui a été convenu, il me couvrira d'or et de rangs de perles. Il l'a promis.

À présent il ne me reste plus qu'à attendre…

— Tu es encore en train de lire le journal de Beatrice ?

La voix de Joséphine l'arracha à un passage dans lequel Elena se plongeait de plus en plus souvent. Beatrice avait une éloquence très différente de celle de son temps. Elle n'employait pas de phrases affectées, elle était directe, ses sentiments étaient là, vivants, sur le papier. Presque criés. Chaque mot était passion et douleur. Elena releva les yeux vers son amie.

— C'est déchirant. Elle savait qu'il allait la quitter.

— Oui. C'était une femme courageuse. Elle a tout affronté, elle est retournée à Florence et a refait sa vie.

— Sans l'homme qu'elle aimait...

Joséphine haussa les épaules.

— Tu sais, j'y pense parfois. Il n'est pas dit qu'après, avec son mari, Beatrice n'a pas été heureuse. Elle a eu une fille, aussi. L'amour a beaucoup de visages. Ce n'est pas comme la passion. La passion vous dévore et vous fait toujours vivre à la limite.

Elena aurait parié que Joséphine était en train de parler par expérience. Elle ne voulait pas l'interroger sur Grégoire, ce n'était pas un sujet qu'elles abordaient à cœur ouvert. Ou dont elles parvenaient à plaisanter. Et depuis quelque temps Joséphine avait cessé de lui demander comment ça allait avec Cail. C'était comme si, entre elles, s'était fait jour une sorte de réticence. Elles se cherchaient, parfois réussissaient même à se trouver, comme en ce moment-ci, mais elles n'étaient plus à l'aise l'une avec l'autre comme autrefois.

— Aurore viendra aujourd'hui ?

Elena fit signe que oui.

— Je pensais lui montrer les différences entre les essences naturelles et quelque chose de synthétique. Elle est très douée, tu sais, je pense qu'elle pourrait avoir de grandes satisfactions si elle continue à étudier.

— À Grasse ? demanda Joséphine.

— Pourquoi pas, ou encore à l'Institut supérieur international du parfum, à Versailles. Ses parents n'ont pas de problèmes d'argent. Le seul obstacle, ce serait la commission qui devrait évaluer ses aptitudes pour intégrer l'école.

Joséphine fit la moue.

— Ou alors elle pourrait apprendre avec toi.

Elena fronça les sourcils.

— Mais enfin, Jo, qu'est-ce que tu racontes ? En passant par l'ISIPCA, elle aurait beaucoup plus de chance d'entrer dans un staff qualifié, d'occuper un poste prestigieux.

— Reste le fait que pour entrer dans cette école l'apparence est super importante. C'est peut-être triste, mais je suis d'accord. Il s'agit quand même d'un monde où l'on apprend à faire de l'esthétique une philosophie de vie, alors Aurore... je ne sais pas trop. Il faudrait qu'elle change. Ce n'est pas malin ce qu'elle fait, ça pourrait lui coûter cher, répliqua Joséphine, pensive.

— Pour le moment, il me semble encore prématuré de faire des conjectures de ce genre. Ce n'est qu'une ado ! Et qui sait, ça ne restera peut-être pour elle qu'une simple passion.

Joséphine secoua la tête.

— Elle renifle tout ce qui lui tombe sous la main, j'ai l'impression de voir un Grenouille en jupe, marmonna-t-elle.

— Attention, qu'elle ne t'entende pas, la réprimanda doucement Elena. Elle n'aime pas du tout ce personnage. Elle préfère Proust et ses madeleines.

— Je l'aurais parié.

Joséphine resta pendant toute la leçon d'Aurore, puis dut sortir. Elena était presque sur le point de fermer quand se présenta une dame d'un certain âge.

— Bonjour, madame, un ami à moi a acheté l'un de vos parfums. Il m'a dit que vous réalisiez des fragrances sur mesure, c'est vrai ?

— Oui, bien sûr. Venez, asseyez-vous, lui dit Elena en lui indiquant le canapé.

La dame avait la soixantaine, très élégante, les cheveux attachés, une robe bleu nuit et un rang de perles qui se détachaient, bien nettes, sur le tissu de la robe. Vanille crémeuse, raffinée et sobre comme son apparence, une pointe d'iris, du musc, de l'amande amère – une femme fantasque, de caractère. Ce parfum parlait d'elle et de sa nature volontaire. Elle avait l'odeur de la campagne et de la pluie dont les gouttes constellaient encore son imperméable. Elle se débarrassa de son parapluie et enleva son manteau avec calme, en regardant autour d'elle.

— Vous aviez en tête quelque chose de particulier ? lui demanda Elena, son bloc-notes sur les genoux.

— Oui, j'aimerais un parfum simple et bien adapté, lui répondit la dame en s'installant à côté d'elle.

— À quoi ?

La dame plissa le front.

— Pardon ?

— Vous avez dit que vous voudriez un parfum bien adapté, je me demandais à quoi.

— Mais à moi, naturellement.

— Et vous... comment êtes-vous, justement ? Qu'est-ce qui pourrait être dans vos cordes ?

La dame était décontenancée. Elena sourit. C'était toujours comme ça. Les clients avaient rarement les idées claires quand il s'agissait de sonder leurs propres désirs, ce qu'ils croyaient être des certitudes et qui en fait n'étaient que des impressions. Aucune précision, rien que des idées vagues.

— Dites-moi, madame… ?

— Dufour, Babette Dufour.

Elena commença à poser les questions d'usage, allant de ce que la cliente aimait à ce qu'elle détestait. Et dans cette recherche, elle devint peu à peu un instrument dans les mains de Babette. Celle-ci racontait à Elena ses émotions, ses impressions, ce qu'elle désirait, et Elena codifiait tout cela, imaginant le type de fragrance qui s'adapterait le mieux aux exigences de la cliente. Aromathérapie, thérapie par les parfums, parfum, tout simplement. Chaque élément qu'elle choisirait pour composer le parfum de cette dame se joignait aux autres dans son esprit et lui donnait une idée de la voie à suivre. Elle tiendrait compte de beaucoup de choses, et notamment de l'action synergique que les ingrédients naturels exerceraient sur la cliente. Ce moment était fondamental. C'était le cœur de tout le processus qui suivrait. C'était là ce qui la distinguait de tous les autres, et qui faisait d'Elena une artiste du parfum. Son extraordinaire sensibilité, sa capacité de percevoir intimement ce que les gens voulaient pour eux-mêmes, et de le transformer en une harmonie de fragrances, en une véritable mélodie.

— Je vais commencer à y travailler, puis je vous appellerai pour vous faire sentir les diverses déclinaisons. Nous partirons d'une composition légère, assez classique : une base d'agrumes délicats, un cœur fleuri, un fond un tout petit peu mouvementé.

Babette ouvrit de grands yeux et acquiesça.

— J'aime ce « mouvementé ».

Elena l'aurait parié. Un brin de transgression rend la vie plus séduisante.

Au cours du mois de janvier, le verglas avait pris la place de la neige. Il y avait dans l'air une odeur de bois brûlé, mêlée aux émanations des voitures et des équipements de chauffage et à la fumée des bivouacs installés sous les ponts de la Seine : c'était dense, poisseux et vous restait collé à la peau. Elena n'en pouvait plus, elle espérait ardemment que le vent allait se lever pour disperser cette chape de pollution qui pesait sur Paris. Il lui vint à l'esprit qu'à Grasse le mistral soufflait et que ces jours-là le ciel devenait bleu azur et limpide comme le cristal.

Bien sûr, le fait que Cail soit loin pour raisons de travail n'améliorait pas son humeur. Elle se sentait vraiment très irritable. Ce malaise était dû en partie au journal, en partie à l'échographie qu'elle allait passer ce jour-là.

— Salut.

Elena posa sur la table son bouquet de fleurs et courut vers Cail qui l'attendait sur le seuil. Il ouvrit les bras et, après l'avoir serrée contre lui, la souleva pour que leurs yeux se trouvent à la même hauteur.

— Pourquoi as-tu mis tant de temps ? protesta Elena.

Cail ne répondit pas, en revanche, il l'embrassa lentement sur les lèvres, avec dévotion. Elena décida que, devant des excuses si valables et convaincantes, les mots n'étaient pas nécessaires.

— J'ai fait aussi vite que j'ai pu, lui dit-il avec un dernier baiser avant de la laisser aller. Alors, l'échographie est pour cet après-midi ?

— Oui. Nous devons être à la clinique à cinq heures. Mais si tu es trop fatigué...

— Sois prête pour quatre heures, il vaut mieux arriver à l'avance. Joséphine restera au magasin ?

— Oui.

— Bien, à plus tard.

Elena le suivit du regard jusqu'à ce qu'il disparaisse dans l'escalier. Et elle se surprit à soupirer comme une adolescente.

La première fois qu'Elena avait entendu les battements de cœur de son enfant, elle s'était tellement agitée qu'ensuite elle n'avait pas fermé l'œil de toute la nuit. Cette fois-là, Cail ne l'avait pas accompagnée, mais une fois sortie Elena l'avait trouvé qui l'attendait. Il lui avait raconté qu'il s'était retrouvé là par hasard. Non qu'elle l'ait cru. Si bien que la fois suivante elle lui avait communiqué date et heure bien à l'avance, de façon qu'il n'ait pas à courir comme un dératé pour arriver à temps.

— Alors, là c'est sa menotte. Un, deux, trois, quatre et cinq doigts. Vous voyez ? Nous ferons un contrôle morphologique supplémentaire à la vingtième semaine, mais tout semble parfait.

Le docteur Rochelle s'était vraiment habituée à tout. Mais deux personnes qui se tenaient agrippées l'une à l'autre dans un silence quasi religieux, les yeux rivés sur l'écran de l'échographe, c'était quelque chose qui lui arrivait rarement. Ils étaient émus et circonspects.

— C'est votre premier enfant, je suppose.

— Oui !

Ils avaient répondu ensemble. Puis Cail se raidit et s'éloigna de quelques centimètres. Ou du moins essaya, avant qu'Elena lui rattrape la main, la remettant sur la rondeur de son ventre couvert de gel. Plus tard, ils sortirent du cabinet médical en se tenant par la main.

Ce soir-là, alors que le docteur Rochelle revérifiait les fiches des patients qu'elle avait vus, elle se rendit compte que sur celle d'Elena Rossini, il manquait une rubrique. Sous le nom du père du bébé, l'espace était resté vide.

Comme c'est étrange, pensa-t-elle. Puis elle l'ajouta : Caillen McLean. Heureusement qu'elle se rappelait bien le nom de cet homme. C'était en effet quelqu'un qu'on n'oubliait pas.

Deux semaines plus tard, Cail s'absenta de nouveau.

Les jours qu'elle passait seule, Elena consacrait tout son temps à Absolue. Elle émiettait, distillait, filtrait et composait. Ce qu'elle ne faisait pas elle-même, elle l'achetait chez d'autres herboristes-parfumeurs, qui à leur tour achetaient ses créations. C'était une chaîne de producteurs qui avaient fait de la récolte et de la transformation des herbes et des essences leur philosophie. Et ainsi ils préparaient talcs, hydrolats et bougies avec les méthodes qu'avaient employées leurs prédécesseurs, qui à leur tour s'étaient inspirés de la tradition artisanale la plus raffinée, née des siècles et des siècles auparavant.

Elena gérait pratiquement tout désormais. Joséphine était de plus en plus distante. Si ce n'était pas à cause de Grégoire, c'était du fait de Le Nôtre. Mais si Cail partait, Joséphine arrivait. Ils étaient synchronisés. Elena était sûre que ces deux-là avaient scellé un pacte dont elle n'avait pas connaissance.

Le fait que Cail ait demandé à Joséphine de lui tenir compagnie l'agaçait un peu. Et cependant il y avait des moments où cet excès d'attentions la flattait. Elle avait été seule longtemps et avoir quelqu'un qui se consacrait à elle avec cette constance inébranlable était une agréable nouveauté.

Avec l'avancée de la grossesse, Elena se fatiguait rapidement. Par bonheur, Aurore venait au magasin de plus en plus souvent.

— Merci d'être venue.

— Tu sais bien que pour moi c'est un plaisir.

Et ça l'était vraiment.

Aurore ne ressemblait plus à cette gamine avec la peau sur les os et pleine d'arrogance qui s'était présentée à Elena pendant les fêtes de Noël. Au fur et à mesure que les leçons se poursuivaient, la jeune fille acquérait plus d'assurance et de sérénité. Elle ne mélangeait plus des parfums déjà prêts : Elena lui avait montré comment réunir quelques essences, rien de difficile, juste deux-trois combinaisons, et Aurore s'était montrée à la hauteur de cet enseignement. L'enthousiasme de cette fille était contagieux ; de plus en plus souvent, Elena se retrouvait à devoir faire face à quelque chose qui ressemblait vraiment à un grand désir. Aurore mourait littéralement d'envie de créer un parfum de A à Z. Dans ce but, elle se dépensait sans compter. Si Elena lui conseillait de lire quelques pages d'un livre, Aurore le dévorait de fond en comble et en cherchait d'autres. Maintenant les parfums n'étaient plus un mystère pour elle. Elle connaissait la technique. Elena la lui avait expliquée peu à peu. Très bientôt, elles s'attelleraient à la composition de son premier parfum.

Aurore avait aussi changé de look. Et de cela, Elena en était pratiquement certaine, la responsable était Joséphine, avec sa fabuleuse garde-robe. Un modèle de style et d'élégance. Les jeans déchirés et les pulls noirs que l'adolescente avait portés comme un défi avaient été remplacés par des couleurs plus gaies et des tenues qui mettaient en valeur sa silhouette. Et quand elle avait arrêté de se teindre les cheveux, elle s'était présentée au magasin avec une chevelure blonde d'une couleur ambre foncé si riche qu'elle avait laissé Elena et Joséphine sans voix.

— Je connais des gens qui tueraient pour cette couleur de cheveux, et dire qu'elle la gardait cachée sous un bleu schtroumpf inregardable.

Elena, contrairement à Joséphine, n'avait pas fait de commentaire. Mais à présent que c'était elle qui regardait le monde du côté des adultes, elle comprenait ce qu'avait pu penser sa grand-mère de toutes les bêtises qu'elle avait faites.

Elle y était allée fort, parfois, en effet, maintenant qu'elle y pensait.

JOURNAL DE BEATRICE

Le parfum a triomphé. Mes prévisions les plus sombres se sont réalisées.

Ils vont bientôt se marier.

Jamais je n'ai rien créé de plus précieux. Rien ne le rappelle au royaume de France ou ailleurs. Parfois il a la senteur d'une promenade sous une arche de roses, sous le soleil propice et puis en pleine nuit, quand la lumière fugitive baigne les feuilles, et les petits nuages semblent d'argent.

Il est heureux, rit, parle, impétueux, de ce qui sera bientôt sien, de ses grandes richesses. Il dérobe la joie à mon cœur, la lumière aux étoiles et ne s'en aperçoit pas.

Peut-on mourir d'amour ? Quelle charge de douleur un cœur peut-il supporter ?

Je m'interroge, tout en souriant quand je voudrais que les pleurs allègent mes peines. Son bonheur est mon malheur. Je me vaux à moi-même ce tourment. Je me suis fait illusion sur son amour.

Il me laissera, donc.

Je n'ai pas d'honneur et peu m'importe. S'il me voulait, je jouirais à ses pieds.

Mais inutile est désormais cette considération. Inutile et dure.

Ce dont il avait besoin lui appartient déjà.

Je dois m'en aller avant que ce ne soit lui qui me chasse.

Elena referma le journal, cette douleur de nouveau au fond de la gorge. Combien de fois avait-elle lu ces lignes ? Elle connaissait désormais le texte par cœur. Mais la peine que ces mots suscitaient n'en était pas moins forte. Peut-être cela venait-il aussi de la conscience que ces événements n'étaient pas le fruit de l'imagination d'un écrivain, mais la vie, dans toute sa tragique vérité. Oui, ils étaient la vie. C'était une part de son passé.

Beatrice Rossini et son merveilleux parfum.

Elena laissa se dissiper la mélancolie, le sentiment de regret que lui avait évoqué la lecture de ces pages. Beau et sublime était ce parfum, rien n'était comparable à la fragrance qui s'exhalait du flacon d'or. Parce que c'était dans de l'or que le chevalier l'avait fait conserver pour sa princesse.

Qu'est-ce, au nom du ciel, qu'est-ce qui composait la formule ? Qu'avait pu y mettre Beatrice en plein milieu du XVIIe siècle, en France ?

— Encore plongée dans ce journal ?

Elena ferma le cahier et se leva.

— Je n'arrive pas à trouver les ingrédients, Cail, et ça me fait enrager. Je veux dire, quand mes ancêtres les cherchaient, il n'y avait pas Internet, l'information ne circulait pas à la vitesse de la lumière. Elles n'avaient pas toutes les connaissances dont je peux disposer. Ça me met en rage de ne pas arriver à comprendre où Beatrice a caché sa formule.

Cail pensa à la mettre au courant de ce qu'il soupçonnait. Il avait élaboré une théorie. Si Beatrice avait décrit le château sans toutefois jamais dire son nom, ni le titre du seigneur, ou de la dame, il y avait de fortes probabilités que quelque chose en ce lieu fût lié à la formule du parfum, quelque chose qui puisse en dévoiler le mystère. Mais avant d'en parler avec Elena, il voulait approfondir encore la question. Il était néanmoins convaincu que la solution du mystère caché dans le journal de Beatrice se trouvait dans le village, ou dans son château.

— Mme Binoche m'a recontactée. Elle m'a dit qu'elle avait presque fini d'écrire son livre. L'idée du parfum de Notre-Dame continue à lui sembler judicieuse. Elle n'est pas retournée chez Narcissus, elle veut que ce soit moi qui compose le parfum.

— Oui, tu me l'avais dit. Mais elle devra attendre. Il faut que je parte de nouveau, mais cette fois il y a un week-end au milieu. Que dirais-tu de m'accompagner ? Nous pourrions enfin voir le château de Beatrice.

21

Cèdre. Son essence, extraite du bois, est l'une des plus anciennes qui soient. Elle renforce l'esprit et le protège. Aide à maintenir lucidité, équilibre, sens des proportions. Évoque l'observation la plus profonde.

Parfums et couleurs. Telle était la Provence. Elena s'en souvenait bien, et les sensations tourbillonnaient en elle, indécises, ne sachant où s'arrêter. Elles étaient comme ces papillons qu'elle avait vus dans la serre, quelque temps auparavant. Ils volaient et volaient encore, pour ensuite se poser brusquement. Sauf qu'il était quasiment impossible de savoir où ils s'arrêteraient.

— Nous sommes presque arrivés. Ça va ?

— Oui, tout va bien.

Mais ce n'était pas vrai. Elle n'allait pas bien du tout. Et soudain, ce voyage ne lui semblait plus une bonne idée.

— Si tu continues à t'agripper de cette façon à la ceinture de sécurité, tu vas finir par l'arracher.

— On a une assurance, répondit-elle distraitement, le visage tourné vers la fenêtre du 4 × 4 que Cail avait loué à l'aéroport.

Les buissons de lavande, des deux côtés de la route, étaient des sentiers argentés dont on n'apercevait pas la fin. Ils grimpaient le long des collines, descendaient le long des vallées et puis montaient vers le ciel, disparaissaient pour reparaître peu après. Et quand ils fleuriraient, en juin, au gris perle des feuilles s'ajouterait le bleu soutenu des épis.

Et puis il y aurait le parfum. Il n'existait rien qui pût ne serait-ce que ressembler au parfum de la lavande en fleur. Elena s'en souvenait parfaitement. Le jour, c'était le bourdonnement des abeilles qui l'accompagnait, la nuit, la stridulation des cigales.

Le ciel était limpide en ce matin d'avril, presque éblouissant.

— Vingt minutes et nous serons à la maison, lui dit Cail.

Elena se figea.

— Nous ne pouvons pas nous arrêter dans un hôtel ?

Cail rétrograda, puis ralentit.

— Si, bien sûr. Nous pouvons faire tout ce que nous voulons. La raison ?

— Je ne voudrais pas te créer de problèmes...

— Tu ne m'en crées pas. Alors, détends-toi, OK ?

Elena se passa la main dans les cheveux, les releva et essaya de les nouer en chignon. À peine les lâcha-t-elle qu'ils retombèrent sur ses épaules en épaisses vagues dorées.

— Dernièrement, tu fais ça tout le temps, lui dit Cail après lui avoir jeté un coup d'œil pénétrant.

— Quoi ? Qu'est-ce que je fais tout le temps, s'il te plaît ?

— Jouer avec tes cheveux, essayer de les attacher et puis les laisser aller.

Elena s'agrippa de nouveau à la ceinture de sécurité, en l'écartant un peu. Ce truc l'étouffait.

— Je suis nerveuse, c'est tout !

— OK, et maintenant tu veux bien me dire ce qui est en train de te passer par la tête ?

Elena inspira profondément.

— En général, je m'en fiche, OK ?

— De quoi ? De plaire aux gens ? Permets-moi d'en douter. Tu veux plaire à tout le monde. Pour toi, c'est fondamental.

— Mais... mais c'est terrible, ce que tu dis, balbutia-t-elle en le regardant, les yeux exorbités, brillants de larmes, dans un mélange de trouble et d'indignation, le cœur cognant dans sa poitrine.

— Non. Ce qu'il y a de terrible, c'est de penser que quelqu'un t'aimera seulement si tu te comportes comme il le veut, lui. Ou encore, d'être si sacrément peu sûr de soi qu'on ignore ce qu'on vaut vraiment. Voilà ce qui est terrible, Elena.

Il le dit calmement, sans s'énerver, du même ton qu'il avait employé peu avant pour lui montrer quelque chose dont elle ne se souvenait même plus.

— Regarde-toi, Elena, tu es belle, intérieurement comme extérieurement. Ne te laisse pas manœuvrer par ta vulnérabilité...

Un long silence, puis elle lâcha la ceinture, serra les poings et se tourna de nouveau vers la vitre.

— Je n'aime pas être psychanalysée.

Cail sourit.

— Parce que je suis fort, et ça t'énerve... Et puis je te dis toujours la vérité, peu m'importe ce que tu fais ou dis. C'est d'ailleurs pour ça que je te plais.

Il ne manquait plus que ça ! Elena lui jeta un regard incendiaire. Mais devant l'expression de Cail, elle dut se mordre la lèvre pour contenir le rire qui lui picotait la gorge.

— Ce n'est pas toi qui me plais, c'est ton parfum. Je regrette de te décevoir, mais c'est ainsi.

Cail sourit.

— Je ne mets jamais de parfum. Je ne sentirais pas celui des roses si je le faisais.

— Mais... ce n'est pas possible, murmura-t-elle.

— Je te jure, aucun parfum. Jamais.

Elena était déconcertée, elle le sentait bien, le parfum de Cail. Y compris en cet instant. Il était intense, épicé et enveloppant, et c'était aussi la première chose qu'elle avait perçue de lui. Avant même de découvrir son visage.

— Donc, comme tu vois, c'est moi qui ai raison, il n'y a rien à faire. Résigne-toi.

Elena leva les yeux au ciel, puis étendit la main et alluma la radio. Au bout de deux minutes, elle l'éteignit et regarda Cail.

— Tu penses que nous trouverons des réponses au château ?

— Détends-toi, Elena. Tout ira bien. Ma famille t'adorera. C'est physiologique, crois-moi. Ils ne pourraient pas faire autrement même s'ils le voulaient. Tu entres dans le cœur des gens par la porte secondaire, sans t'imposer. Alors il est pratiquement impossible de t'en chasser. Quant à Beatrice, je ne sais que te dire, je suppose que nous le découvrirons une fois arrivés.

Silence. Elena se tenait recroquevillée sur le siège, comme désireuse d'y disparaître.

— Eh... qu'est-ce qui t'arrive ? Tu veux que j'arrête la voiture ? lui demanda-t-il avec douceur.

— Tu ne peux pas dire simplement que je suis quelqu'un que tu aimes ?

Cail sourit.

— Ce serait réducteur, tu ne crois pas ? Et puis chaque chose en son temps. Nous en avons déjà parlé... non ?

Elena poussa un gros soupir.

— Oui, oui... le temps, le bébé, bla, bla, bla...

Ils poursuivirent leur chemin en silence pendant quelques kilomètres. Après avoir dépassé Avignon, ils abandonnèrent la route principale pour une secondaire, s'enfonçant dans la campagne. Bientôt les prés laissèrent place aux collines. Elena nota qu'au sommet des plus hautes se concentraient habitations et petits villages. Sur leurs flancs, comme un manteau coloré, s'étendaient les cultures de fleurs, les vignobles et les oliveraies.

— Voilà La Damascène, dit Cail, lui indiquant un mur de pierre, interrompu par une grille de fer. Ce sont dix hectares de maquis méditerranéen, d'oliviers séculaires et de serres pour les roses. Il y a aussi un ruisseau qui coule là au milieu. Angus... mon père l'a dévié vers un lac artificiel, comme ça, au moment de la crue, les eaux sont contenues et n'inondent plus les champs. Dans la partie la plus haute, il y a la maison de maître. Puis une dépendance où habite ma sœur Sophie, et un peu plus bas, ma maison.

Ses yeux brillaient tandis qu'il parlait de la propriété. Dans sa voix transparaissait ce léger orgueil provenant d'années de travail passées à améliorer, organiser, prendre soin de ses terres. On s'identifiait à elles, pour finir. Elena avait éprouvé quelque chose de ce genre avec la demeure des Rossini. Avec ce qu'elle n'avait jamais considéré comme sa maison et qui pourtant l'avait réclamée.

— Et nous, où nous installerons-nous ? s'inquiéta-t-elle.

— Ensemble, naturellement. Ma maison n'est pas grande, mais il y a deux chambres à coucher et nous y serons assez bien. Nous aurons plus de liberté. Une fois que ma mère t'aura mis la main dessus, il sera difficile de s'en libérer.

Eh bien, voilà qui a tout pour me rassurer..., pensa Elena.

— Je... tu lui as parlé du bébé ?

Cail garda le silence.

Elena s'humecta les lèvres et reprit :

— Je ne voudrais pas te créer des problèmes avec eux...

— Aucun problème. Sois tranquille. Voilà, nous sommes arrivés, lui répondit-il en ignorant la question d'Elena.

Même si elle avait voulu ajouter autre chose à cette conversation faite de mots hachés et de longs silences, il n'y en eut pas la possibilité. Le chemin qu'ils avaient pris après que Cail eut actionné la grille automatique finissait en une vaste esplanade de gravier. Devant eux, les murs de ce qui avait dû être un vieux moulin, dont était encore visible une partie de la structure, avec la roue plongeant dans le torrent, disaient beaucoup de choses de cette propriété. La maison se trouvait à une centaine de mètres sur la droite. C'était assurément la construction la plus récente de l'ensemble : en pierre blanche, elle s'élevait sur trois étages. Au soleil de midi, les châssis bleus bien alignés semblaient sourire. Sous le portique de bois, il y avait un groupe de jarres de terre cuite très similaires à celles qu'Elena pouvait voir à Florence. Et puis des roses, une profusion de roses. Elles grimpaient le long des murs, retombaient des pots, tapissaient les parterres. Rouges, jaunes, roses, dans toutes les nuances possibles et de formes diverses, en calice, en oignon ou fuselées. Certains bourgeons étaient simples, élégants, d'autres ronds comme de petites balles.

Cail se gara devant la maison, sortit de voiture et aida Elena à descendre.

— Enfin ! Je pensais que tu avais changé d'idée.

Une femme d'un certain âge, encore belle, à la démarche assurée et au sourire cordial, venait vers eux.

Elena se crispa.

— Ne me laisse pas, supplia-t-elle à voix basse.

Cail chercha sa main et noua ses doigts aux siens.

— Jamais, murmura-t-il avec une légère pression de la main.

— Nous nous sommes arrêtés pour admirer le paysage, répondit-il. Maman, voici Elena.

— Bien sûr que c'est elle, qui d'autre est-ce que ça pouvait être ? répondit Elizabeth en se dégageant de l'étreinte de son fils. Sois la bienvenue, Elena. Et maintenant, si mon fils veut bien être assez gentil pour te lâcher la main, je voudrais te dire bonjour comme il se doit.

— Merci, souffla Elena.

D'Elizabeth émanait une odeur de roses, toutefois son parfum était délicat, discret, comme celui qui s'exhalait des bourgeons. Et tout de suite s'y ajoutaient le gardénia puis la vanille. Ce parfum était doux, comme le regard qu'elle lui adressait.

Elena ne s'était pas attendue à un accueil aussi chaleureux. Et quand, quelques minutes plus tard, arriva Angus McLean, elle n'eut pas besoin de présentations pour le reconnaître. À ce moment-là, elle eut une idée assez précise de ce que serait Cail une trentaine d'années plus tard.

L'homme la serra dans ses bras d'ours et l'embrassa sur les deux joues.

— Diable, mon garçon. Tu as toujours été doué pour faire des surprises, mais quand même, deux en une… ! dit-il avec un geste vers Elena. Je crois que cette fois tu t'es surpassé.

Elena, Cail et Elizabeth tentèrent d'ignorer les allusions d'Angus, mais il continua à féliciter son fils, en lui donnant de fortes tapes dans le dos et lui adressant de grands sourires. Elena se rendit compte que, comme Cail, Angus embaumait la rose. Ils étaient tous les deux grands et massifs, assez conscients de leur personnalité pour ne pas redouter de disparaître derrière un parfum typiquement féminin. Chez eux, il n'y avait rien de fragile ni d'affecté. Chez Angus, cependant, il y avait autre chose : poivre noir, cèdre et autres boisés. Il était original, ce parfum, et fort.

Comment, de deux personnes aussi loquaces et expansives, avait pu naître un homme comme Cail ne pouvait s'expliquer que par la loi de la compensation.

Elena fut choyée, cajolée. Angus l'emmena visiter le jardin et lui montra les serres. Cail sortit Hermione du garage et fit deux ou trois tours. Elena le vit disparaître dans un vrombissement profond qui ressemblait à la panique qui lui tordait l'estomac. Mais, avant que cela pût se transformer en quelque chose de plus concret, elle l'entendit revenir et, quand il ôta son casque et lui fit un clin d'œil, elle éclata de rire.

Puis arriva Sophie. La sœur de Cail était une vraie beauté. D'une beauté simple et joyeuse, qui évoquait de longues périodes passées sous le soleil, dans les champs. D'elle aussi s'élevait une odeur de roses. Des roses douces, discrètes, qui s'unissaient au jasmin pour devenir complexes et pénétrantes.

Elle lui posa un tas de questions sur les parfums. Elle était très ferrée sur les végétaux dont on extrayait les essences, et très avertie en matière de protection des espèces en voie d'extinction.

Cail avait dit à Elena que sa sœur tenait l'environnement très à cœur, elle était institutrice et consacrait son temps libre à la culture de plantes autochtones menacées de disparition, qu'elle réimplantait ensuite en milieu naturel avec Cail et l'association dont tous deux faisaient partie.

— Et dis-moi, les baleines, le cerf musqué, le castor ou la civette ? C'est vrai que ces animaux sont utilisés pour créer des parfums ?

Elena choisit ses mots avec soin.

— Je pourrais te répondre que oui... mais ce ne serait pas tout à fait exact. L'ambre gris est une sécrétion spontanée du cachalot, très rare. Quant aux dérivés des autres animaux, personne ne les emploie plus maintenant.

— Vraiment ?

— Oui. Mis à part le fait que c'est interdit par la loi, les parfumeurs avec lesquels j'ai pu travailler les ont remplacés depuis des années par des substances synthétiques plus acceptables à tous les points de vue.

— Donc tu ne crées pas de parfums avec ces ingrédients-là ?

— Pour moi, la parfumerie est synonyme de bien-être et de respect de la nature. Bien sûr, je dois travailler avec moins d'essences, mais ça me convient comme ça. Je pense que tout parfumeur doit avoir une réflexion éthique sur ce point. Extraire des substances naturelles aussi peut avoir un fort impact sur l'environnement. Le santal, par exemple, est maintenant un bois extrêmement précieux, pratiquement en voie d'extinction. Et il faut des tonnes d'eau pour obtenir un seul litre d'huile essentielle de bergamote. Au point où nous en sommes, le produit d'un laboratoire chimique peut être une excellente alternative. Il vaut mieux casser le mythe : naturel égale bon, synthétique égale mauvais. Avant de faire un choix, on doit toujours être informé au maximum.

Sophie écoutait les explications d'Elena avec beaucoup d'attention, ses yeux d'un bleu si foncé qu'ils en paraissaient presque noirs donnaient de la profondeur à son regard. Elle était blonde comme sa mère, un blond très clair. Cail, en revanche, avait hérité des gènes d'Angus, qui portait encore avec un certain orgueil une chevelure châtain léonine, avec à peine un peu de blanc aux tempes. L'homme était grand et massif comme son fils, et à ce moment-là tous deux étaient en train de parler avec animation devant la grande cheminée de pierre, dans l'immense salle à manger de la maison. Elizabeth les regardait de temps à autre, tout en mettant la table. Elena, qui n'arrivait pas à entendre leur conversation, les observait avec inquiétude.

— Ils font toujours comme ça, la rassura Sophie. Mon père adore montrer ses muscles, mais avec Cail, ça ne marche pas. Je n'ai jamais vu un homme plus têtu.

Elena sourit, mais n'en resta pas moins soucieuse. Et si c'était à cause d'elle qu'ils étaient là à se disputer ?

Sophie sembla deviner ses pensées et lui donna une petite tape d'encouragement.

— Tu sais, il réplique à tout ce qu'il lui dit par pur esprit de contradiction, continua-t-elle en lui tendant un verre de jus de fruits qui sentait la mûre. Et puis, dès que mon frère a tourné le dos, il ne fait que parler avec fierté à tout le monde de ses succès et de ses théories. Cail dit ceci, Cail dit cela… Tu sais que début juin, à Paris, va avoir lieu le concours des roses nouvelles au parc de Bagatelle ?

Elena inclina la tête.

— Nous allons y participer. Papa est très content du travail de mon frère. Il pense que c'est la rose de Cail qui va gagner, il en est même sûr. Mais il continue à discuter, il lui propose toujours d'autres solutions que Cail se borne à refuser. Il a déjà décidé de ce qu'il proposerait au concours. Une rose nouvelle, une rose rouge.

Elena le savait, Cail lui avait souvent parlé de cet événement. Il s'agissait de l'un des rendez-vous les plus importants de la saison. Ils devaient y aller ensemble. Et elle attendait ce jour avec impatience.

À ce moment-là, il intercepta son regard, lui sourit et leva son verre dans sa direction.

— Cail ne semble pas troublé par la discussion, murmura-t-elle.

— Pourquoi devrait-il l'être ? Il s'amuse comme un fou. Depuis qu'il est devenu aussi grand que mon père, vers treize, quatorze ans, il n'a rien fait d'autre que soutenir ses positions personnelles. C'était amusant de les regarder se disputer. Tu sais, Elena, ça ne pouvait pas se passer autrement, mon père est un homme à la forte personnalité.

Sa grand-mère l'était aussi, mais sa mère et elle-même avaient toujours cherché à éviter la confrontation directe. Susanna était même partie pour chercher sa propre voie, se débarrassant de tout ce qui pouvait lui faire obstacle.

Et elle ? Eh bien, elle aussi, quand elle le voulait, savait être extrêmement têtue. N'avait-elle pas refusé de suivre les leçons de Lucia uniquement pour revendiquer sa liberté de choix ? Et n'avait-elle pas cherché à épouser un homme qu'elle n'aimait pas et qui, heureusement, l'avait trompée, se découvrant pour ce qu'il était ?

Elle eut un petit rire. Et d'où sortait cette pensée, maintenant ? « Heureusement », parce qu'elle l'avait découvert en pleine action avec Alessia ? Sur le coup, cette trahison l'avait jetée dans le désarroi. Mais pour finir la vie n'était vraiment qu'une question de perspectives. Maintenant, elle se réjouissait de ce qui lui était arrivé. Cela pouvait paraître étrange, mais c'était la vérité. La trahison de Matteo avait déclenché une réaction en chaîne qui l'avait amenée tout droit dans les bras de Cail, vers une nouvelle vie et surtout une nouvelle Elena.

Et pour la première fois elle comprenait le sens de beaucoup de choses, elle avait des ambitions, un projet et des objectifs.

Elle regarda Cail qui continuait à parler avec son père. Ils se répondaient du tac au tac. C'était beau, Seigneur que c'était beau. Et elle avait une chance indécente.

Elle devait juste attendre la naissance de l'enfant pour en être absolument sûre.

— Tu es certain que c'est le bon château ?

Elena gardait les yeux fixés sur la construction majestueuse qui se détachait sur le sommet d'une colline basse, entre un village et une splendide vallée très verte. Ils étaient partis tôt, quittant La Damascène à l'aube. Cail s'était arrêté en chemin chez un client, puis ils avaient rejoint le village de Lourmarin.

— Non, mais il y a deux ou trois choses qui m'ont fait penser qu'il pouvait l'être.

— Je ne sais pas, regarde les tours, et puis là en bas. Ça ne te semble pas... neuf ? dit-elle en indiquant une aile du bâtiment.

— Neuf ? Songe que pendant la Révolution il a subi de graves détériorations, il est possible que ce soit la partie restaurée le plus récemment.

Oui, c'était possible. Elena regarda autour d'elle, essayant de découvrir des détails qui auraient pu la ramener au journal, à ce qu'avait écrit Beatrice. Ils étaient dans le village, à présent, et le soleil se reflétait sur les pierres claires des maisons et sur les tourelles médiévales dont restaient encore quelques murs englobés dans les constructions postérieures.

Il y avait beaucoup de touristes qui se promenaient dans les ruelles étroites, où le lierre grimpait en abondance sur les murs. Dans l'ensemble, Lourmarin n'était d'ailleurs pas très différent de centaines de petits villages de Provence. Charpentes solides, pierre et bois sec, places sur lesquelles donnaient des magasins de tissus typiques dans les tons de rouge et de turquoise, ou encore des boutiques d'essences et de parfums estempillés « naturels », de bouquets de lavande séchée et autres herbes. Et puis les cafés et les restaurants où les gens s'arrêtaient pour goûter les spécialités locales. Et cependant à Lourmarin il y avait aussi quelque chose de spécial, qui reposait l'esprit. C'était vraiment joli, d'une beauté tranquille.

— Tout est changé maintenant, lui dit Cail.

— Oui, tout est très beau, mais je ne trouve rien qui puisse me rappeler les descriptions du journal.

Il lui indiqua le château et ralentit son allure, de façon qu'Elena n'aie pas à faire d'efforts pour le suivre. Le visage de la jeune femme commençait à montrer des signes de fatigue.

— Je me sens un peu fatigué. Qu'est-ce que tu dirais de t'arrêter ?

— C'est ça ! Avance et arrête de raconter des histoires. Je te le dirai, quand je serai trop fatiguée pour continuer.

Cail secoua la tête, puis porta à ses lèvres la main qu'il tenait serrée dans la sienne.

— Et maintenant, pourquoi ne me dis-tu pas ce qui t'a convaincu que le château pourrait être celui-ci ?

— Tu te souviens que je t'avais dit que j'y avais déjà été ? J'ai visité beaucoup de villages de Provence, mon professeur d'histoire avait une passion pour les châteaux. Et dans celui de Lourmarin j'ai vu quelques détails qui font écho à ceux que décrit Beatrice.

— Tu fais allusion à quoi exactement ? s'enquit Elena.

Il n'y eut pas besoin de réponse. Dès que les tours et le donjon apparurent, elle vit la gargouille.

— J'ai toujours imaginé qu'elle parlait d'un lion, mais je me trompais, souffla-t-elle, les yeux fixés sur la sculpture qui ornait la tour polygonale. C'est plutôt un loup.

— Elle ne dit pas exactement de quel animal il s'agit, mais le journal fait allusion à une sorte de crinière. Et le loup est également le symbole des seigneurs de Lourmarin.

Elena demeurait songeuse.

— Ça semble un détail important en effet... Mais je ne pense pas que nous puissions nous fonder là-dessus, je crois que c'était l'un des éléments décoratifs les plus répandus de l'époque...

— C'était également fonctionnel, répondit Cail.

Elena le considéra, perplexe.

— Tu sais que je ne l'ai jamais vraiment compris ? Il y en a aussi à Notre-Dame. Mais je n'ai pas l'impression qu'ils servent à l'écoulement des eaux. On dirait plutôt des gardiens de pierre.

Ils observèrent la sculpture quelques minutes, mais il n'y avait vraiment pas moyen de comprendre s'il s'agissait d'un lion ou de l'emblème du loup.

Cail lui désigna alors la grande porte d'entrée.

— Viens, allons-y.

Ils montèrent les marches et passèrent la porte. Ils se retrouvèrent devant une cour intérieure, avec un petit lac couvert de nymphéas. À une extrémité se dressait la statue d'une femme qui semblait se reposer.

— Je ne me souviens pas de cette figure, remarqua Elena, se référant au journal.

— Il est possible qu'elle n'ait pas encore été sculptée. Qu'elle soit postérieure au temps de Beatrice.

C'était vrai. Qui sait ce qui s'était passé ensuite. Le temps bouleversait et occultait beaucoup de choses.

Ils continuèrent à regarder autour d'eux, passant des parterres fleuris aux étals en plein air où hommes et femmes habillés de costumes médiévaux montraient aux touristes des produits artisanaux typiques du lieu. Mais à l'intérieur du château, tout changea. L'air était dense, humide. Les siècles avaient laissé la trace des millions de pas qui avaient usé les marches du superbe escalier en colimaçon.

Il n'y eut pas besoin de mots. Elena et Cail échangèrent un sourire et commencèrent la visite. Cet escalier, ils s'en souvenaient bien. Ils se demandèrent si c'était le même que le seigneur du château montait pour aller retrouver Beatrice dans sa chambre, au sommet de la tour.

Ils visitèrent une salle après l'autre – meubles magnifiques, pièces anciennes extraordinaires, mais le tout postérieur aux premières décennies du XVIIe siècle, quand Beatrice devait, peut-être, se trouver là.

— Je crois que maintenant le moment est venu… tu sais, celui où tu dis que tu te sens fatigué et j'acquiesce et te conseille de te reposer, annonça Elena.

Ils se détachèrent du groupe de visiteurs et Cail la conduisit dans une petite salle. Ils s'assirent à côté de la fenêtre, sur une sorte de banc de pierre creusé dans le mur épais.

— Ce n'est pas très commode, mais on voit toute la vallée, lui dit Cail.

Mais Elena ne l'écoutait pas. Assise à côté de lui, elle fixait un coin de la pièce masqué par un paravent.

Cail continua à parler, lisant l'histoire du château dans un livre qu'ils avaient acheté en arrivant.

— Construit au XVe siècle par Foulques d'Agoult sur les ruines d'une forteresse, le château eut divers propriétaires, il passa à la fin du XVIe siècle aux Créqui-Lesdiguières… Voilà, je dirais que c'est la période qui nous intéresse le plus. Ce pourrait être lui, Charles Ier de Blanchefort. Écoute, ici on dit qu'il épousa la fille du duc François de Bonne et hérita de ses possessions. Mais… ah, zut, tout ce qu'il y avait dans le château a été perdu. Seuls ont réchappé quelques meubles restés cachés dans une salle souterraine… Elena, tu m'écoutes ?

Elle secoua la tête et montra le paravent. Cail vit que le doigt tendu de la jeune femme tremblait.

— Regarde. C'est comme celui de ma grand-mère, murmura-t-elle.

Ils s'approchèrent lentement, fouillant des yeux les dessins. Sur un premier panneau, un chevalier et une dame dansaient dans un jardin. Sur le suivant, il la conduisait sous une arche de fleurs. Trois roses blanches étaient clairement stylisées. Et puis, sur le troisième, la femme était seule, inclinée sur une table de travail. Il y avait un alambic devant elle.

— C'est un distillateur, regarde.

Cail acquiesça. Après avoir scruté les images pendant quelques minutes, Elena passa du côté opposé du paravent et suivit la production du parfum… parce que c'était de cela qu'il s'agissait. Des roses. De l'eau et de l'huile. Des agrumes, citron, orange, puis un gardénia... non, impossible, probablement était-ce un iris.

Elena détailla longuement ce panneau, puis passa au suivant. Voici que maintenant la femme du tableau mélangeait les essences et les mettait dans trois flacons. Elena s'empressa de passer au dernier panneau. Et resta sans voix.

— La formule est là, Cail. Tu comprends ? lui dit-elle en lui saisissant le bras. Beatrice a retracé la formule sur ce paravent. Regarde, ce n'est pas de la peinture. C'est une tapisserie.

— Tu as raison.

Cail alla d'un côté et de l'autre, reparcourut tout depuis le début et sourit.

— Tu sais maintenant ce qui compose le parfum mystérieux ?

Elena secoua la tête.

— Non, là, ce n'est qu'une partie de la recette. On dirait que Beatrice a formulé le parfum exactement comme nous le faisons aujourd'hui, elle n'a pas simplement réuni des essences, elle les a pensées. Rose, agrumes, iris. Je n'ai aucune idée de la quantité de gouttes, peut-être rien que trois, ou trente. Il faut que j'essaie, dit-elle. Puis elle a ajouté de l'eau, si toutefois c'est de l'eau qu'on voit là, et elle a attendu trois lunes. C'est bien ça ?

— Oui, il y a trois lunes dans ce ciel. Pourquoi dis-tu que ce n'est qu'une partie, là ?

— Il doit forcément y avoir d'autres ingrédients... Et à Florence il y a un paravent qui ressemble beaucoup à celui-là dans la boutique de ma grand-mère. La structure est identique, mais le dessin différent, quoique dans le même style.

— Tu crois que ça a à voir ?

— Je ne sais pas… C'étaient des objets très communs en ce temps-là.

Mais elle l'espérait, elle l'espérait vraiment. Et même si elle ne fournissait pas la fin de la formule, la tapisserie de Florence pourrait peut-être donner des indications utiles. Bref, deux paravents : un dans le château où Beatrice avait séjourné, un là où elle avait vécu… Les coïncidences pouvaient exister, certes, mais Elena était convaincue qu'il y avait un lien entre eux. Peut-être l'un complétait-il l'autre ?

— Si vraiment l'autre partie de la formule se trouve à Florence, les Rossini l'ont eue sous le nez pendant toutes ces années. C'est absurde, tu ne trouves pas ? dit-elle, songeuse.

— Cela dépend de ce qu'elle représente… Sans ce paravent-ci, comment auriez-vous pu comprendre ?

— Quelle façon absurde de conserver la composition du parfum…

— Pas si absurde que ça, si elle voulait la garder cachée.

Il sortit l'appareil photographique qu'il avait déjà employé pour immortaliser la gargouille et commença à faire des photos.

Ils ne laissèrent Lourmarin que le soir. Ils avaient passé la journée à chercher d'autres indices du passage de Beatrice, mais, à part le paravent et la gargouille à tête de loup, ils n'avaient rien trouvé de plus.

Mais peut-être pouvait-on aussi considérer comme un indice la grande quantité de noms d'origine italienne chez les villageois. À ce qu'il semblait, il y avait eu une immigration massive de Piémontais, et cela déjà sous le premier seigneur de Lourmarin. L'installation des Italiens avait été favorisée par la présence d'une corporation d'éleveurs de vers à soie. Le flux migratoire encouragé par la première reine de la famille Medicis, Catherine, avait continué, par la suite, jusqu'à la seconde reine italienne de France, Marie.

Ils l'avaient découvert presque par hasard, en lisant le guide. Et puis ils s'étaient renseignés dans le restaurant où ils avaient déjeuné, Le Moulin, rien de moins qu'un deux-étoiles Michelin.

Ils revinrent à La Damascène épuisés. Cail avait un rendez-vous le lendemain matin, après quoi ils repartiraient à Paris dans l'après-midi.

Elizabeth et Angus passèrent beaucoup de temps avec Elena. Chacun d'eux mourait d'envie de poser des questions sur le bébé, mais ils se retinrent. Et cela lui fit très plaisir, parce qu'elle n'aurait vraiment su comment répondre. Bien sûr, elle aurait pu dire la vérité, que le bébé n'était qu'à elle. Mais il y avait trop de choses en jeu. Certaines lui semblaient claires, d'autres non. Cail était toujours au centre de ses pensées. Et pourtant elle sentait qu'elle n'était pas encore prête à aller plus loin. Parce qu'il ne s'agissait pas que d'elle.

Et elle savait que Cail, lui non plus, n'était pas prêt. Mais cette espèce de compromis auquel ils étaient arrivés ensemble n'appartenait qu'à eux, et ne regardait personne d'autre. Tôt ou tard, ils iraient plus loin.

Elena l'espérait. De tout son cœur.

Avignon était exactement tel qu'elle s'en souvenait, plein de séduction, discret et raffiné. Le palais des Papes, aux murs massifs, lui coupait toujours le souffle par son caractère imposant, ses tours aux sommets pointus, les crénelures du donjon.

Cail conduisit Elena aux jardins. Fleurs, plantes et cygnes. Un nombre incroyable de cygnes nageait placidement sur les cours d'eau qui traversaient la végétation. Ils firent une longue promenade, déjeunèrent sur la terrasse d'un restaurant, puis rejoignirent l'aéroport.

En attendant le départ, Elena appela Joséphine. Elle était impatiente de lui parler du paravent et de la possibilité qu'y fût inscrite une partie de la formule. Son ancêtre s'était vraiment montrée fantasque dans sa façon de transmettre le Parfum Idéal. Elle parla avec Joséphine quelques minutes, la mettant rapidement au courant, puis se tourna vers Cail.

— Ça te dit d'aller dîner dehors ? Jo a eu une promotion, elle nous emmène au Lido.

Cail leva un sourcil.

— On l'a nommée vice-présidente ?

Elena eut un petit rire.

— Idiot ! Alors, on y va ?

— Tu n'es pas trop fatiguée ?

— Tu as entendu ce que je t'ai dit ? Le Lido, sur les Champs-Élysées ! dit-elle en détachant bien ses mots.

— OK, OK, allons-y, lui répondit Cail.

— Nous venons, cria-t-elle presque dans le téléphone.

Et elles bavardèrent encore un petit moment. Quand elle raccrocha, elle se sentait décidément d'humeur joyeuse.

— Jo te salue, dit-elle à Cail qui continuait à lire les divers prospectus qu'il avait pris à Lourmarin.

— Comment va-t-elle ?

— Comme d'habitude. Ce Grégoire... bref. Mieux vaut que je me taise...

Puis elle se reprit.

— Elle dit qu'elle est impatiente de connaître les détails. Tu sais, quand nous étions petites, nous avons fait un tas de conjectures sur Beatrice et son parfum magique. Je n'arrive pas à croire que sa formule soit si simple. Au moins pour les notes de tête... je ne saurais que dire pour le reste.

— Et si justement son secret était dans ce « reste » ?

22

Ylang-ylang. Chaud et féminin, donne la capacité de surmonter la déception et les blessures. Par sa nature, aide à exprimer les sentiments les plus cachés, la poésie qui habite l'âme.

Le Lido. Elle avait décidé que ce soir-là serait différent. Joséphine n'en pouvait plus de rester chez elle. Ce genre de vie n'était pas fait pour elle. Merde ! Pour un peu, elle n'arrivait plus à se reconnaître.

Tandis qu'elle s'habillait, les Apocalyptica jouaient la première version de *Hope*. Oui, elle en avait vraiment assez. Elle se mit à danser pieds nus, laissant les notes de hard rock pénétrer en elle, et un instant plus tard, quand elles furent soudain remplacées par une mélodie extrêmement douce, il lui sembla se sentir vraiment mieux. Accords violents, puissants, qui retentissaient dans son cœur, et puis lents, harmonieux, mélodiques, capables de l'émouvoir jusqu'aux larmes. Et la vie, n'était-elle pas elle aussi comme ça ? Non, la sienne, dernièrement, ne l'était pas.

Le nœud qui depuis un moment lui serrait la

gorge et parfois l'empêchait même de respirer décida de se manifester de nouveau. Mais elle grinça des dents et repoussa cette sensation désagréable.

— Tu n'aimes pas ta vie ? Alors change ce qui ne va pas et arrête de pleurnicher.

Jasmine le lui avait dit sans mâcher ses mots la dernière fois qu'elle était allée à Grasse. Sa mère était une femme très pragmatique. Et elle avait parfaitement raison !

Elle allait changer ce qui ne lui convenait pas. Grégoire détestait qu'elle sorte sans lui. En réalité, surtout dans les derniers temps, ils ne faisaient rien d'autre que rester enfermés, au lit. Ils avaient une relation strictement sexuelle, un point c'est tout. C'était bien, c'était même fantastique, un feu d'artifice. Rien de plus. Chaque fois qu'ils abordaient un sujet quelconque, ils finissaient par se disputer, alors, lentement, ils avaient cessé de parler et se rencontraient dans le seul domaine où ils arrivaient à se comprendre. Mais après... l'après était triste, amer, plein de rancune. Et elle en avait assez.

Ce soir elle sortirait en célibataire, alors que ses amis formaient maintenant un couple. Bien sûr, pour Elena, ce n'était pas le moment idéal pour vivre pleinement une relation, mais la grossesse était bien avancée. Cette situation provisoire touchait à sa fin. Bientôt elle deviendrait tante Jo, Elena maman... Qui sait comment se comporterait Cail. Elle espérait vraiment que pour une fois les choses aillent un peu comme dans les contes.

Ce soir-là Joséphine avait mis une robe très courte de Dolce et Gabbana, noire, scintillante, tentatrice. Deux rubans de soie, un peu de tissu et de perles, une quantité impressionnante de cristaux brillants. Talons de douze centimètres, cheveux bouclés. Et un soupçon du nouveau parfum. Le Nôtre était enthousiaste de cette création. Tout le mérite ne lui revenait pas, naturellement. C'est Ilya Rudenski, le nouveau *maître parfumeur*, qui avait conçu la fragrance, et elle avait simplement dirigé la déclinaison du parfum vers un goût plus simple et populaire.

Travailler avec cet homme avait été très intéressant. C'était un génie, et le parfum une tuerie, presque entièrement synthétique. Il devait l'être pour pénétrer et tenir aussi longtemps qu'il le faisait. Ce qu'avait imaginé Ilya, la vision qu'il avait eue, avait conquis tout le monde. Le parfum ne contenait que deux essences naturelles, qui lui donnaient de l'épaisseur et une séduction un peu rétro.

Elena serait horrifiée par cette composition. Mais Joséphine se fichait de l'envers du décor. La seule chose qui l'intéressait, depuis toujours, c'était le parfum final, pas ce qui le composait. Et elle adorait changer, et changer souvent. Selon son humeur. Pour elle, le parfum était comme un vêtement, aujourd'hui celui-ci, demain celui-là.

Et, à propos de vêtements, elle décida d'emporter quelque chose avec elle. Elle était prête à parier qu'Elena n'avait rien à se mettre pour la soirée. Cette fille était effrayante, en fait de mode.

Elle acheva de se préparer : un soupçon de rouge à lèvres, un manteau léger et un dernier regard au miroir. Quand Grégoire rentrerait de

Londres, elle lui raconterait combien elle s'était amusée. Sans lui.

Elena avait défait les valises, arrosé les plantes en leur parlant un petit peu. Et puis le drame avait éclaté. Il n'y avait rien dans son armoire qui puisse convenir pour une soirée élégante dans un établissement comme le Lido.

Après avoir écarté tous ses vêtements, d'une humeur infernale, elle appela Joséphine.

— Je ne peux pas venir, je n'ai rien à me mettre !

— J'arrive. Et j'ai quelques petites choses pour toi. Donc, respire profondément, prends une longue douche chaude et attache tes cheveux. Je m'occupe de tout, OK ?

Elle raccrocha immédiatement, de façon qu'Elena ne puisse protester. Ils sortiraient ce soir, il le fallait à tout prix.

Elena fixa le portable, les sourcils froncés. Puis, grognant quelque chose sur les haricots qui ne comprendraient jamais les sacs à patates, même au bout d'un millier d'années, elle prit un long bain, rassembla ses cheveux en un chignon bas, en laissant quelques mèches des deux côtés du visage. Elle mit du mascara et souligna ses yeux d'un trait d'eye-liner.

Si on ne regardait pas au-dessous du décolleté, augmenté de deux tailles, ça pouvait même aller, pensa-t-elle.

— Monte ! cria-t-elle peu après en entendant la voix de Joséphine qui l'appelait de l'étage inférieur.

— Regarde si ces trucs te vont bien. Ils sont larges, légers et le bleu amincit énormément, lui dit-elle après lui avoir jeté un long coup d'œil. Tu as vraiment bonne mine, ces vacances t'ont réussi. Alors, il y a du nouveau ? lui demanda-t-elle avec un clin d'œil.

Elena la foudroya du regard et lui désigna son ventre proéminent.

— Oui, j'ai pris un kilo, c'est la seule nouveauté. À part le fait que nous avons probablement découvert où était Beatrice pendant son séjour en France et qui était l'homme qui lui a brisé le cœur.

Elle prit des mains de Joséphine le cintre avec deux ou trois robes. Elle était d'une humeur épouvantable et la robe de chambre banane qu'elle portait n'arrangeait pas la situation.

— Je suis énorme, rumina-t-elle. Je ne sais même pas si je vais pouvoir y entrer.

Joséphine mourait d'envie de lui demander autre chose, mais Elena était près d'exploser. Mieux valait désactiver le détonateur...

— Sois tranquille... tu vas voir, tu vas être surprise. Tu as une paire de chaussures à talons ?

Elena entra dans la salle de bains et ferma à demi la porte.

— Oui, toutes celles que tu m'as données. Un enfer pour marcher ! De vrais instruments de torture. Je ne sais pas comment tu fais.

Elena continua de bougonner et après quelques minutes sortit de la salle de bains.

— Waouh ! s'exclamèrent en chœur Cail et Joséphine.

Cail la prit par la main et la fit tourner sur elle-même.

— Tu es superbe, murmura-t-il un instant avant de lui effleurer les lèvres d'un baiser.

— Si vous voulez bien arrêter de vous bécoter, il serait temps d'y aller, maintenant. Et sachez que je n'ai pas la moindre intention de vous tenir la chandelle. Je veux savoir tous les détails sur ce que vous avez découvert.

Sur le chemin du Lido, ils lui firent un résumé. Le seigneur, très probablement, était Charles Ier de Blanchefort. À l'aide du parfum de Beatrice, il avait conquis tout ce qu'il voulait, épouse, possessions, tout, le duché compris.

— Je me demande comment un simple parfum a pu avoir un tel pouvoir, commenta Joséphine.

— En général, en ce temps-là, les parfums masquaient les mauvaises odeurs. Le manque d'hygiène régnait. Pense à l'effet que pouvait avoir une légère senteur de rose, de néroli, ou même d'agrumes, et d'iris. Les notes de cœur ne me sont pas très claires, celles de fond ne sont pas indiquées du tout. Beatrice a laissé le mélange macérer pendant trois mois, je pense qu'elle a utilisé de l'alcool et de l'eau, et je crains que comme fixateur final il n'y ait eu un musc animal. Je ne m'explique pas autrement le profond effet qu'a eu le parfum sur la jeune dame de Lourmarin.

— Ambre gris ? proposa Joséphine.

— Je ne sais pas… c'est possible. Il faudra que j'étudie sérieusement le paravent de ma grand-mère, à Florence.

— Tu veux dire que c'est là-dessus que Beatrice a écrit la formule ?

— Je n'en suis pas sûre, mais c'est une possibilité.

— Oh là là, incroyable ! Quand partons-nous ? lui demanda Joséphine. Parce que, je veux dire... pense, s'il en était réellement ainsi. Une ancienne formule d'un parfum du XVIIe siècle reproduite sur un paravent. Ça ferait le buzz, et je ne parle pas du parfum, mais de l'histoire. Imagine si la nouvelle était divulguée...

Cail fronça les sourcils.

— On ira ensemble après la naissance de l'enfant, OK ? Regardez, on est presque arrivés.

Il indiqua l'avenue illuminée et les gens qui se pressaient sur les trottoirs.

Elena était bouche bée. Que c'était grand !

Il n'y eut pas moyen de continuer la conversation. Ils descendirent du taxi et s'approchèrent du bâtiment. Il y avait beaucoup de monde ce soir-là. Le spectacle attirait énormément de touristes.

Joséphine y était souvent allée. Au début de leur histoire, Grégoire l'y emmenait régulièrement. Elle adorait cet endroit, elle aimait beaucoup les spectacles et l'atmosphère. Les danseurs étaient absolument extraordinaires.

Tandis que Joséphine faisait viser les billets, Cail dut retourner sur ses pas et récupérer Elena qui s'était arrêtée pour regarder autour d'elle comme une gamine.

Si l'extérieur de l'établissement était luxueux et fascinant, l'intérieur ressemblait à un décor de film. Le bleu et l'or étaient les couleurs dominantes ; une galerie majestueuse conduisait aux salles. Cail aida Elena à enlever son manteau et le laissa au vestiaire. Joséphine fit de même. Elle était sur le point de rejoindre ses amis qui s'étaient avancés quand, se retournant vers eux, elle heurta une femme.

— Pardon, dit-elle avec un sourire.

— Regarde où tu mets les pieds, sale conne !

Joséphine leva la tête et rencontra le regard furibond d'une fille très jeune et très jolie.

— En principe, vous auriez dû faire aussi attention que moi, vous n'avez pas le droit de préséance, répliqua-t-elle froidement.

Puis elle la reconnut et le cœur lui manqua.

— Que se passe-t-il ?

Ça devait arriver, tôt ou tard. C'était la seule chose à laquelle Joséphine parvenait à penser tandis que Grégoire s'approchait de sa fiancée.

— Cette idiote m'a bousculée, j'ai perdu mon sac, se plaignit-elle.

Grégoire ramassa la pochette par terre et la tendit à la jeune fille qui continuait à déblatérer contre Joséphine. Pas un geste pour la saluer, pas même un regard.

Quand Joséphine se rendit compte qu'il faisait semblant de ne pas la connaître, elle eut l'impression de se vider de son sang. C'était un courant glacé, qui emportait toute la chaleur, la gaieté et la bonne humeur qu'elle avait ressenties jusqu'à un instant auparavant. Un frisson la secoua, puis un autre. Elle avait froid, comme jamais jusque-là.

En arrière-fond, la musique avait accéléré son rythme, la fiancée de Grégoire geignait toujours, lui essayait d'endiguer ce flot de paroles.

Joséphine était dégoûtée. D'elle-même, de lui et de cette petite sotte qui se prenait pour la reine du monde. Mais n'était-ce pas ce qu'elle se sentait elle-même quand elle était avec lui ?

La reine d'un mensonge, d'une illusion. La reine d'une poignée de poussière prête à lui échapper de la main à peine écarterait-elle les doigts.

Grégoire se décida enfin à la regarder. Il était pâle, l'expression impénétrable.

— Allons-y, dit-il brusquement en s'adressant à sa fiancée. J'en ai assez de tes caprices.

Joséphine, tendue, les suivit du regard jusqu'à ce qu'ils disparaissent tous deux. Puis elle chercha Elena et Cail. Ils étaient à une dizaine de mètres. Immobiles, interloqués. Elle nota qu'ils se tenaient par la main, Cail dominant Elena. Il semblait vouloir la protéger.

C'est ainsi que ça aurait dû être, pensa Joséphine. Et ce n'était pas parce qu'ils avaient assisté à la scène qu'elle décida de s'en aller. C'était à cause de la profonde compassion qui transparaissait dans leur expression. Un instant, elle se vit avec leurs yeux et se sentit mal.

Elena fit un pas en avant. Joséphine porta le dos de sa main à sa bouche. Elle secoua la tête et recula. Elle sortit dans la nuit, sa pochette serrée dans la main. Et elle eut l'impression que c'était tout ce qui lui restait de sa vie.

Je ne suis pas chez moi, laissez un message et je vous rappellerai.

Elena écouta pour la dixième fois le message du répondeur de Joséphine et attendit le bip.

— Appelle-moi, ou je te promets que je viens... Non, j'appelle Jasmine et je lui raconte tout. Juré !

Elle raccrocha, avec plus de violence que nécessaire. Aurore, qui arrangeait une pyramide de savons parfumés, lui lança un coup d'œil perplexe avant de reprendre son travail.

Elena avait décidé d'embaucher la petite quelques heures par semaine. Depuis l'affaire du Lido, Joséphine avait disparu. Elle ne répondait pas au téléphone sinon pour lui dire qu'elle allait bien. Mais ces trois mots étaient tout ce qu'Elena avait réussi à lui arracher. Elle lui manquait énormément, elle se faisait du souci pour elle et se sentait terriblement seule.

Pendant la journée, Cail était dehors pour son travail. Il avait transporté une partie de ses rosiers dans une serre en dehors de la ville, afin qu'ils puissent pousser de la meilleure des façons. Sur la terrasse du Marais, il n'y avait pas assez de place. Le concours de Bagatelle approchait. Tout devait être parfait pour ce moment-là. Le soir, il était tellement fatigué que souvent il s'endormait sur le canapé pendant qu'ils bavardaient ensemble. Alors Elena s'arrêtait de parler et le recouvrait d'un plaid avant d'aller se coucher. Par bonheur, l'enfant continuait à participer activement, donnant des coups de pied avec une vigueur qui parfois la déconcertait.

Mais cela ne remplaçait pas Cail ni Joséphine, et elle ne pouvait s'empêcher de leur en vouloir.

Bon sang, ils semblaient avoir disparu. D'abord Jo, maintenant Cail. Le travail, le travail, le travail. Et à elle, qui y pensait ? songea-t-elle en déplaçant nerveusement les objets sur le comptoir.

Elle était injuste, et elle le savait. Dans les moments où la mauvaise humeur la quittait, Elena admettait en son for intérieur qu'elle était une femme très chanceuse. Puis il suffisait d'un regard à son miroir, même en passant, et l'irritation revenait. Elle avait mal au dos, elle était énorme... Si énorme que bientôt elle ne pourrait plus passer les portes, ruminait-elle.

Elle essaya de rappeler Joséphine et cette fois lui laissa un message incendiaire. Elle avait réussi à savoir qu'elle avait rompu avec Grégoire, définitivement. C'est Jasmine qui le lui avait dit. Et puis, durant l'une de leurs difficiles conversations téléphoniques, Jo lui avait fait comprendre qu'elle voulait changer d'air. Et cela préoccupait beaucoup Elena. Sans ses amis, sans sa famille, comment pourrait-elle surmonter ce moment difficile ?

Et puis il y avait autre chose qui lui donnait du souci. Elle ne pouvait gérer seule Absolue, pas maintenant, alors que l'accouchement était imminent, et Cail de plus en plus pris par son travail. Il faudrait qu'elle ferme, et cette pensée l'effrayait.

Elle s'assit sur l'un des canapés et se couvrit le visage de ses mains. Puis elle entendit la clochette de l'entrée et se ressaisit.

Geneviève Binoche s'approcha d'elle avec un grand sourire.

— Elena ! Tout va bien ?

Depuis la première fois où elle était passée, l'écrivaine était devenue une habituée de la parfumerie. Elle la fréquentait assidûment.

— Oui, oui. Je suis juste un peu fatiguée. Et vous, comment allez-vous ?

— Bien, répondit Geneviève en s'asseyant à côté d'elle. Je voulais vous faire part d'une grande nouvelle.

— J'en ai vraiment besoin, dit Elena.

— Vous allez voir que ça va vous remonter le moral. Alors... mon éditeur est intéressé par l'idée du parfum de Notre-Dame et voudrait me donner son soutien pour sa production. Sans compter qu'il serait extraordinaire de le composer devant tout le monde, pourquoi pas le jour de la présentation du livre. Imaginez la scène : vous, ma chère, qui choisissez les essences une à une et, pendant que vous les dosez, expliquez au public ce qui vous a inspirée. La grandeur de la cathédrale, la sensualité, la passion qui domine les hommes, le calcul et la froideur de qui renonce à l'amour pour la richesse et le pouvoir. Ce sera un succès éclatant, sans parler du retour d'image qu'en tirera Absolue.

— Vous êtes en train de m'offrir de créer le parfum ? demanda Elena.

— Naturellement ! Nous en avons toujours parlé comme de quelque chose qui pourrait se faire, sauf qu'après le désagréable problème avec Narcissus, j'ai pensé laisser tomber. Mais ce serait vraiment dommage, Elena. J'ai confiance en vous. Je suis certaine que vous pouvez créer ce parfum.

Elena sourit.

— Ce serait merveilleux.

Mais bientôt ses pensées s'en furent dans une autre direction, diamétralement opposée.

Ce n'était pas la perspective du succès qui la fit penser à la formule du Parfum Idéal, mais la similitude entre ce qui était arrivé aux personnages du roman et à son ancêtre. Elle se retrouva projetée dans le passé. Phœbus, l'homme qu'aimait Esmeralda, avait renoncé à elle pour épouser la richissime Fleur-de-Lys... Charles de Blanchefort avait fait la même chose avec Beatrice.

Et, plus fort que tout le reste, le Parfum Idéal des Rossini s'imposa comme le protagoniste principal de ce drame. Qui, plus que son ancêtre, aurait pu exprimer le sentiment de profonde douleur et de déchirement d'un amour dévalué, méprisé, qui ne pouvait rivaliser avec l'appétit de pouvoir et de richesse ? Ce pouvait être celui-là, le parfum de Notre-Dame.

Beatrice avait tout de suite su que sa passion était sans espoir. Le chevalier qui lui avait commandé le parfum lui avait dit que c'était pour sa future épouse, riche et noble. Une aristocrate de haut lignage, qui changerait son avenir. Avec elle, il s'était simplement amusé. Elena sentit sa gorge se serrer. Pour Esmeralda, pour Beatrice et aussi pour Jo. Finalement, les siècles passaient, mais les hommes et les femmes commettaient toujours les mêmes erreurs.

— Combien de temps avons-nous avant la présentation de votre livre ? demanda-t-elle à Geneviève.

— Elle aura lieu en septembre.

On était en mai. Beatrice avait laissé le mélange macérer pendant trois mois. L'enfant naîtrait dans les premiers jours de juin. Et c'est également en juin qu'il y aurait la remise des prix du concours de Bagatelle, où serait présentée la rose de Cail, à laquelle il s'était consacré corps et âme.

Elle tourna et retourna tout cela dans son esprit, mais elle pouvait se livrer à toutes les acrobaties possibles, il ne restait que bien peu de temps. Elle finit par secouer la tête.

— Je crains que ce ne soit trop tôt.

Geneviève s'assombrit.

— C'est vraiment dommage. J'aurais aimé que ce soit vous qui vous occupiez de tout. Je serais très ennuyée de devoir m'adresser à quelqu'un d'autre pour faire ce parfum. J'y tenais tellement.

— Le temps est insuffisant, vous comprenez ? Le parfum doit arriver à maturation et pour le composer il me faut retourner à Florence. En ce moment, je ne peux pas m'éloigner d'Absolue. Vous ne pouvez pas attendre encore un peu ?

Mme Binoche se leva, l'expression songeuse.

— Je ne sais pas... je peux essayer, répondit-elle. Faisons comme ça, j'en parle avec mon éditeur, et de votre côté, essayez d'accélérer les choses.

C'est mieux que rien, pensa Elena, qui sentait grandir en elle, de plus en plus vif, le désir de composer ce parfum.

— Réfléchissez-y, continua Geneviève. Je voudrais que ce soit vous qui créiez ce parfum. Il y a une maison très connue qui l'acquerra pour le produire et le distribuer. On parle d'un chiffre très élevé. Et naturellement vous apparaîtrez comme la créatrice de l'essence.

Il lui fallait le faire. Elena, à ce moment-là, en fut convaincue. Le parfum de Beatrice serait parfait pour Notre-Dame. Mais elle ne savait pas encore comment combiner tout cela.

— Je vous remercie de votre confiance.

Geneviève l'embrassa et lui dit qu'elle l'appellerait pour avoir sa réponse définitive.

C'est Cail qui lui avait fait entendre pour la première fois le piano de Ludovico Einaudi. Il le mettait toujours quand ils regardaient les étoiles. Elena préférait rester allongée sur le fauteuil à bascule, enveloppée dans un plaid, tandis qu'il s'affairait autour du télescope. C'étaient des moments de détente absolue, peu de mots, beaucoup de contemplation. Et des pensées… tellement de pensées. Nuvole Bianche – Nuages Blancs – était son morceau préféré. Cail lui avait offert quelques CD, de longues compilations qu'elle avait commencé à mettre dans le lecteur quand elle travaillait. C'était maintenant devenu une habitude.

— Ça ne t'ennuie pas ? lui demanda Aurore tandis que les notes du piano commençaient quasiment en sourdine et, dans un crescendo, s'élevaient pour redescendre et retrouver le rythme qui se mettait à tourbillonner, avant de s'apaiser à nouveau. C'était une base, cette musique. Pour les pensées heureuses, pour les pensées mélancoliques, pour qui en avait assez des difficultés, mais plus que tout Elena estimait que c'était une compagnie idéale parce que ça leur plaisait à tous les deux, à elle et à Cail.

— Ça m'aide à me concentrer, c'est comme un flux qui porte mes pensées, ça absorbe les secousses... Et puis ça me calme. Quand j'étais petite et que je composais mes premiers parfums, je n'étais pas capable d'ériger une digue entre les essences et moi, je subissais leur pouvoir. Je les voyais sous forme de couleurs, je les craignais, je les adorais, les émotions que j'éprouvais en les respirant étaient si intenses qu'elles me rendaient euphorique et me bouleversaient en même temps.

— Mais c'est fantastique ! s'exclama Aurore.

Elena eut un petit sourire.

— Ce n'était pas ce que je pensais, alors. Et ça a duré un bon moment. Les parfums n'ont pas toujours été quelque chose que je désirais. Pendant longtemps, je les ai détestés. Puis ils sont devenus une nécessité, un devoir. Ce n'est que récemment que je les ai redécouverts pour ce qu'ils sont vraiment ; et ils sont redevenus joie et plaisir.

— Comment peut-on détester les parfums ? s'étonna Aurore, incrédule.

— Bonne question. Peut-être qu'un jour je te le raconterai. Mais maintenant, avançons. Donc... Tu ne t'es pas parfumée, n'est-ce pas ?

— Non, tu m'avais recommandé de ne pas le faire.

Elena l'avait surprise la veille à lorgner le petit orgue à parfums qu'elle avait mis dans un coin du magasin. C'est Cail qui le lui avait offert ; il l'avait déniché dans une brocante, en très mauvais état, et l'avait restauré. Elle avait eu du mal à trouver des flacons d'essences adaptés au style XIXe mais y était arrivée, et maintenant le petit meuble était l'une des attractions d'Absolue. C'est ce qu'elle montrait aux clients quand elle devait préparer des parfums sur mesure. Attendrie par l'attitude de la jeune fille, elle avait décidé qu'il était temps de lui faire composer son premier parfum.

— C'est bien... Poursuivons. Premier point : les essences... et nous les avons. Elles sont là, dans les flacons d'aluminium.

Elle les indiqua une à une, puis s'immobilisa.

Cette scène avait un air de déjà-vu. Une image lui traversa l'esprit, se frayant un chemin parmi ses souvenirs. Elle, enfant, et sa grand-mère lui montrant les essences exactement de la même manière, avec les mêmes gestes qu'elle faisait maintenant en enseignant à Aurore comment on créait un parfum. Son cœur se mit à cogner dans sa poitrine et elle éprouva un sentiment déchirant d'appartenance et de perte. Elle effleura son ventre, parce que brusquement elle se sentait seule. Lucia lui manquait atrocement, même ses silences lui manquaient, ses regards, la façon qu'elle avait d'affronter toute chose. Sa présence lui manquait. Elle soupira et se rendit compte qu'Aurore était en train de lui poser une question. L'image s'évanouit lentement. Le laboratoire des Rossini disparut, remplacé par celui, lumineux, du Marais. Aurore continuait à parler. Elena la fixa, en essayant de comprendre ce qu'elle lui demandait. Puis elle prit conscience que, malgré la nostalgie aiguë qu'elle avait de sa grand-mère, il n'y avait pas en elle de tristesse. Elle était en train de la célébrer, Lucia Rossini. Elle le faisait avec ces gestes qui avaient été ceux de sa grand-mère et qui à présent étaient devenus les siens, en enseignant le savoir qu'elle tenait de Lucia, en le transmettant à qui, un jour, en ferait bon usage.

— Oui, oui, ça tu me l'as déjà dit. Mais après ? Qu'est-ce qui vient après ?

L'impatience était manifeste dans la voix d'Aurore. Elena faillit éclater de rire : la gamine était tellement tendue et anxieuse qu'elle ressemblait à une athlète sur la ligne de départ. Elle mit de côté ses souvenirs et se concentra sur le travail qu'elles s'apprêtaient à faire.

— Compte-gouttes, *mouillettes*, cylindre où mettre notre composition, alcool, filtres de papier. Mais aujourd'hui j'ai pensé que le parfum que nous allons composer ne serait pas simplement un parfum, ce sera le tien.

— Je ne comprends pas, souffla Aurore.

Elena lui sourit.

— Ce parfum deviendra le parfum d'Aurore. Tu le feras en suivant la procédure que nous utilisons pour créer un parfum de l'âme, ou, comme disent les clients, un parfum sur mesure.

— Vraiment ?

— Regarde-moi, tu as l'impression que j'ai envie de perdre du temps ou de plaisanter ? Mon sens de l'humour est très limité, fit Elena avec une grimace. J'espère qu'une fois l'enfant né les choses vont changer. Je suis une casse-pieds, désormais, et il n'y a rien de plus nuisible que quelqu'un qui se plaint. Tu sais que ça réduit les cellules cérébrales de celui qui écoute ? C'est pitoyable, je suis vraiment à faire pitié.

Mais Aurore avait cessé depuis un moment d'écouter les divagations d'Elena. Elle allait faire son premier parfum, et ce serait le sien !

Elena s'empressa de lui fournir quelques explications avant qu'elle ne se laisse emporter par sa veine artistique et ses mélanges malheureux.

— Le parfum est émotion. Là-dessus nous sommes d'accord. Mais le parfum a une structure, il est objectif parce qu'il naît d'un schéma, accomplit un parcours, et de cela, nous devons tenir compte. Mais il devient immédiatement subjectif, vu qu'il stimule les émotions de celui qui le respire. Maintenant, le parfum sur mesure est ce qui, plus que tout, dans l'absolu, nous représente, nous plaît, naît de nous. Il communique donc avec les autres, avec tout le monde, il n'est pas seulement lié à ceux que nous connaissons.

— Quand tu parles comme ça, je t'écouterais pendant des heures, murmura Aurore.

Un sourire, un petit frémissement de satisfaction, et la leçon reprit.

— Pour nous représenter, le parfum sur mesure doit parler de nous. C'est ce qui doit nous être bien clair. Qui sommes-nous ? Que voulons-nous ? Qu'aimons-nous ? Que n'aimons-nous pas ? Nous pouvons aussi en faire une liste. C'est là-dessus que nous devrons réfléchir pour créer la formule. Plus nous saurons clairement ce que devrait représenter le parfum de notre client, plus il deviendra simple de le trouver. En général, les gens qui demandent un parfum personnalisé se divisent en trois catégories :

il y a ceux qui aspirent à une fragrance dont émanent joie, bien-être, gaieté à chaque fois qu'on la respire. D'autres, par contre, désirent que le parfum les identifie. Il est unique, il leur appartient, il les distingue du reste du monde. Puis il y a ceux qui voient le parfum sur mesure comme glamour, expression de raffinement, en opposition au parfum standardisé, qui a perdu son identité.

— C'est vrai, approuva Aurore.

Elena fit une pause ; maintenant venait la partie la plus difficile et elle voulait que la jeune fille saisisse bien les divers mécanismes de la procédure.

— Pour bien comprendre ce qui plaît ou pas, nous devons partir des cinq sens : couleurs, sensations tactiles, sons et musique, plaisir de la nourriture, arômes et naturellement odeurs, en gardant à l'esprit quels parfums ont été déjà portés et les raisons qui ont poussé à leur achat. En un mot, un portrait-robot sensoriel complet. Et enfin, mais ce n'est pas moins important, il faut tenir compte de la personnalité de celui ou celle qui désire qu'on lui compose le parfum, et cela se fait par le dialogue, un échange de mails, un contact personnel. Ce sont là les choses fondamentales qu'il faut connaître.

— Bien sûr, tout prend un aspect différent, comme ça.

— Exact, le parfum n'est pas simplement quelque chose qu'on met sur soi, c'est un monde extraordinaire, complexe, un symbole.

Elle fit une pause.

— Quand le tableau général devient suffisamment clair, le moment vient pour le parfumeur de l'interpréter, de le transformer en odeurs. C'est là qu'intervient le choix des notes de base qui constitueront le socle du parfum. À partir de là on formulera quelques propositions, entre lesquelles le client devra choisir. Il s'agira de toute façon d'une esquisse, qui sera ensuite corrigée sur la base des sensations de son maître, parce qu'il s'agit de cela.

— Le maître du parfum... waouh. Donc je pourrais devenir la maîtresse du parfum que nous allons faire, dit Aurore.

— Non, tu ne pourrais pas... tu le seras.

Elle se tut un moment, elle voulait que la jeune fille comprenne bien.

— Alors, allons-y. Premièrement : qui est Aurore ?

La petite rit nerveusement, puis son sourire disparut. C'était une question trop difficile.

Elena lui fit un clin d'œil.

— Commence par quelque chose de facile. Qu'est-ce que tu détestes ?

— Les gens qui crient, les légumes cuits, les personnes qui prennent de grands airs et pensent que le monde leur appartient, les écoles privées, le rose, les gens qui mettent des fourrures.

Aurore sembla se détendre.

— Qu'est-ce que tu aimes ?

— Le bleu, le tissu fin, le chocolat, les gens qui sourient pour un rien, la musique ethnique, la glace à la fraise, le parfum de ma mère et celui de mon père. Mais quand je les mélange, ils deviennent vraiment abominables. Pourtant je ne peux pas mettre un seul des deux. Ils pourraient mal le prendre.

Elena acquiesça.

— Je vois. Mais en les unissant tu risques d'étendre raides ceux qui passent à côté de toi.

Aurore ouvrit de grands yeux, puis en regardant bien Elena elle comprit qu'elle la taquinait. Elles rirent ensemble et l'atmosphère se détendit.

— OK, j'ai l'impression que tu as bien saisi le principe. Maintenant je suggérerais de partir d'une idée, qui sera notre *brief*. Que devrait signifier ton parfum ?

Aurore se mit à jouer avec le bord de son chandail.

— J'aimerais qu'il indique un changement. Qu'il y ait des fleurs, des vêtements légers, la tiédeur du soleil sur la peau et la lumière qu'on voit en mai, quand le ciel est pur.

— On dirait la description du printemps, répliqua Elena.

— Oui, je crois que oui. J'ai toujours aimé le printemps.

— OK, qu'en dirais-tu si nous partions des fleurs ? Elles pourraient être les notes de tête. Puis nous irons plus loin, en choisissant les notes de cœur et enfin celles de fond. L'âme du parfum.

Elles commencèrent à choisir les essences : tilleul, muguet, angélique et puis d'autres encore, plus délicates, qui rappelaient le printemps frais et lumineux de Paris, et elles les disposèrent sur la table. Elles humaient, se passaient les flacons et les séparaient de ceux qui n'étaient pas idoines. À la fin, il ne resta que ceux qu'elles emploieraient.

Chaque fois qu'elles ajoutaient une goutte différente, la faisant glisser à l'intérieur des petits filtres, elles marquaient tout sur un bloc-notes, respiraient le parfum sur la *mouillette* et décidaient s'il fallait s'arrêter là ou augmenter la dose.

Cela prit toute la soirée, mais pour finir le printemps d'Aurore fleurit dans le cylindre gradué. Le parfum allait rester au repos pendant quelques semaines, de façon que l'alcool dissolve toutes les molécules, puis elles le humeraient de nouveau et, si nécessaire, elles verraient à le corriger selon le goût de la jeune fille.

— Je suis heureuse. Ce parfum signifie beaucoup pour moi.

Aurore était debout, à côté de la porte d'Absolue, mais ne faisait pas montre de s'en aller.

Elena la comprenait intimement. Trouver un parfum, savoir que c'était le bon, le sentir et le vivre était une sensation extraordinaire. La création donnait toujours ce sentiment de joie.

— Pour moi aussi. Tu sais, j'ai été très frappée par ton intuition, par la façon dont tu as choisi les essences. Tu as montré une compétence et une sensibilité rares. Je crois que le moment est arrivé de prendre en considération l'idée de poursuivre tes études dans ce domaine. Tu serais une excellente *fragrance designer*.

Le visage d'Aurore resplendissait de joie.

— La prochaine fois, je pourrai préparer un parfum pour ma mère ?

— Bien sûr. La prochaine fois, tu feras le parfum d'Éloïse.

23

Tubéreuse. Blanc, intense, doux et séduisant, c'est le parfum de l'audace et de la conscience des choses. Il stimule la créativité, évoque la force du changement.

— Je m'en vais.

— Comment ?

Elles étaient assises dans la cuisine d'Elena, de part et d'autre de la table. Joséphine s'était présentée ce matin-là à l'ouverture d'Absolue. Il avait suffi d'un regard à Elena pour comprendre l'état désastreux dans lequel se trouvait son amie. Elle l'avait fait entrer et avait baissé le rideau de fer du magasin.

— Le Nôtre a besoin de quelqu'un dans la filiale de New York. Je me suis portée volontaire.

Elena serra la tasse qu'elle tenait dans ses mains. Le parfum du thé l'aida à supporter le choc.

— Et Absolue ?

— Tu sais aussi bien que moi qu'Absolue est bien plus à toi qu'à moi, répondit Joséphine après un long silence. Et puis, disons-le honnêtement, la parfumerie naturelle est ton domaine. C'est ton don, tu as une intuition formidable, une prédisposition. La *magic touch*, appelons-le comme tu voudras… Mais moi, je ne m'y retrouve pas. J'ai besoin de stabilité, et pour obtenir des résultats appréciables, il me faut utiliser des molécules synthétiques.

— Mais tu as investi presque tout ce que tu avais de côté pour Absolue. Comment vas-tu faire là-bas ? J'ai un peu d'argent, mais…

Joséphine l'interrompit d'un geste sec de la main.

— N'y songe même pas, tu as besoin de cet argent pour le bébé. Déjà que je me sens minable, quand je pense que je ne serai probablement pas là pour sa naissance…

Elle était si accablée, si triste qu'Elena ne réussit pas à trouver les mots pour la consoler.

— Je regrette tellement que les choses se soient passées comme ça.

Joséphine tira ses cheveux en arrière et les attacha. Ce jour-là, elle les portait lissés, ils lui arrivaient jusqu'à la taille. La robe qu'elle portait, bleu cobalt, lui allait à ravir. Elle était très belle, comme toujours, mais elle avait perdu cet air un peu bravache qui la rendait si singulière. En dépit de sa superbe apparence, il y avait au fond de ses yeux une profonde désolation.

— Tu veux en parler ? lui demanda Elena.

Joséphine secoua la tête.

— Ça passera… mais il faut que je m'en aille si je veux retrouver des forces. Il me connaît, il sait comment me faire céder, il sait dire les mots qu'il faut. Je n'ai pas fermé l'œil cette nuit, j'ai commencé à fantasmer sur nous deux. Ce qu'il me dirait pour m'expliquer qu'il ne s'agissait que d'un malentendu, pour me convaincre que c'est moi la femme qu'il aime vraiment. Et quand je me suis rendu compte qu'après ce qu'il m'avait fait je ne désirais rien d'autre que le faire revenir dans ma vie, je me suis sentie mal. J'ai vomi. Puis j'ai compris que je devais mettre le plus de distance possible entre nous. Il faut que je le fasse maintenant, Elena, avant de perdre ce peu d'estime de moi, avant qu'il ne le dévore avec ce qui reste de mon âme. Je ne sais plus qui je suis, je ne sais plus rien.

Sa voix se brisa. Le tremblement de ses lèvres était si fort qu'il l'empêchait de prononcer les mots.

Il semblait si facile de s'en aller et en même temps c'était si définitif, si tragique.

— Ma chérie, murmura Elena, essayant de réconforter son amie.

Joséphine se passa les doigts sur les yeux, les tamponnant pour éviter que son maquillage ne bave. Elle inspira et expira plusieurs fois, puis sourit.

— Je me sens terriblement pathétique, je t'assure, je me fais pitié. Maintenant je comprends Beatrice. En fin de compte, elle est partie pour se retrouver.

Elles pleurèrent ensemble, elles tempêtèrent et imaginèrent toute une série de tortures qu'elles infligeraient à Grégoire et à sa richissime fiancée.

— C'est la fille de Dessay, l'un des plus grands exportateurs de parfums. Je n'ai pas la moindre chance. Mais tu sais quoi ? Je pense qu'en définitive ça n'en vaut même pas la peine.

Ce n'était pas vrai, elles le savaient toutes deux. Joséphine vivait l'un de ces moments où l'on se complaît dans sa souffrance et dans l'espoir de punitions exemplaires assénées par le destin. C'était une étape. Tous ceux dont on avait piétiné les sentiments en passaient par là, tôt ou tard. Il finirait par y avoir un après... Il y en avait toujours un, d'ailleurs. Si tout allait bien, ce ne serait qu'un regret, le désir lancinant que les choses se soient passées différemment. Après quoi, la vie suivrait son cours.

Dans le cas de Joséphine, un recours serait sans aucun doute le travail. Prestigieux, intéressant, se déroulant dans un milieu privilégié, presque élitaire. Elle aurait du succès, Elena en était convaincue. Et peut-être rencontrerait-elle quelqu'un qui serait capable de l'aimer pour ce qu'elle était. Cela, elle le souhaitait ardemment. Mais, de quelque façon que se déroulent les choses, l'amour que Joséphine avait éprouvé pour Grégoire resterait quelque part en elle, au fond de son âme. En tout cas, il ne disparaîtrait jamais entièrement.

S'installer à New York... Elena ne parvenait même pas à l'imaginer. C'était un endroit si lointain, si différent. Un autre continent. Joséphine manquerait de tout. Et même si elle demandait une avance sur son salaire, elle ne pourrait pas se débrouiller sans argent, seule, à New York. Elena y réfléchit, encore et encore. Et ses pensées allèrent toutes vers une seule solution. Mme Binoche et la formule de Beatrice.

Le hic était que pour elle ce serait bientôt impossible. Elle ne pourrait affronter le voyage à Florence avant un mois ou deux. Tout dépendait du bébé, de sa santé...

Mais si elle partait tout de suite ? L'idée traversa son esprit comme l'une de ces pensées un peu absurdes qu'en général elle écartait aussitôt. Mais pas cette fois.

Elle descendit dans la pièce du rez-de-chaussée et alluma l'ordinateur. Elle alla sur le site de l'aéroport Charles-de-Gaulle et chercha les vols quotidiens pour Florence. Florence, sans escale : voilà. Il y avait encore des places. Mon Dieu, ça va me coûter les yeux de la tête, pensa-t-elle. Elle vérifia encore l'heure. Le départ était dans l'après-midi. Si elle voulait y arriver avec une avance raisonnable, elle devait se dépêcher.

Elle choisit une agence, inséra les données pour la réservation, déclara qu'elle était enceinte de trente-quatre semaines, hésita quelques instants avant d'appuyer sur ENVOI. Partir ainsi, sans avertir personne... C'était une folie.

Elle se représenta le visage de Joséphine et comprit que c'était la seule chose à faire. Elle ne pouvait prendre le temps de réfléchir. Si elle le faisait, elle ne partirait jamais. Et il fallait y aller, maintenant, tout de suite.

Par bonheur, l'aéroport était à moins d'une heure de taxi. Pour arriver à Florence, il lui faudrait encore à peu près deux heures. Elle n'aurait pas besoin de beaucoup de temps. Un jour, deux peut-être. Ensuite elle pourrait composer le parfum ici, à Paris.

Elle courut dans sa chambre, jeta quelques vêtements dans une valise à roulettes, des médicaments, des micronutriments. Puis elle appela Aurore.

— Tu peux t'occuper du magasin jusqu'à mon retour ?

— Bien sûr, quand ?

— Maintenant, tout de suite. Je m'en vais à Florence.

— Waouh ! J'arrive.

— Super, merci. Je serai absente au maximum deux jours, la prévint Elena hors d'haleine.

Elle acheva de s'entendre avec Aurore, lui expliqua où elle trouverait les clés et elles révisèrent ensemble les systèmes d'ouverture et de fermeture des portes. Et puis, de toute façon, elle aurait toujours son portable avec elle : si besoin était, elles pouvaient se téléphoner.

Elle appela un taxi et, tandis qu'elle descendait l'escalier, elle décida qu'elle appellerait Cail directement de l'aéroport. Quelque chose lui disait que sa décision ne l'enthousiasmerait guère. Elle repoussa cette pensée. Une chose à la fois, ou elle allait devenir folle.

— Il ne manquait plus que la pluie, grogna Elena deux heures plus tard à l'aéroport.

Elle mourait de faim, l'avion pour Florence ne partirait pas avant une demi-heure encore et, comme si ce n'était pas suffisant, elle n'avait pas réussi à entrer en contact avec Cail.

Elle vérifia de nouveau ses papiers et le billet qu'elle avait imprimé. Il lui avait coûté une somme telle qu'elle en avait eu mal à l'estomac. Mais ça en vaudrait la peine, elle le sentait. Elle renversa la tête, l'appuyant contre le mur. Elle était fatiguée et l'enfant n'avait fait que s'agiter. Elle ferma un instant les yeux et espéra qu'ils allaient se décider à appeler le vol.

— Ah, voilà, s'exclama-t-elle en se levant avec effort.

Elle contrôla son téléphone pour la millième fois, espérant que Cail avait reçu son message, mais son portable était encore une fois injoignable.

— Merde, merde, merde, pesta-t-elle.

Puis elle rejoignit l'hôtesse qui attendait dans la zone d'embarquement.

— Vous vous sentez bien ?

Elena s'obligea à sourire.

— J'en ai encore pour un bon bout de temps, ne vous inquiétez pas.

La femme sourit.

— Oui, je vois que la date de l'accouchement est indiquée sur votre billet, le 10 juin, c'est ça ? Mais il manque le certificat médical.

Elena écarquilla les yeux.

— La déclaration ne suffit pas ? s'alarma-t-elle.

L'hôtesse secoua la tête.

— Il vaudrait mieux qu'il y ait un certificat... L'enfant pourrait décider de naître avant terme, et vous savez, nous ne sommes pas équipés, dans les avions...

— Mais le vol est sur le point de partir..., bredouilla Elena, agitée. Je dois absolument aller à Florence... Je vous en prie, c'est très important.

L'hôtesse regarda de nouveau les papiers.

— Je suppose que, étant donné les circonstances, l'indication que porte le billet est suffisante, dit-elle au bout de quelques secondes en jetant un regard sur la file en train de se former derrière Elena. OK, allez-y et faites un bon voyage. Mais n'oubliez pas qu'après la trente-sixième semaine aucune compagnie aérienne ne vous permettra d'embarquer.

— Bien sûr, répondit Elena avec un sourire de soulagement.

Elle prit les papiers que lui tendait l'hôtesse et se dépêcha de passer. Heureusement elle avait acheté un billet aller-retour, pensa-t-elle. Et quant à la date de l'accouchement, ce n'était pas qu'elle ait à proprement parler menti… Disons qu'elle avait pris en considération le retard de quelques jours avec lequel naissait en général un premier enfant. Où l'avait-elle lu ?

— Il n'arrivera rien, se surprit-elle à murmurer.

Elle ignora le frisson qui la parcourut et continua à marcher. Elle n'avait pas de douleurs, allait très bien et avait un tas de choses à faire. Un jour, elle n'aurait besoin que d'un jour. Elle trouverait la formule, prendrait quelques babioles dans le laboratoire de sa grand-mère et reviendrait à Paris.

Que pouvait-il lui arriver ?

Cail sortit la carte SIM de ce qui restait du portable et l'inséra dans le téléphone qu'il venait d'acheter. Banal incident, mais qui tombait mal.

Il avait laissé Elena dans la matinée et elle semblait en forme, presque trop agitée. Elle n'avait fait que lui parler d'Aurore et de la façon dont elle avait composé son premier parfum.

Cail fit le code PIN et son smartphone se mit à vibrer. Dix appels manqués. Son estomac se noua. Elena ! L'enfant ! Le moment était sûrement arrivé et lui n'était pas là. Il la rappela immédiatement, en se trompant de chiffres, jusqu'à ce qu'il trouve le numéro mis en mémoire. Il attendit le cœur battant qu'elle réponde, le souffle court.

La personne que vous appelez n'est pas joignable.

Il jura et essaya encore. Puis il courut à sa voiture. Tandis qu'il pénétrait dans la circulation, il appela la gynécologue d'Elena. Il allait se faire dire où on l'avait emmenée. Paris était à une heure de voiture à peine, il fallait juste qu'il se dépêche. Le médecin décrocha après toute une série de tentatives. Mais elle n'avait aucune nouvelle concernant sa patiente.

— Je vous assure que votre femme n'est pas en train d'accoucher. Elle a un code, même si elle avait été emmenée dans un autre hôpital, je l'aurais su ; soyez tranquille, elle va bien.

— Merci, répondit Cail.

Mais il n'en était pas convaincu. Il ne le serait pas avant de l'avoir entendu de la bouche d'Elena, et s'il pouvait s'en assurer par lui-même, ce serait encore mieux. Il essaya de nouveau de l'appeler, mais son téléphone était toujours éteint.

En rentrant en ville – en passant par tous les raccourcis qu'il connaissait et enfreignant un nombre considérable d'interdictions –, Cail avait fait le vide dans son esprit. Il était presque arrivé au Marais quand le téléphone sonna. Il se gara rapidement et répondit.

— Cail, enfin.

« Merci, mon Dieu. » Quand il entendit la voix d'Elena, son cœur se remit à battre de façon régulière.

— J'arrive, ma chérie, ça va ? Je serai là dans cinq minutes.

— Hum... c'est justement de ça que je voulais te parler. Je ne suis pas à Paris.

Cail crut qu'il avait mal entendu.

— Tu peux répéter ? Jo est avec toi ? Ce n'est pas prudent de voyager dans ton état, Elena, tu le sais. L'enfant pourrait naître avant la date prévue.

Un autre silence. Puis Elena s'éclaircit la voix.

— Je suis à Florence.

Ce fut comme recevoir un coup de poing en pleine figure. Cail éloigna le portable de son oreille et resta ainsi pendant quelques secondes.

— Tu es là ? Tout s'est passé ce matin, tu vois... Joséphine part, elle s'installe à New York. Et Mme Binoche a renouvelé son offre pour le parfum, tu te souviens ? Je t'en ai parlé. Si je trouve la formule de Beatrice, je pourrai la corriger et l'adapter à Notre-Dame. Comme ça j'aurai l'argent à rendre à Joséphine et puis... Tu sais, Cail, je veux vraiment le faire, ce parfum.

Silence. Cail ne s'était jamais senti aussi seul qu'en cet instant.

— Et tu n'as pas songé à m'attendre.

Ce n'était pas une question. Simplement une amère constatation. Une constatation inutile, étant donné qu'Elena était à Florence, mais il sentit le besoin de la formuler.

— Je n'avais pas le temps. Je t'ai appelé plusieurs fois. Mais tu n'étais pas joignable.

— Mon portable était cassé. L'un des employés de l'entreprise est passé dessus avec son tracteur.

— Je comprends. Tu vas bien ? Tu me sembles en colère.

Cail prit sa respiration et se posa la même question.

— Selon toi, comment devrais-je me sentir en découvrant que tu m'as lâché comme ça ? Tu n'as eu aucun scrupule. Tu as décidé seule. Tu ne voulais pas avoir mon avis parce que tu savais que je ne serais pas d'accord.

— Écoute, nous en parlerons mieux à mon retour, OK ? Je t'expliquerai tout, répliqua Elena qui commençait à être agacée.

— Pourquoi ? Il n'y a rien à expliquer. Tu n'as pris aucun engagement avec moi. Je n'ai aucun droit, je ne suis même pas le père de ton enfant.

— Ce que tu dis est idiot, Cail, et tu le sais bien. Je serai de retour demain au plus tard et je t'expliquerai tout.

Mais lui ne voyait pas les choses ainsi. À ce moment-là, leur situation telle qu'elle était réellement lui apparut et il la vit pour ce qu'elle était. Il en prit acte avec une impitoyable lucidité. Il serra le portable dans sa main, puis regarda devant lui, loin, vers un point indéfinissable.

— Expliquer ? Non, Elena, il n'y a rien à expliquer. Je... Prends soin de toi.

Il coupa la communication et resta le portable à la main, le regard sur la Seine qui coulait non loin, sombre, lourde, comme son cœur.

Quand Elena rappela, Cail éteignit son smartphone. Il n'avait aucune envie de parler encore avec elle, il ne voulait pas entendre sa voix. Elle lui manquait déjà atrocement, mais il ne faiblirait pas. Après quelques minutes, il démarra et dans un crissement de pneus s'inséra dans le flux de la circulation.

Le taxi la laissa presque devant la porte.

— On dit que ça fait du bien de marcher, dans votre état, mais vous savez... Moi, au contraire, je pense que moins vous faites d'efforts et mieux c'est, lui dit le chauffeur en l'aidant à porter sa valise. Vous êtes sûre que tout va bien ?

Oh non, ça n'allait pas bien.

— Merci, répondit Elena, puis elle paya la course et, après avoir salué le chauffeur de taxi, elle claqua la portière derrière elle.

Et le voilà. Le parfum familier l'enveloppa comme dans une douce étreinte, Elena rejoignit l'entrée et se laissa aller sur le petit divan. Silence. Tout semblait dormir, comme si elle était arrivée de nuit. Elle regarda autour d'elle et eut l'impression d'avoir laissé ce lieu la veille. Une vie était passée pourtant depuis qu'elle était partie de Florence, une vie entière. Les coups de pied du bébé dans son ventre le lui rappelaient.

Elle se leva et chercha l'interrupteur principal, l'actionna et les lumières s'allumèrent. Elle avait à faire et ne voulait pas perdre ne fût-ce qu'une minute. Cail avait très mal pris les choses et cela l'ennuyait. Elle était impatiente de le revoir, de lui expliquer ses raisons. Avant tout, le paravent, puis le reste, pensa-t-elle. Elle traversa le couloir et entra dans la boutique. Il était bien là. Dans le coin qui était le sien depuis des années.

Un frisson lui parcourut l'échine. Il était identique à celui de Lourmarin, il n'y avait pas de doute. Le cadre aussi semblait le même, simple, linéaire, comme s'il avait été créé uniquement pour contenir la tapisserie. Elena imagina Beatrice inclinée sur le tissu et son cœur se serra.

— Voyons un peu...

Les mots moururent dans sa gorge. Une dame sur un cheval, en voyage. Seule. Le chevalier était loin, derrière elle, et à côté de lui il y avait une autre femme richement parée.

— Son épouse, murmura Elena.

Elle continua à suivre le dessin, mais celui-là couvrait tout un côté du paravent.

— Où l'as-tu mise ? marmonna-t-elle, déconcertée.

Puis elle passa au côté opposé. Un cerf, petit, et une forêt. Des arbres, un ruisseau, un collier qui pouvait être d'or, ou... d'ambre. De l'eau, la lune. Et une burette.

Elle prit le cahier de notes qu'elle gardait dans son sac et recommença à inspecter le paravent. Tout en observant chaque détail, elle essaya d'entrer dans la scène représentée... D'ailleurs, elle avait vu ces lieux, qui, bien que modifiés par le temps, restaient malgré tout les mêmes, non ?

Ainsi, la forêt au pied du château prit vie dans son esprit. L'air se remplit de parfums, il avait plu peu avant, un ruisseau s'était formé, qui gargouillait sur les pierres. Elena entendit les appels des cavaliers, leva la tête ; le ciel était bleu, pur, des faucons volaient dans le ciel. On fêtait les noces du seigneur. Des cris et des chants d'allégresse résonnaient dans toute la vallée.

Beatrice éperonnait le cheval. Elle avait attendu jusqu'au dernier instant, puis s'était rendu compte qu'il n'y aurait là-bas pas de place pour elle. Elle ne voulait pas entendre la joie avec laquelle on célébrait ces noces, elle ne voulait pas le voir embrasser celle qui était devenue son épouse. Il lui avait fourni une escorte pour le voyage. Et lui avait brisé le cœur.

Un cerf… et trois arbres. Des chênes. C'étaient des chênes. Beatrice avait utilisé du musc animal et du musc de chêne pour produire le parfum, et de l'ambre gris, – des ingrédients typiques de l'époque. Le symbole du collier jouait sur l'homonymie entre ambre gris et ambre fossile.

Elena revint à la réalité et se remit à observer, à chercher. Et à la fin elle se fit une idée précise de ce qui composait le parfum. Elle écrivit la formule et ferma les yeux.

La formule était presque banale dans sa simplicité… Ce ne pouvait être ça, se dit-elle. Elle repensa au paravent vu en France. Rose, citron ou hespéride, cela, elle ne l'avait pas encore établi avec certitude. Et puis rose, iris, jasmin, bois, musc, ambre fossile. Eau, huile. Un parcours, une promenade dans un jardin, voilà tout.

C'était là une formule que même Aurore aurait pu obtenir toute seule si elle avait eu les ingrédients adéquats. La seule chose qui pour l'instant donnait au parfum de Beatrice un caractère spécial était l'emploi du musc, de la composante animale, désormais interdite pour raisons éthiques, mais remplacée par des molécules de nature synthétique.

Sa mère avait eu raison de penser que ce parfum pouvait avoir une certaine importance au XVIIe siècle, mais pas à leur époque. Mais alors pourquoi toutes les Rossini l'avaient-elles cherché avec un tel acharnement ?

Sa grand-mère aussi, qui était pourtant quelqu'un de pragmatique, avait consacré son existence entière à la recherche du Parfum Idéal. Mais quelque bonne qu'elle fût, et elle l'était, la formule qu'Elena avait en main ne pouvait parvenir à susciter l'amour d'une femme, sa passion… Elle ne pouvait en aucune façon peser sur sa volonté.

Elena pouvait le sentir mentalement, c'était l'une des choses qu'elle avait toujours su faire, comprendre le parfum simplement en lisant sa formule. Et elle n'arrivait vraiment pas à être convaincue.

Elle descendit au sous-sol, le bloc-notes à la main. Elle alluma la lumière et entra dans l'atelier. Maintenant qu'elle connaissait les ingrédients, elle voulait essayer de les combiner.

Elena se mit à chercher. Les essences étaient contenues dans une caisse de bois, elle se le rappelait bien. La dernière fois qu'elle y avait vaguement regardé, elle avait dû en jeter une bonne partie. Mais elle n'avait pas vérifié les muscs, ni l'ambre. Elle s'agenouilla et choisit quelques bouteilles de métal. Mais quand elle les ouvrit, ses espoirs se volatilisèrent. Rance, passé. Tout était à jeter. Un soupir, un mouvement fugace de rage. Sa déception était grande.

Elle détenait la formule et ne pouvait la réaliser. Son sourire se transforma bientôt en éclat de rire, et puis vinrent les larmes.

Elle se traîna sur un siège, tandis que l'enfant donnait des ruades. Le rêve du Parfum Idéal que des générations de Rossini s'étaient transmis était l'histoire d'un amour malheureux. Et puis toute considération fut balayée par ce qui lui pesait sur le cœur. Cail, ses mots, la douleur contenue dans sa voix quand ils s'étaient parlé. Elle espéra n'avoir pas commis une grave erreur, n'avoir pas tout détruit.

— Tu es sûr que tu ne veux pas me le laisser ? Ça ne me coûte rien de le garder.

Ben était mal à l'aise. Il regardait Cail qui remplissait son sac à dos et ne savait que faire.

— Je ne sais pas pour combien de temps je m'en vais, il vaut mieux que John vienne avec moi.

La voix de Cail était sèche, il avait une mine de déterré.

Ben mourait d'envie de lui demander ce qui s'était passé.

— Merde, Cail, tu ne peux pas disparaître comme ça. Elena ne le mérite pas. Vous vous êtes disputés ? Bon, parlez-en et faites la paix. Il y a un remède à tout.

Cail ne répondit pas. Il le faisait rarement, désormais. Il prit le sac à dos, le passa à son épaule et sortit de la chambre à coucher.

— Je te laisse fermer, dit-il à Ben.

Elena s'était éveillée tôt ce matin-là, elle avait mis dans sa valise les carnets qu'elle avait l'intention d'utiliser pour proposer des parfums *vintage*, quelques objets qui iraient bien dans son magasin et un conteneur plein d'ambre. L'ambre, du moins, elle en avait trouvé. Elle ne savait pas si elle réussirait à l'utiliser, ou si elle devrait se replier sur une molécule équivalente, mais quoi qu'il en soit elle l'emportait avec elle.

Elle était assise dans la cuisine, comme des milliers de fois dans son enfance, une tasse de thé dans les mains. Sur les murs, au milieu des meubles, il y avait une collection de porcelaines. C'étaient les assiettes que sa grand-mère utilisait rarement, celles des jours de fête. Les souvenirs lui revinrent à l'esprit, nets, portés par le parfum de la maison. C'était un pas de l'histoire de sa famille, ce service. Sa grand-mère utilisait aussi les verres de cristal et les couverts en argent. L'une des Rossini les avait achetés. Une autre avait commandé un service de verres à Venise, tout un ensemble de carafes et de bouteilles. Les assiettes, elles, étaient françaises, de la fin du XVIIIe siècle.

Elle se surprit à penser qu'elle aimerait raconter à son enfant comment chacune de ses ancêtres avait contribué à ce petit patrimoine qui parlait d'elles, de ce qu'elles aimaient, de la tradition si fortement enracinée chez elles. Du goût du beau. Parce que ces assiettes étaient vraiment belles. Comme l'étaient les meubles, le paravent, les objets qui, au cours des siècles, avaient été rassemblés et jugés dignes d'être conservés pour qui viendrait plus tard.

La famille : le mot s'étira dans son esprit et prit de la vigueur, tandis qu'elle continuait à se souvenir. Jusque-là, rien de toutes ces choses ne lui avait importé le moins du monde. Et maintenant, pourquoi avait-elle envie de pleurer ?

Elle sécha ses larmes, soupira et décida de cesser d'essayer de mettre de l'ordre dans ces pensées.

Elle était juste fatiguée et déçue.

— Le parfum de Beatrice n'existe pas. Ce n'est que la projection d'un désir. Le mien… celui de ma grand-mère, ou de celles qui vivaient avant elle. Ce n'est rien d'autre qu'un concentré d'espoirs et d'illusions. C'est nous qui lui avons donné ce pouvoir. Nous, qui l'avons cru extraordinaire.

Elle devait arrêter de parler toute seule, ou avec les objets. C'était embarrassant. C'était ce que faisaient les gens qui n'avaient personne à qui se confier.

Mais elle avait son enfant, elle parlait énormément avec lui, pas vrai ? Et puis il y avait tant de gens autour d'elle. Pas en ce moment, d'accord… mais il y en avait. Aurore, par exemple, était la personne qui l'écoutait le plus et, en un certain sens, elle lui ressemblait. Elles avaient tant de choses en commun.

Elena se souvint alors du parfum qu'Éloïse lui avait demandé pour la petite. Elle serra sa tasse dans ses mains, puis la lâcha et se leva. Vite, elle rejoignit la chambre à coucher de sa grand-mère. Voilà, la caisse était ici, à sa place habituelle. Elle l'ouvrit et regarda ce qu'elle contenait. Une pile de cahiers bien rangés, des papiers, des sachets pleins d'essences, des photographies aux couleurs passées par le temps, quelques bijoux sans valeur. Elena fronça les sourcils. Sa grand-mère avait pourtant mis là-dedans le parfum que Susanna avait conçu pour elle, à l'occasion de son seizième anniversaire, elle en était absolument sûre parce qu'elle l'avait suivie du regard pendant qu'elle l'y remisait.

— Je n'en veux pas, je me fous de ses cadeaux. En plus, c'est sûr que c'est Maurice qui l'a fait, il l'a peut-être même empoisonné ! avait crié Elena.

Lucia avait pincé les lèvres de colère.

— Quand quelqu'un te tend la main, Elena, tu ferais mieux de la prendre. Il s'agit de miséricorde, tu sais. Tu crois que tu ne commettras pas d'erreurs dans ta vie ? Je regrette de te décevoir, ma petite, mais il n'existe pas un tel modèle de perfection, sinon dans l'idée de certaines personnes arrogantes, et tu n'es pas comme ça, n'est-ce pas ?

Elena s'était entêtée à ne pas répondre. Elle ne voulait pas de ce parfum et elle ne voulait même plus de sa mère.

— Un jour tu comprendras qu'il y a beaucoup de choses dont il faut tenir compte, mon enfant.

— Jette-le. Je n'en veux pas, de son parfum, je ne veux rien d'elle ! avait hurlé Elena avant de s'enfuir de la pièce.

Mais au moment de franchir la porte, elle s'était arrêtée, le cœur battant la chamade. Et si sa grand-mère le jetait bel et bien ? Elle s'était retournée, alors, décidée à reprendre le petit paquet que Susanna lui avait envoyé. Mais Lucia le tenait dans ses mains, une expression de tristesse sur le visage. Elle était montée à l'étage, et était entrée dans sa chambre à coucher. Elle l'avait déposé dans son coffre, celui qu'elle gardait toujours fermé à clef.

Tant de temps était passé depuis lors ! Était-il possible que ça lui fasse encore si mal d'évoquer cette scène ? Elle ne s'était pas bien comportée. Elle avait été mesquine et méchante. Pendant toutes ces années elle avait justifié ce geste si méprisant par sa colère envers Susanna, et elle en avait honte. Le parfum devait forcément être là, dans le coffre. Elle le voulait maintenant. Elle voulait le sentir.

Le cœur cognant dans sa poitrine, elle déplaça les objets, les lettres et tous les papiers que sa grand-mère avait conservés. Et puis elle le vit. *Son* parfum.

Le petit paquet était exactement comme alors, quand elle l'avait reçu il y avait tant d'années. Elle inspira profondément pour se donner du courage, puis l'ouvrit avec attention. À la lumière du matin, le flacon de cristal semblait briller au creux de sa main. Le liquide ondoya, il était d'un doux rose pastel. Elle adorait cette couleur. Était-il possible que sa mère s'en soit souvenue ? Je vais l'emporter, décida-t-elle. Elle n'avait plus la force de l'ouvrir à présent.

Elle retourna dans l'entrée et prit son portable. Elle n'eut pas besoin de vérifier pour savoir que Cail ne l'avait pas rappelée. Elle le connaissait assez pour savoir qu'il ne lui pardonnerait pas si facilement.

— Espèce d'idiot. Tu ne vas pas me lâcher comme ça !

Paris était inondé de lumière. L'avion atterrit à l'heure. Elena n'avait rien fait d'autre durant le vol que contempler ce ciel pur et lumineux.

Elle était impatiente de se mettre à l'œuvre. Elle avait décidé de composer le parfum, coûte que coûte. Qu'elle détienne ou pas la formule de Beatrice. L'orgue de parfumeur était plein des essences dont elle avait besoin. Et grâce à Joséphine, elle possédait aussi un assortiment important de substances chimiques. Pour cette fois, elle ferait une exception. Pour composer le parfum de Notre-Dame, elle avait besoin d'utiliser un grand nombre de substances, de garder la formule le plus stable possible. Elle ne pouvait se permettre de se laisser entraîner dans les caprices des essences. Le parfum devait pouvoir être reproduit sans difficulté.

Elle s'adapterait. D'ailleurs, cela n'arrivait pas tous les jours, de composer le parfum d'un livre. Geneviève aurait son parfum, à tout prix.

Tandis qu'elle retournait chez elle, elle décida qu'elle affronterait un problème à la fois. Le nœud coincé dans sa gorge ne voulait pas s'en aller. Mais elle ne chercha pas à s'en débarrasser. Parce qu'il lui rappelait qu'elle avait quelque chose à éclaircir avec un homme. Son homme.

— Merci, dit-elle au chauffeur de taxi avant de pousser la porte d'Absolue.

— Salut, Elena, je ne t'attendais pas aussi vite. Tu aurais dû appeler, maman serait venue te chercher, dit Aurore en l'accueillant.

— Ne t'inquiète pas. Alors, tout va bien ?

— Oui, parfait. J'ai vendu deux crèmes, quelques savons. Puis un monsieur est venu, il dit qu'il doit te parler de sa femme pour un parfum sur mesure.

Elena la regarda, perplexe, puis se souvint.

— Ce doit être Marc Leroy. Je pensais qu'il avait laissé tomber.

Qu'il fût revenu lui fit plaisir, très plaisir.

— Tu peux rester toute la journée ? J'ai deux-trois choses à faire, j'ai encore besoin de toi.

Aurore lui sourit.

— Bien sûr, tu plaisantes ? C'est un vrai plaisir pour moi. Les gens te regardent différemment quand tu es derrière un comptoir.

— Eh oui, en définitive c'est juste une question de perspective, murmura Elena en traînant la valise derrière le mur que Cail avait monté pour séparer Absolue de la zone du magasin qui communiquait avec l'appartement d'Elena.

— À tout à l'heure, dit-elle à Aurore.

Et elle sortit dans le hall d'entrée. Elle monta l'escalier et frappa à la porte de Cail.

Après quelques minutes, elle se décida à pousser la porte, mais celle-ci était fermée à clef. Alors elle retourna en bas, sortit dans la cour intérieure de l'immeuble et se dirigea vers la maison d'en face. Une minute plus tard, elle frappait à la porte de Ben.

— Salut, lui dit-elle quand il lui ouvrit.

— Elena, je suis content de te voir. Viens, entre.

Mais elle resta sur le seuil. Ben la regardait d'une façon qui ne lui plaisait pas du tout. Le mauvais pressentiment qu'elle avait eu après sa discussion avec Cail lui revint. Elle connaissait bien la compassion, et elle la voyait dans les yeux de Ben. Les battements de son cœur se précipitèrent.

— Sais-tu par hasard où est Cail ? Il ne répond pas au téléphone et n'est pas chez lui.

Ben lui lança un rapide coup d'œil, puis, s'écartant pour la laisser passer :

— Allez, entre. Colette est là aussi. Chérie, tu peux venir ? dit-il en se retournant. Elena est ici.

— Oui, oui, j'arrive !

On avait l'impression qu'ils l'attendaient, pensa Elena un peu déconcertée.

— Merci, mais je ne peux pas rester. Excuse-moi de t'avoir dérangé, j'essaierai de retrouver Cail plus tard.

— Attends... il n'est pas là. Il est parti.

— Comment... et John ? Il est chez toi ?

Ben fit signe que non.

— Il l'a pris avec lui. Je ne sais pas quand il reviendra.

« Ou s'il le fera jamais. » La phrase resta en suspens entre eux.

— Je suis vraiment désolée, Elena. Si je peux faire quelque chose..., murmura Colette.

— Ce n'est rien, répliqua Elena avec un demi-sourire. Il a probablement oublié de me prévenir. Je suis sûre qu'il m'appellera bientôt pour me dire où je peux le trouver, jeta-t-elle plus gaiement.

— Bien sûr, tu as certainement raison.

Elena s'obligea à sourire.

— Certainement...

Elle se retourna et, un instant, le monde devint obscurité. Elle vacilla, mais se reprit sur-le-champ. Une respiration profonde, le cœur battant la chamade. Elle avait affronté pire, elle pouvait tenir le coup.

— Ça va ? lui demanda Ben en s'élançant vers elle.

— Mais oui, parfait, tout va bien. J'ai juste trébuché. Sois tranquille.

Tandis qu'elle traversait la cour pour retourner chez elle, elle entendit avec netteté deux jurons.

Il lui semblait avoir la tête bourrée de coton. Les bruits lui parvenaient distordus, la douleur au fond de sa gorge était maintenant un trou creusé jusqu'à son estomac.

Elle rentra chez elle et monta l'escalier. Une fois en haut, elle alla dans la salle de bains, prit une longue douche et s'habilla. Elle mit la chemise qu'elle portait quand elle travaillait, s'empara de son bloc-notes et entra dans le laboratoire. Elle ignora les images qui se formaient dans son esprit, Cail positionnant le distillateur, Cail qui lui souriait, Cail l'embrassant.

Elle devait composer un parfum. Elle devait chercher à se concentrer, elle devait apprendre à gérer sa vie une fois pour toutes. Elle s'assit devant le collecteur d'essences ; cet orgue à parfums n'était pas en bois comme le petit qu'elle avait en bas, que Cail lui avait offert. Celui qu'avait acheté Joséphine était moderne, en aluminium. Mais elle l'aimait quand même. La seule chose qu'elle avait changée, de fait, c'était sa disposition. Les flacons d'essences étaient rangés par famille olfactive comme le lui avait enseigné Lucia, et pas alphabétiquement. Les hespéridés, les floraux, les fougères, les chyprés, les boisés, les orientaux et pour finir les cuirs. Elle choisit avec soin les essences dont elle avait besoin, les plaça une par une sur un plateau et puis commença à se préparer à composer le parfum. Plusieurs tentatives lui furent nécessaires pour parvenir à se concentrer, mais finalement elle réussit à faire de l'ordre dans ce chaos de pensées et de sentiments qui l'habitait. Les enseignements de sa grand-mère balayèrent confusion et désordre. Le monde disparut et il ne resta rien d'autre qu'une étendue parfumée dans laquelle puiser.

Il fallait qu'elle réalise deux parfums : celui de Beatrice et celui de Notre-Dame. Deux parfums très particuliers. Le premier serait la base de départ du second. Elle savait que c'était là le chemin à suivre. Il fallait que ce le soit, parce qu'elle avait tout misé là-dessus.

Beatrice donnerait vie à Notre-Dame.

Elle disposa les essences devant elle, les observa, les imagina ensemble, ferma les yeux et composa en esprit le parfum de son ancêtre. Ce n'est que lorsqu'elle fut suffisamment convaincue de ce qui allait être le résultat qu'elle se lança. Elle compta avec attention les gouttes de chaque essence : citron, iris, jasmin, rose, ambre, musc de chêne. Elle les regarda glisser sur la surface du petit entonnoir, elle en respira l'arôme. Chaque étape était importante, déterminante. Elle marqua tout sur son cahier, méticuleusement. Une fois le mélange terminé, elle s'arrêta. Elle resta un moment à le regarder, puis le huma.

C'était là le parfum que Beatrice avait créé pour une grande dame des siècles plus tôt. Un parfum qui pour son ancêtre avait été un début, et une fin.

Elle essuya une larme de la paume de sa main, et, avec attention, versa le parfum dans un flacon. Elle le laisserait reposer quelques heures et puis viendrait le respirer une nouvelle fois.

Elle se leva et sortit du laboratoire. Elle avait besoin d'une tasse de thé.

Quand elle revint, elle huma de nouveau le parfum, vérifia la formule qu'elle avait notée sur son carnet, et inclina la tête. Puis elle fut traversée d'un tourbillon d'émotions : déchirement, désir, passion, douceur. Elle s'assit lentement, ferma les yeux et savoura chaque nuance de ce parfum, le laissa glisser sur sa peau, pénétrer son âme. Il n'était pas quelconque, il était séduisant, il suscitait des sensations profondes.

Mais ce qu'elle sentait maintenant en elle n'était pas de la grandeur, c'était du déchirement, c'était la douleur de l'abandon.

Oh, ce genre de sensations lui était familier, elle savait parfaitement le goût qu'elles avaient, elle savait tout, elle en connaissait chaque maudite nuance. Pour elle, l'abandon avait même une odeur.

Les heures passèrent. Elena resta tout ce temps le regard fixé au sol, attendant que les molécules du parfum se soient suffisamment dissoutes pour lui fournir une indication de ce que serait le résultat, parce qu'elle ne se sentait pas de compter sur ses propres capacités.

Elle était au plus mal. Mais le parfum lui vint en aide. Les unes après les autres, les essences se combinèrent, y compris les essences synthétiques qui distillèrent une force nouvelle et des nuances lumineuses. Elle les avait utilisées, pour finir, parce que certains des éléments employés par Beatrice n'existaient plus. Elle n'avait pas eu le choix. Mais elle ne le regrettait pas. Le parfum était bon, il était plus que bon. Voilà : c'était ça, le parfum de Beatrice. Celui qui avait scellé le destin de la famille Rossini.

Elle le respira encore et ce fut comme une explosion de fleurs. Pétales de rose partout, un cœur fleuri, des rires, des jeux autour d'une fontaine, sous le soleil, dans un jardin d'agrumes, une légère brise tiède et le parfum des citrons. Et puis la nuit, humide, obscure, animale. Un bois enveloppant, soudain, et un pré d'argent, sous les pâles rayons de la lune. Jasmin, iris. L'amour, mais pas la douceur de l'amour, pas de murmures, aucune concession. Et puis un brusque jaillissement, sensuel, presque hypnotisant. Un récit dense, déchirant, douloureux.

Elena était exténuée, il lui semblait ne plus avoir en elle ne serait-ce qu'un gramme d'énergie. Mais elle devait continuer. À présent, elle devait agir.

Le parfum de Beatrice était la base dont il fallait partir, mais elle devait trouver le caractère mystique de la cathédrale Notre-Dame, sa magie, les siècles d'histoire. Et cette union donnerait vie à un nouveau parfum : celui de *Notre-Dame de Paris*.

Elle conserva l'une des deux éprouvettes qui contenaient le parfum de son ancêtre dans un coffret, dans l'obscurité. Dans son esprit, les mots de sa grand-mère qui lui indiquaient les étapes du chemin à suivre pour la nouvelle création. Partir d'une base et puis trouver de nouveau le sentier du parfum ne serait pas facile, mais elle pouvait y arriver, elle le savait.

Elle inspira et prit son courage à deux mains. Elle transféra dans un cylindre gradué le contenu de la seconde éprouvette et ferma les yeux un instant, cherchant en elle-même la direction à prendre. Puis elle ajouta une goutte d'encens au mélange. Elle huma et continua jusqu'à être suffisamment convaincue. Et puis ce fut le tour du vétiver, parce qu'elle voulait de l'eau et de l'humidité. Et maintenant qu'elle l'avait trouvée, elle ajouta encore une goutte de myrrhe et attendit patiemment.

Elle travailla sans relâche, de façon fébrile, essayant et réessayant, encore et encore. Et puis tout à coup elle s'arrêta. Elle respira le parfum une nouvelle fois et inclina la tête.

Voilà ; elle le tenait, elle l'avait trouvé.

Il ne restait qu'à le laisser reposer. La procédure lui imposait de le sentir encore et puis éventuellement de le corriger. Mais ce ne serait pas nécessaire, elle en était convaincue.

Aurore était partie, elle avait fermé le magasin et lui avait laissé un mot. Elle était en vacances, elle reviendrait le lendemain. Elena contempla son écriture régulière, les lettres nettes, décidées, et cette fleur stylisée à la place du point. Elle empocha le papier ; puis elle décrocha le téléphone.

— Madame Binoche ? C'est Elena Rossini. Le parfum de Notre-Dame est prêt. Oui, merci. Venez quand vous voudrez, je vous montrerai ce premier jet, à partir de là nous commencerons à travailler pour la version définitive.

Elle raccrocha, remonta l'escalier et s'étendit sur le lit, tout habillée ; et elle s'endormit.

24

Néroli. Tiré des fleurs d'oranger, c'est l'essence céleste des pétales de la fleur. C'est le parfum de la paix. Il évoque les bons sentiments. Il ouvre la voie à l'amour.

Si Elena avait pensé, après avoir donné le parfum à Geneviève Binoche, que celle-ci cesserait d'aller la voir, elle s'était grossièrement trompée. Le parfum qu'elle avait réalisé pour elle avait plu à tout le monde. Mais la romancière était plus que quiconque envoûtée. Elle lui avait dit que ce parfum était un parfum idéal. Son Parfum Idéal. Par la suite, elle avait continué à lui faire des visites régulières, et bien qu'Elena n'ait pas eu très envie de sortir, ou de parler, elle ne s'était pas découragée. Et ce soir encore elle allait l'accompagner dans ses emplettes.

Les Galeries Lafayette étaient pleines de monde comme d'habitude et proposaient de très beaux articles à la vente. Geneviève avait décidé qu'elles seraient la première étape de leur expédition.

— Je ne suis jamais allée acheter des vêtements pour enfants. Je n'en ai jamais eu et

Adeline non plus. Mon frère est mort avant de pouvoir devenir père et ma belle-sœur est l'une de ces femmes très difficiles à contenter. Du moins est-ce ce qu'elle m'a répondu une fois où nous étions en veine de confidences. Je lui avais fait remarquer qu'elle était encore jeune et pouvait refaire sa vie. Elle a répliqué qu'elle ne trouverait jamais un autre homme comme Jasper. N'est-ce pas romantique ?

Elena ne répondit pas. Elle savait que Mme Binoche cherchait à se montrer gentille avec ce bavardage continuel, mais elle ne parvenait pas à lui exprimer sa gratitude. Il lui semblait qu'une vie entière était passée depuis son retour de Florence, et non deux semaines. Cail avait disparu de sa vie et elle ne réussissait plus à éprouver quoi que ce soit. Elle regardait tout avec détachement, la seule chose qui n'avait pas changé était le sentiment d'attachement instinctif qu'elle avait pour son bébé. C'était l'unique raison qui l'aidait à se lever le matin et à vivre un instant après l'autre.

— Merci, finit-elle par dire mécaniquement. Vous avez raison, il faut que je prépare ma valise, on arrive au terme maintenant.

Le docteur Rochelle lui avait recommandé d'être prête à partir à tout moment pour la maternité. Le tracé de l'échographie avait mis en évidence quelques contractions, la grossesse touchait à sa fin.

— Je devais y aller avec Cail, murmura Elena.

Elle n'eut pas la force de continuer. Elle laissa tomber, comme elle le faisait à chaque fois qu'il devenait trop difficile de supporter une pensée.

— Mais nous les femmes, nous nous y connaissons mieux dans ce genre de choses.

Geneviève, par bonheur, était dotée d'une formidable intuition et saisit immédiatement le problème. Elle avait eu une bonne idée. Une journée de shopping intensif, en définitive, était exactement ce qu'il fallait à Elena.

Elles rejoignirent le rayon consacré aux nouveau-nés et ce fut comme entrer dans une pâtisserie. Tout était dans les tons pastel, des murs aux meubles. Poupées, petits trains, oursons de toutes les dimensions. Et un parfum de talc et de vanille. Mme Binoche commença à indiquer barboteuses et ensembles qui iraient bien tant pour les petits garçons que pour les petites filles. Puis elle passa à des couleurs plus déterminées, et enfin au bleu et au rose.

— Selon moi, les enfants devraient être habillés dans une tonalité arc-en-ciel. Il n'est pas bien de leur coller une couleur qui les identifie. C'est discriminatoire, grommela-t-elle en observant d'un œil critique toute une exposition à thème.

De temps en temps, Elena acquiesçait. Elle regardait les petits ensembles et mettait dans le chariot tout ce qui lui plaisait. Jasmine lui avait recommandé de n'acheter que peu de vêtements : les bébés grandissent à vue d'œil. Mais Elena voulait que son enfant ne manque de rien. Et ainsi, se retrouvèrent dans le chariot des petites chaussettes avec des dessins de grenouilles ou de cochons, des bodys rouges, roses, bleus. Des petites chemises, des brosses… Tout ce qu'elle trouvait beau, elle l'achetait.

L'argent n'était plus un problème. La somme qu'elle avait reçue pour la formule du parfum de Notre-Dame avait entièrement couvert la quote-part de Joséphine et elle-même avait énormément d'argent d'avance. Absolue ne vendrait pas seulement des parfums de l'âme, mais une ligne entière qui ferait honneur aux femmes de sa famille.

— Que pensez-vous de ce landau ? lui demanda Geneviève.

— Je ne sais pas trop, il est bleu foncé…

— Et cette couleur ne vous plaît pas ?

Non, elle ne lui plaisait pas. Elle voulait du jaune pour son enfant, la couleur du soleil, ou alors du bleu clair, comme le ciel.

— Je voudrais quelque chose de plus clair, du bleu turquoise, par exemple.

Geneviève regarda autour d'elle, puis tendit le doigt.

— Regardez. Mais qu'ils sont beaux ! s'exclama-t-elle en les rejoignant.

Elena la suivit lentement. Maintenant, elle devait bouger avec précaution, s'il lui arrivait de faire des mouvements brusques l'enfant s'agitait et ruait. Elle allait le voir bientôt ; et c'était là ce qui l'avait aidée à avancer sans Cail.

Elena était une experte en fait d'abandon, mais ce gouffre en plein milieu de sa poitrine, elle ne l'avait jamais ressenti. C'était un vide absolu. C'était l'essence du néant. Il suffisait d'un instant pour s'y perdre. Voilà pourquoi elle se tenait occupée de toutes les façons possibles. Pour ne pas penser, pour ne pas y tomber.

Le landau fut un cadeau de Geneviève. Elena ne savait que dire, tout le monde était tellement gentil avec elle que parfois elle avait envie de se recroqueviller dans un coin et de hurler. Elle s'obligea à remercier, sourire, avancer.

Elle devait ne pas oublier de respirer, c'était quelque chose d'important, une respiration, puis une autre. Un pas en avant, un autre.

Elles continuèrent avec le choix de draps, couvertures, petits pyjamas. Et puis bonnets, biberons, tétines. Elles avaient acheté une grande quantité de choses et Elena commença à se demander avec inquiétude comment elle pourrait transporter tout cela, quand la vendeuse lui donna une carte de visite.

— Vous n'avez rien d'autre à faire que nous appeler, madame, lui dit-elle avec un grand sourire. Dès que le bébé sera né, nous nous occuperons de tout vous livrer. Transport, montage, tout est à notre charge. Vous n'avez à vous occuper de rien.

Soulagement. Un autre merci... il lui sembla n'avoir rien fait d'autre, dernièrement. Tout le monde s'attendait à ce qu'elle soit joyeuse, à ce qu'elle sourie. Elle régla ses achats et fit en sorte de tenir bon encore une autre journée.

Il fallait juste qu'elle patiente jusqu'à l'accouchement, le reste viendrait de lui-même. L'enfant était la seule chose qui comptât, et puis il y avait Absolue... Elle devait se le répéter plusieurs fois par jour, et quelquefois ça marchait. Quelquefois, ça lui suffisait.

Pendant la journée, elle arrivait à tout gérer assez bien. Après ses cours, Aurore accourait lui donner un coup de main, Éloïse venait chaque fois qu'elle pouvait. Et Ben aussi. Colette également passait la voir très souvent, préparait déjeuner et dîner et stockait le tout dans le congélateur en portions individuelles. Elena n'avait rien d'autre à faire que d'en mettre une au micro-ondes et le tour était joué. On ne la laissait jamais seule.

Le lendemain de ses emplettes, Elena reçut une invitation.

M. Lagose et Babette venaient de partir. La situation entre eux s'était aplanie, mais ils continuaient à se lancer des piques. Ce ne devait pas être si grave, cela dit, vu la façon dont ils se souriaient pendant leurs disputes. Si, auparavant, les voir ensemble lui plaisait et la réjouissait, maintenant leur bonheur lui nouait la gorge.

— C'est pour toi. On dirait une invitation, lui dit Adeline en examinant l'enveloppe de papier épais, couleur ivoire.

Elle était passée lui dire bonjour, puis avait décidé de rester.

Elena releva la tête du registre qu'elle mettait à jour et lui lança un coup d'œil distrait.

— Tu peux l'ouvrir ?

— Bien sûr. Tu as participé à un concours ? lui demanda Adeline au bout de quelques secondes.

Elena fronça les sourcils.

— Non, pas du tout.

— Pourtant il est dit que tu dois venir retirer un prix.

— Ce doit être une erreur, répondit Elena en se concentrant à nouveau sur son travail.

— Il y a le logo de la fondation : *Concours International de Roses Nouvelles de Paris-Bagatelle*. J'en ai entendu parler. C'est un événement très important. Il se tient dans les plus beaux jardins de Paris. La fleur gagnante est la Floribunda Hélène.

Silence, incertitude. Puis une hésitation.

— Fais-moi voir, murmura Elena, le cœur follement battant, en tendant la main.

C'était le concours de Cail, de la rose qu'il avait créée. Elle le savait parce qu'ils devaient y aller ensemble.

Adeline lui donna la lettre. Elle la lut d'un bout à l'autre, plusieurs fois.

— Je ne comprends pas, dit-elle très bas.

— Tu es sûre ? Il n'y a personne parmi tes connaissances qui pourrait avoir pensé à te faire une surprise ?

Si, il y avait quelqu'un. Cail. Mais il avait décidé de ne plus la voir, de ne plus lui parler. Ce n'était pas possible...

— C'est samedi, souffla-t-elle. Je n'ai rien à me mettre.

Quelle pensée stupide ! Cail lui faisait envoyer une invitation après ces longs jours où il avait pratiquement disparu de sa vie, et la première chose à laquelle elle parvenait à penser était qu'elle n'avait pas une seule robe à mettre.

— Je connais un magasin qui est une merveille. Nous pouvons y aller dès qu'Aurore sera arrivée, qu'en dis-tu ?

Elena referma les doigts sur le carton.

— Je ne sais pas... Je ne pense pas y aller.

Elle posa l'invitation sur le comptoir et se remit à contrôler le registre. Adeline ne répliqua pas. Elle se borna à la regarder avec l'expression douce qui lui était habituelle, derrière ses lunettes en demi-lune. Elena sentait sur elle le poids de ce regard patient. Elle essaya de l'ignorer, puis se décida à relever la tête.

— Il s'agit de Cail.

Elle marqua un arrêt.

— Mais il ne répond même pas à mes appels, à quoi est-ce que ça m'avancerait d'y aller ?

— À lui dire trois mots ?

Oh oui. Comme elle aurait aimé le faire ! Elle mourait d'envie de lui balancer deux ou trois choses à la figure.

— C'est compliqué...

— Si ça ne l'était pas, ça ne vaudrait même pas la peine de perdre du temps pour ça, tu ne crois pas ?

— Je l'ai tenu à distance... tu sais, à cause du bébé. Je voulais être sûre qu'il y ait quelque chose de possible pour nous trois. Parce que je ne suis pas seule, Adeline. J'ai un enfant. Ou plutôt... je l'aurai bientôt et il fera partie de ma vie. Je ne le laisserai jamais, à personne.

— Calme-toi, Elena, ton enfant sent tout et il va se demander pourquoi sa mère est si bouleversée.

Elena se reprit presque aussitôt.

— Pardonne-moi, je... je ne voulais pas, bafouilla-t-elle en se passant une main sur le visage. C'est un moment un peu difficile.

Elle tenta de sourire.

— J'ai perdu le contrôle, excuse-moi, Adeline. Tu vas penser que je suis folle.

— Tu es enceinte, tu viens de te disputer avec ton compagnon. Ce ne serait pas normal que tu ne sois pas au moins un peu secouée, tu n'es pas faite d'acier, si ? Bien. Maintenant, sèche tes larmes. Comme ça ; c'est bien.

Elena tremblait. Ses mots étaient sortis comme un fleuve en crue, appelés par le spectre du passé, par Maurice. Son beau-père l'avait haïe parce qu'elle était la fille d'un autre. Elle ne mettrait jamais son enfant dans une situation semblable. Elle resterait seule, plutôt.

— Je... Ma vie a été difficile quand j'étais enfant, dit-elle avec un filet de voix. Il me faut être sûre que ce bébé va être aimé et protégé. J'aurais dû en parler ouvertement avec Cail, et je suis restée dans les sous-entendus. J'ai fait une folie en retournant à Florence sans même le consulter. J'aurais pu attendre, le faire participer à ma décision.

Adeline lui sourit.

— Je n'ai pas la moindre idée de ce que tu es en train de me raconter. Je ne connais pas cette histoire. Mais j'ai eu l'occasion de rencontrer Cail. Et quand on voit ses yeux, on sait tout de suite qu'il t'aime.

— Ses yeux ?

— Oui. Ses yeux. Cail s'illumine quand il te regarde.

Quant au fait que Cail avait abandonné Elena sans regrets, Adeline avait quelques doutes. Il lui avait semblé l'apercevoir deux ou trois fois aux alentours d'Absolue.

— Et s'il avait décidé que ça n'en vaut pas la peine ? Regardons les faits comme ils sont, je suis enceinte de mon ex et je veux cet enfant. Quel homme accepterait une situation de ce genre ?

— Allons, Elena ! s'exclama Adeline. Ce n'est tout de même pas un lion qui veut se défaire d'une portée, c'est un être humain. Ce qui compte vraiment, ce sont les faits. Il t'a invitée à la remise des prix ? Oui. Il a créé une rose et lui a donné ton nom ? Oui. De quelle autre preuve as-tu besoin ? La question à laquelle tu devrais véritablement répondre est : que veux-tu, toi ?

Ainsi, elles y étaient arrivées. Après tous ces détours, c'était enfin là la vraie question. Il n'y avait aucun doute qu'elle l'aimait. Elle en était éperdument amoureuse. Mais elle était aussi suffisamment intelligente pour savoir que l'amour seul ne suffisait pas.

— Je suis en colère. Je suis furieuse. Il m'a montré comment ça aurait pu être, il m'a aimée pour ce que j'étais. Avec lui, je me sentais moi-même, et puis... je ne suis pas sûre de pouvoir encore passer par là. C'est une douleur physique. Ça me bloque la gorge. Je me réveille la nuit en pensant que tout ça n'est qu'un cauchemar. Une fois, je suis montée chez lui, je croyais l'avoir entendu rentrer, et je m'étais trompée.

Sa voix était un fil d'acier, fin et coupant. Chaque mot lui blessait la gorge.

— Si tu ne vas pas jusqu'au bout, si tu n'éclaircis pas tout cela, tu ne t'en libéreras jamais. Je sais bien que ce ne sont pas mes affaires, dit Adeline, mais moi j'irais, ne serait-ce, éventuellement, que pour lui dire adieu. Tu sais... comme il se doit, en le regardant bien en face.

Adieu. Définitivement. Elena y réfléchit, puis soupira. Oui... en fin de compte, c'était quelque chose qu'elle pourrait faire.

— Où as-tu dit que se trouve ce magasin ?

Bien que tout le monde se soit proposé de l'accompagner à la remise du prix de la nouvelle rose au château de Bagatelle, Elena en avait décidé autrement. Elle avait voulu y aller seule.

Le parc était une étendue de vert brillant, dans laquelle les buissons de roses étaient recouverts de fleurs de formes, de couleurs et de dimensions diverses. Les allées étaient séparées par des dizaines de parterres réguliers, qui rappelaient un jardin à l'italienne. Et au milieu, des roses de toutes les couleurs : des nuances jaunes et roses les plus tendres aux rouges vifs et brillants, aux grenats, aux blancs purs, presque improbables, aux pétales changeants, charnus ou aussi légers que l'organza le plus fin.

Elle s'était un peu promenée, puis avait dû s'asseoir. Elle était fatiguée et avait peur. Il y avait un peu de tout dans cette crainte. Pour finir, quand la rage tombait, il ne restait plus qu'un vif sentiment de désolation. Elle voulait que Cail la prenne dans ses bras, elle voulait que les choses redeviennent comme avant. Elle se sentait ridicule de désirer ces choses, et très bête.

Elle ferma les yeux un moment, le soleil de juin lui réchauffa le visage. Lentement, le parfum qui flottait dans l'air s'insinua dans ses pensées, la calmant. Quand elle se leva pour s'approcher de l'endroit où la remise des prix aurait lieu, elle se sentait mieux.

La colère était vite passée et avait fait place au vide.

Il n'était pas arrivé à la laisser. Il était resté à Paris et était revenu au Marais au moins une fois par jour, pour vérifier qu'elle allait bien.

Elle lui avait insupportablement manqué, elle et toutes ces folies qui lui venaient en tête. Sauter dans le premier avion et s'envoler pour Florence, enceinte de près de neuf mois. Un autre choc de ce genre et j'en mourrais sur le coup, pensa Cail.

Elle était là ! Il était enfin arrivé à la voir. Il se déplaça pour mieux l'observer. Elle lui parut tellement triste, tellement désolée. Il dut s'obliger à reculer. Il fallait attendre le bon moment. Il lui fallait être sûr qu'elle comprendrait avant de lui parler.

Elle était belle. Elle l'avait toujours été, de façon sereine, d'une beauté inconsciente qui, en plus de sa voix et de sa douceur, l'avait tout de suite charmé. Mais maintenant, tandis qu'elle marchait, toute droite, avec cette robe noire et ses cheveux tressés, il lui sembla la voir pour la première fois.

Cail se tint à l'écart. Il ne voulait pas qu'elle le surprenne, pas encore. Mais il n'aurait manqué cet instant pour rien au monde.

— Mme Elena Rossini vient retirer le prix pour la Floribunda Hélène. Création de Caillen McLean, de la McLean Roses.

Cail sentit s'accélérer les battements de son cœur. Elena se leva et lentement, sous les applaudissements du public, rejoignit l'estrade et remercia le présentateur.

— Nous avons pu apprécier beaucoup de créations signées McLean. Je dois toutefois dire qu'Hélène est l'une de mes préférées. Le parfum est sans aucun doute l'un de ses points forts. Fruité, intense, glissant doucement vers des notes épicées. Un excellent contraste. Chaque gerbe est composée d'une dizaine de boutons en calice qui s'ouvrent en donnant vie à un bouquet extraordinaire. Et la couleur, ce pourpre avec un cœur doré, mérite une mention pour sa pureté et son intensité chromatique. Oui, c'est sans aucun doute l'une des roses les plus remarquables de la saison.

Elena avait patiemment écouté et s'était fait une idée de ce que pouvait être la rose.

— Puis-je la voir ?

Cette demande déconcerta le présentateur, qui se reprit aussitôt. Après avoir fait signe à un collaborateur, il adressa un grand sourire à la jeune femme.

— Mais certainement.

Depuis la porte, Cail la dévorait du regard. Il voulait conserver en lui l'expression de son visage. Le lendemain, il irait lui parler, c'était vital.

La vie était drôle. Juliette, il la connaissait depuis toujours, ils avaient grandi ensemble, il avait été presque naturel de penser former une famille avec elle. Il n'y avait pas beaucoup réfléchi. C'était arrivé et voilà tout. Puis il y avait eu l'accident. Et il n'avait rien pu faire d'autre que recueillir ce qui restait de son existence. Quelques secondes, et tout était fini.

Elena, en revanche, il l'avait choisie, désirée. Il avait planifié attentivement chaque détail, de façon qu'aucun imprévu ne puisse advenir. Et elle lui avait démontré qu'il n'était qu'un pauvre naïf. Il n'avait aucun pouvoir décisionnel, il ne pouvait rien faire d'autre qu'être là à regarder. Exactement comme par le passé.

Et ce sentiment d'impuissance était quelque chose que Cail n'était pas parvenu à accepter. Il lui avait alors semblé que toute sa vie et leur histoire n'étaient qu'un immense château de cartes, un tas de feuilles prêtes à s'envoler au premier coup de vent. Et pour un instant il avait reculé.

À présent, Elena était en train de remercier, elle tenait la plaque qu'on venait de lui remettre serrée contre sa poitrine et souriait au public.

Et puis leurs regards se croisèrent. Elle étendit la main, pour rendre le prix au présentateur, et sans détourner un instant le regard elle descendit l'escalier, allant vers lui.

Tout à coup, elle posa la main sur son ventre et s'arrêta net.

Elena inspira profondément, puis expira. Mais cette sensation ne faisait pas mine de diminuer, au contraire, elle augmentait. Brusquement elle sentit un fort élancement au ventre et une déchirure.

— Je crois que j'ai perdu les eaux, murmura-t-elle, incrédule.

Et puis plus rien n'eut d'importance. Elle voulait Cail, tout de suite. Elle s'en fichait complètement, de tous ces gens qui s'étaient approchés et lui demandaient comment elle se sentait. N'arrivaient-ils pas à le voir tout seuls ? Elle était enceinte et allait accoucher !

— Cail ! cria-t-elle de toutes ses forces.

Ce grand cri. Le sang de Cail se glaça dans ses veines. Il se fraya un chemin dans la foule et rejoignit Elena. Il lui suffit d'un regard pour se rendre compte que le moment était arrivé.

— Sois tranquille, mon amour. Tout est en ordre. Tout ira bien.

— Non, ça ne va pas bien. Tu es parti et l'enfant a décidé de naître maintenant. Juste là. Je n'ai même pas ma valise avec moi. Le docteur a dit que je devais la prendre à l'hôpital. Pourquoi n'as-tu pas voulu m'écouter ? J'ai trouvé la formule de Beatrice, je voulais te le dire, je voulais te le dire mais tu n'étais pas là...

Cail lui prit le visage dans les mains.

— Regarde-moi, Elena, écoute-moi. Je vais t'emmener à l'hôpital, j'entrerai avec toi, je serai près de toi.

— Ne me laisse pas. Ne le fais plus jamais.

Ce ne fut qu'un murmure, mais Cail l'entendit bien. Il se planta dans son cœur. Il ne lui répondit pas, mais l'embrassa. Là, devant tout le monde. Puis il la prit dans ses bras.

— J'ai ma voiture là-dehors. Prends le portable dans ma poche, dit-il à sa sœur Sophie qui, alertée par ce remue-ménage, s'était frayé un chemin dans le petit groupe qui les entourait.

— Elena, ça va ? demanda-t-elle en s'approchant.

— Le bébé est en train de naître, Sophie, appelle l'hôpital, le numéro est enregistré dans mon portable. Dis-leur que nous arrivons.

Elena était trop effrayée pour protester, ou faire autre chose que se serrer contre Cail. Mais une fois en voiture, tandis qu'il filait vers l'hôpital, les mots qu'elle avait imaginés lui dire sortirent tout seuls.

— Pourquoi n'as-tu pas répondu au téléphone ? Pourquoi ne m'as-tu pas parlé ?

— Il n'y avait rien à dire, Elena. L'erreur, c'est moi qui l'ai faite, j'ai simplement mal compris.

Ce n'était pas le moment des éclaircissements. Il passa les vitesses et changea de voie.

— Tu m'avais dit que tu m'aimerais, quoi qu'il arrive, que ce que je ferais, ou la façon dont je me comporterais, t'était égal. Tu me l'avais promis, j'avais confiance en toi. Tu m'as trompée, Caillen, tu m'as menti !

— Plus tard, on en parlera plus tard. Maintenant, essaie de rester bien tranquille !

Elena voulait répliquer, elle avait besoin de le faire, mais elle respirait avec difficulté. Alors elle tendit la main, et s'agrippa à la chemise de Cail. Il appuya sur l'accélérateur. Et puis il n'y eut plus de temps pour autre chose.

Cail se disputa avec la gynécologue qui ne voulait pas le laisser entrer dans la salle d'accouchement, mais pour finir il eut gain de cause. Il resta tout le temps avec Elena, lui tenant la main, y compris quand le travail devint difficile et qu'elle perdit connaissance. On ne réussit à l'éloigner que lorsque les médecins durent pratiquer une césarienne. Mais il resta collé à la vitre de la salle d'opération, à quelques mètres d'elle.

Personne et rien ne le feraient s'éloigner d'Elena. Rien, tant qu'il lui resterait du souffle et qu'il demeurerait conscient car, pour tout dire, il avait eu deux ou trois fois plein de petits points lumineux devant les yeux.

— Tout va bien, répétait-il à voix haute.

Quand le premier vagissement déchira le silence, le cœur de Cail s'arrêta.

— C'est une petite fille ! Bienvenue, petite, dit la gynécologue en la soulevant et la tendant à l'infirmière qui tout de suite l'enveloppa dans une serviette.

Cail était livide. Une infirmière ouvrit la porte et lui donna une blouse et un masque ; elle l'aida à les enfiler. Puis elle lui permit d'entrer. Cail prit avec délicatesse la main d'Elena, qui sous l'effet de l'anesthésie s'était endormie un instant. Il tint les yeux fixés sur le petit paquet qui s'agitait et pleurait entre les mains des médecins, sur les rapides va-et-vient de l'infirmière et du pédiatre.

— Que se passe-t-il ?

Sa voix sortit étranglée. Elena ne survivrait pas si quelque chose arrivait à sa fille. Il ne parvenait à penser à rien d'autre.

— Rien, soyez tranquille. Nous aspirons le liquide qu'a ingéré cette demoiselle et puis vous pourrez la voir. Je dois dire qu'elle est vraiment mignonne, commenta le pédiatre en posant le bébé sur la balance.

Cail allongea le cou, il apercevait un petit poing qui fendait l'air, en colère.

Une petite fille ; Elena avait une fille. L'émotion le saisit à la gorge.

— Voilà, elle est presque prête, continua l'infirmière.

Mais Cail n'arrivait à rien voir. Et puis ils la lui mirent dans les bras. Ce fut très difficile de la tenir sans lâcher la main d'Elena, mais Caillen McLean était un homme qui savait improviser, aussi parvint-il à faire les deux choses à la fois.

— Elle est petite. Mon Dieu, qu'elle est petite, murmura-t-il, terrorisé. Vous êtes sûrs qu'elle va bien ?

— Soyez tranquille, votre bébé est en parfaite santé. Les tests sont excellents. Deux kilos sept cents pour cinquante centimètres, parfaitement normal.

Mais Cail avait cessé d'écouter après la première déclaration rassurante. Et maintenant il dévorait des yeux la petite qui le regardait à son tour. Elle ne pleurait plus, mais elle continuait à bouger ses petites mains. L'une le frappa sur son chandail, instinctivement les petits doigts se refermèrent sur le lainage et le tinrent solidement. Elena aussi faisait comme ça.

— Salut, mon amour, chuchota-t-il.

Lentement, avec grande attention, il posa les lèvres sur la petite tête du bébé, qui continuait à le tenir serré.

— Tu es très belle, comme ta maman.

Elena avait toujours redouté ce moment... et l'avait attendu avec une impatience anxieuse. Elle regarda Cail et comprit qu'elle avait été une sotte de ne pas se fier à son cœur.

— Elle va bien ? murmura-t-elle.

Cail se retourna et lui sourit, puis s'inclina vers elle, lui caressant les lèvres d'un baiser.

— Elle est merveilleuse, souffla-t-il.

Elena sentit le goût salé de son émotion et lui rendit son sourire. Il était bouleversé, il était merveilleux. Puis elle regarda sa fille. La petite semblait maussade, renfrognée, même, elle était rouge, ridée, complètement chauve. Cail la voyait magnifique. Alors elle sut que c'était vraiment l'homme de sa vie.

— Tu me la donnes ?

Elle avait besoin de la toucher, de la sentir. Sa fille, son bébé.

Cail approcha la petite du visage d'Elena.

— Bonjour, mon bébé, susurra-t-elle.

Lentement, avec délicatesse, elle effleura son petit nez, suivit son profil, le contour du minuscule visage.

— Elle n'a même pas un cheveu sur le crâne, constata-t-elle.

— Bah, ils pousseront, répondit Cail. Elle n'a même pas de sourcils... Elle est parfaite, non ?

Pour toute réponse, le bébé bâilla et ferma les yeux.

Elena l'embrassa, la serra sur sa poitrine et fut inondée d'une joie qu'elle n'avait jamais éprouvée jusque-là. Tandis qu'elle la berçait, la conscience de tenir sa fille dans ses bras se fraya un chemin dans cet enchevêtrement d'émotions qu'était son cœur, jusqu'à ce que tout le reste disparaisse. Il ne demeura qu'elle, son enfant, son poids, son souffle chaud, le parfum léger et délicat qui s'exhalait de sa peau. Et elle comprit que ce moment traçait une nette frontière entre ce qu'elle, Elena Rossini, avait été auparavant et ce qu'elle était devenue maintenant.

On dut la transférer dans une chambre particulière, Cail n'en démordait pas. Il laissait Elena pour le temps nécessaire aux soins et aux visites, puis revenait auprès d'elle. Et s'il avait fait une exception pour la nuit, le jour il n'y avait pas moyen de le tenir éloigné d'elle.

Puis il commença à se comporter de façon étrange. Il tournicotait sans cesse autour du berceau, en lançant des coups d'œil à Elena, sans un mot. Elle ne parvenait vraiment pas à comprendre. Cail avait l'air d'une âme en peine.

— Il faut que je te dise quelque chose, jeta-t-il tout à coup.

— Ça t'ennuierait de me le dire en t'asseyant à côté de moi ?

Mais il resta près du berceau. Elena soupira.

— OK. Prends-la dans tes bras, mais il faudra que tu le fasses toujours, même quand elle pèsera dix kilos, compris ?

Cail sourit, avec beaucoup de délicatesse il prit le bébé au creux de ses bras. Puis il s'assit à côté d'Elena.

— Tu parlais sérieusement, là ?

— Quand ? répliqua Elena sans comprendre.

Il soupira.

— Sur le fait de pouvoir la prendre dans mes bras.

— Et pourquoi n'aurais-je pas parlé sérieusement ? lui demanda-t-elle, étonnée.

Il ne lui répondit pas et détourna les yeux, fixant le bébé.

— Écoute-moi bien, reprit Elena. Mes cellules cérébrales ont diminué. Oh, ne t'inquiète pas, elles reviendront à la normale dès que je cesserai d'allaiter la petite. Tu sais, la nature a trouvé ce moyen pour empêcher les mères de s'occuper de trop de choses à la fois. Alors, il n'y a aucune possibilité que je comprenne à quoi tu peux bien faire allusion si tu ne me le dis pas clair et net.

Cail secoua la tête, mais bientôt son sourire laissa place à un regard sérieux.

— J'ai signé les papiers. Tu sais, ceux que doit remplir le père.

— Tu... quoi ?

Elena était sidérée, elle n'arrivait pas à y croire.

— Tout le monde croit que je suis le père, le docteur Rochelle aussi. C'est également écrit dans ton dossier.

Elena déglutit, puis regarda vers la fenêtre. Une minute après, elle reporta les yeux sur Cail.

— C'est pour cela que tu l'as fait ? Parce que tout le monde pense que c'est ta fille ?

La question était claire, directe.

Cail secoua la tête.

— Non, ce n'est pas pour ça. Je... je ne saurais pas te l'expliquer, Elena. Il y a beaucoup de choses dont nous devons parler. Il y a des choses que tu ne sais pas. Tout est très compliqué. Mais je t'aime... je t'aime, murmura-t-il tout bas.

Il fallut quelques minutes à Elena pour assimiler ce qu'il venait de lui dire. Elle eut chaud, puis froid. Elle eut envie de pleurer, de rire et de l'embrasser. Mais elle avala sa salive et continua à le regarder.

— Alors c'est pour ça que tu veux la reconnaître, parce que tu m'aimes ?

Cail hocha la tête.

— Je sens qu'elle est à moi, dit-il. Elle est la fille de mon âme, de mon amour pour toi.

Il marqua un arrêt.

— Voilà pourquoi j'ai écrit sur ces papiers que je suis son père.

Il n'y avait rien à faire, cet homme savait comment toucher son cœur, il en connaissait l'exact emplacement, il en possédait les clefs.

— Pourquoi pleures-tu à présent ? lui dit-il, déconcerté. Je sais, j'aurais dû te le dire plus tôt...

Mais il ne semblait pas s'en vouloir, il ne s'en voulait pas du tout. Il tenait toujours la petite et avait une expression déterminée.

Elena renifla, s'essuya les yeux et le foudroya du regard.

— On pleure aussi de joie, qu'est-ce que tu crois ?

Un éclair de bonheur lui passa dans les yeux. Il inclina la tête et donna un baiser au bébé qui continuait à dormir placidement. Puis il se leva et la déposa dans le berceau.

— Je crois que nous avons sauté un passage, dit-il en revenant près d'Elena.

Il s'assit à côté d'elle et lui prit le visage dans les mains.

— Alors il vaut mieux que tu corriges ça.

— Oui, je le pense aussi.

Il lui effleura les lèvres et poursuivit avec un baiser plus profond. Il lui dit ce qu'il avait dans le cœur, ce qu'avaient été ces semaines où il s'était tenu loin d'elle, il l'étreignit et l'embrassa encore. Maintenant tout était clair entre eux. Maintenant ils n'étaient qu'un homme, une femme… et une petite fille.

— Je voudrais l'appeler Beatrice. Elle sera heureuse, elle sera aimée, elle aura un avenir magnifique. Et puis…

Elle marqua un arrêt et chercha la main de Cail.

— Tu penses que ça déplairait à Elizabeth que nous lui donnions aussi son nom ?

Cail sentit un frémissement dans son cœur. Sa mère s'en évanouirait de bonheur.

— Je ne sais pas, dit-il. Il faudra que tu lui demandes. Elle va être là sous peu. Sophie m'a envoyé un SMS il y a un instant. Mon père l'accompagne. Ça t'ennuie ?

Elle l'attrapa des deux mains par son chandail et après l'avoir attiré à elle l'embrassa sur la bouche. Elle en avait assez de pleurer, il lui tardait de sortir de l'hôpital. Elle était impatiente, impatiente de vivre.

Durant ces jours qu'Elena dut passer à l'hôpital, tous deux eurent de longues conversations. Et Cail lui parla de Juliette et de sa mort. De la façon dont il avait été fasciné par ses prouesses et son insouciance. Il l'avait suivie, épaulée dans ses folies, l'avait aimée sans se poser de questions, comme s'il n'existait pas de lendemain. Et cette irresponsabilité avait fini par lui coûter cher, et surtout lui avait coûté cher à elle, Juliette, qui était morte parce qu'il n'avait jamais su ni voulu lui dire non.

Il ne fut pas simple de s'expliquer, il y avait des choses qu'il avait lui-même du mal à comprendre. Mais le sentiment d'impuissance qui l'avait torturé pendant toutes ces années, en même temps que le remords, lui était très évident. Comme le désespoir qui ne voulait pas s'en aller, les questions qui l'assaillaient, l'incertitude... le fait de ne pas savoir si d'une façon ou d'une autre il aurait pu éviter l'accident. Il était jeune alors, et il avait porté cette douleur dans son âme comme un avertissement qui l'empêchait de passer outre. Jusqu'à ce qu'Elena change tout.

Alors devant lui s'était esquissée une autre possibilité, qui n'avait rien à voir avec le passé. Elena n'était pas Juliette, et lui n'était pas le même homme qu'à cette époque-là.

Ressasser ce qui était advenu n'avait pas de sens, et il n'avait pas voulu le faire.

Il avait donc décidé de regarder en avant, en laissant tout derrière lui. Maintenant était arrivé le temps de sourire, de vivre, d'aimer.

Tout d'abord, Elena fut fâchée de cette omission, puis elle dut admettre en elle-même que ce qu'elle éprouvait n'était pas juste. Elle non plus, d'ailleurs, n'avait pas été entièrement sincère. Elle commença à réfléchir sur les mots qu'il lui avait dits et peu à peu comprit ce qui l'avait poussé à se retirer de leur histoire. Mais elle réclamait un compte rendu détaillé du passé de Cail, qu'il se garda bien de lui faire, la distrayant avec d'excellentes argumentations.

Le passé était mort et enterré. Ce qui leur importait, à eux, c'était uniquement l'avenir.

Elena se rendit compte, alors, qu'elle avait une famille. Une vraie famille. Son sentiment d'appartenance était intense et réconfortant.

Ce fut un grand va-et-vient. Geneviève et Adeline Binoche, M. Lagose et Babette, Ben, Colette, Éloïse, Aurore, qui n'arrivait pas à se détacher du berceau et imaginait déjà les parfums qu'elle composerait pour la petite Beatrice. Et puis arrivèrent les parents de Joséphine, son frère et sa sœur. Elena parla un peu avec Jasmine. À l'écart. À ce qu'il semblait, Susanna lui avait rendu visite. Elles avaient longuement parlé. Elles avaient surtout parlé d'Elena.

Et Elena, malgré l'amertume qui la prenait à chaque fois qu'elle pensait à sa mère, découvrit qu'elle ne sentait plus cette douleur aiguë qui avait toujours accompagné ses souvenirs.

Jo appelait de New York, tous les jours. Elena fut très heureuse de la sentir plus sereine. Peut-être le devait-on aussi un peu au *parfumeur maison* avec lequel elle avait récemment travaillé, celui à l'étrange nom exotique, Ilya. Il l'avait invitée à sortir avec lui deux ou trois fois. Elena ne savait pas si Joséphine était intéressée, mais elle était sûre d'une chose : l'amour apporte la joie. La douleur et le désespoir sont une autre chose.

À un moment donné, il devient nécessaire de se défaire de ce qui vous empoisonne l'âme. C'est une question de survie.

Elle espérait qu'un jour Jo parviendrait à oublier Grégoire Montier et regarderait au-delà, vers l'horizon éclairé par le soleil qui se levait chaque jour, donnant espoir et vie.

Épilogue

Aunée. Parfum précieux, doré comme ces fleurs qui accueillent le soleil. Accompagne la croissance intérieure, rassure, aide à exprimer les sentiments du cœur. Chasse tout genre de crainte.

Ils avaient décidé que l'appartement de Cail serait le plus adapté pour y vivre. La chambre à côté de la sienne avait été transformée en chambre pour la petite Beatrice. Cail l'avait peinte en turquoise et jaune et avait collé sur l'un des murs des dizaines d'étoiles, qui brillaient dans l'obscurité. Ils avaient placé le berceau au centre, entouré de meubles blancs ; tout devait être lumineux et accueillant.

Cail avait aussi remplacé son lit à une place par un grand lit. Il était déjà là quand Elena était revenue de l'hôpital. Prêt à l'accueillir. Au début, ils dormirent simplement ensemble, se bornant à se chercher dans la nuit et à dormir enlacés. Mais bientôt leurs gestes manifestèrent ce besoin qu'ils avaient l'un de l'autre, et qui avec le temps avait grandi, était devenu désir. Il n'y avait plus de raison de s'arrêter, maintenant. Peau contre peau, souffles mêlés... La possession et l'assouvissement étaient des choses qu'ils croyaient connaître, mais qu'ils découvrirent sous un jour nouveau ensemble, cependant que leur monde prenait consistance et qu'ils se perdaient l'un en l'autre.

Elena aimait follement ce lit, surtout quand ils y restaient longuement dans la matinée, enlacés, récupérant le temps perdu, ou les nuits passées à veiller Bea.

Le bonheur s'était insinué tout doucement dans leur vie et en avait pris possession. Et tout avait pris un aspect différent. Les torts subis semblaient de vieux souvenirs que même le parfum ne parvenait pas à rappeler. C'était un phénomène étrange, qui amenait à prendre en considération des situations encore impensables à quelque temps de là.

Ce matin-là Elena s'était réveillée tôt. Elle avait ouvert les yeux et observé comment l'aube éclairait leur chambre à coucher. Cail était à côté d'elle, elle sentait sa chaleur, son odeur, le chuchotis des propos farfelus qu'il adressait à sa fille assise sur sa poitrine.

— Bonjour, mon amour, lui dit-il en s'apercevant qu'elle s'était réveillée.

Elena lui donna un baiser sur la poitrine, mordilla le pied de Bea qui poussa un petit cri heureux, puis après un long bâillement elle se leva et rejoignit la cuisine.

— Un peu de thé, ça te va ? lui demanda-t-elle.

— Oui, merci, répondit Cail.

Elena ouvrit les fenêtres, alluma le gaz sous la bouilloire et puis prépara le café pour elle.

Paris était en pleine activité, du dehors provenaient les bruits de la vie quotidienne. Ce matin-là, elle avait des rendez-vous importants, pour deux parfums sur mesure, et puis elle devait rencontrer le représentant d'un consortium de petites parfumeries de niche qui voulait commercialiser certaines de ses créations cent pour cent naturelles. Maintenant qu'Aurore était à l'IPSICA, à Versailles, elle avait moins de temps libre. Par bonheur il y avait Adeline qui venait lui donner un coup de main.

Cail aussi était d'un grand secours. Ce matin-là, il resterait avec Beatrice et l'emmènerait au parc.

Brusquement, un souffle d'air souleva les rideaux, pénétrant dans la cuisine. Le café choisit ce moment pour monter, répandant son arôme. Le thé reposait déjà dans la tasse de Cail. John frétilla de la queue, Elena lui sourit et lui remplit son écuelle. Il attendit qu'elle l'ait caressé avant d'approcher. Il était encore difficile pour elle de le toucher, mais avec un peu de détermination, elle commençait à y arriver.

Elle versa le café dans sa tasse, attentive à ne pas éclabousser la carte postale qu'elle avait oubliée sur la table la veille au soir. Elle la prit et la plaça à côté des autres. Jean-Baptiste était en vacances avec Babette et d'après ce qu'il écrivait il semblait que tout se passait au mieux. Elle repensa au jour où ils étaient venus lui dire au revoir, avant leur départ. Ils lui avaient paru vraiment très émus. Elle eut un sourire et mit du miel dans les deux tasses. Tout était prêt.

Elle allait appeler Cail quand son regard se posa sur une petite boîte turquoise qu'elle avait posée sur le buffet. C'était le parfum que Susanna avait composé pour elle il y avait si longtemps, celui qu'elle avait emporté avec elle en repartant de Florence. Elle l'avait laissé là, bien en évidence. Un jour ou l'autre, elle l'ouvrirait.

Elle prit un plateau où elle posa les tasses, et sur une petite assiette elle mit quelques biscuits. Mais son regard revint à cette petite boîte et à son contenu. Elle la fixa quelques instants, puis se décida à la prendre. Elle l'ouvrit délicatement et sortit le flacon. Il ne pesait rien, pensa-t-elle quand elle le tint dans la paume de sa main.

Un instant, elle fut tentée de le remettre à sa place, de différer encore. Maintenant sa vie était belle, que lui importait ce parfum ?

Elle le regarda, puis ferma les yeux. Quand elle les rouvrit, elle dévissa lentement le bouchon et porta le flacon à ses narines.

Le premier impact lui coupa le souffle. Il était fort et âcre. Était-il possible qu'il se soit détérioré ? Mais non, il était resté scellé et à l'abri de la lumière. Elle éloigna le parfum de son nez et décida d'en mettre. Deux gouttes sur le poignet, puis elle attendit.

L'une après l'autre, les molécules qui composaient les notes de tête s'élevèrent, réchauffées par la chaleur de la peau. Fort et âcre, se répéta-t-elle. Comme elle, comme le rapport conflictuel qui la liait à sa mère. Mais aussitôt il y eut comme une explosion florale et une bouffée de vanille. Le cœur du parfum.

La chaleur de bras qui vous enlacent, une berceuse cachée dans les méandres de sa mémoire... Que disait ce refrain ? *Dorme la chioccia col suo pulcino, dorme la mamma col suo bambino...*[1]

Et puis le parfum devint plus stable, enveloppant et chaud. Comme une étreinte. C'était très beau. C'était l'une des plus belles choses qu'Elena ait jamais senties.

Enfin, elle le reconnut. Elle fronça les sourcils et sentit un léger frémissement au tréfonds d'elle-même. Elle déglutit, sa gorge était devenue sèche. Elle regarda encore le flacon et pensa s'être trompée. Mais non. Il n'y avait aucune possibilité d'erreur, et elle le savait.

C'était le parfum qu'elle avait préparé pour sa mère quand elle était enfant. Sauf qu'il y avait quelque chose de nouveau, de différent. Et puis elle comprit. Susanna avait gardé le parfum et l'avait complété.

Et maintenant il était parfait. Voilà : son Parfum Idéal.

Elle le huma encore et la rose affleura parmi les autres notes, et puis ce fut le tour de la vanille, et dans ce cœur fleuri Elena trouva le sens du message qui lui était envoyé.

C'était la réponse de sa mère, c'était sa façon de la serrer dans ses bras, c'était son amour pour elle. Léger et intense, âpre mais aussi un peu doux. Chaud, enveloppant. C'était le parfum de la vie, c'était le parfum du bonheur.

1. La poule dort avec son poussin, la maman dort avec son enfant...

Elle resta immobile, l'aspirant lentement, les yeux fermés, immergée dans sa magie. Puis elle rouvrit les yeux. Le moment était venu.

Tandis que Cail continuait à parler avec Beatrice et que la petite lui répondait à sa façon, elle prit son portable dans son sac, s'assit sur une chaise et appela un numéro. Elle attendit patiemment, le cœur battant, comptant les sonneries.

— Allô ?

— Bonjour, maman, c'est Elena.

Dictionnaire des parfums

Parfums de fleurs

Achillée : équilibre intérieur. C'est le parfum du ciel et de la terre à la fois. Aromatique et résineux, il favorise l'harmonie là où règne le conflit, conduit à la clarté, encourage l'esprit.

Angélique : se connaître soi-même. Herbe des anges, qui révèle l'essence cachée en chaque chose. Remède pour tout mal, parfum d'une grande douceur, miellé et enveloppant. Favorise une connaissance en profondeur.

Aunée : ne sois pas timide. Parfum précieux, doré comme ces fleurs qui accueillent le soleil. Accompagne la croissance intérieure, rassure, aide à exprimer les sentiments du cœur. Chasse toute espèce de crainte.

Calendula : n'aie pas peur. Fleur du soleil, soulage et rafraîchit. Réconforte par le délice de sa fragrance. Libère des mauvaises pensées.

Camomille : sérénité. C'est le parfum du calme. Intensément floral et chaud. Clarifie la pensée. Combat l'agitation de l'esprit.

Ciste : sourire. Semblable à une petite rose, délicat et gracieux, il a un arôme enveloppant, pénétrant et épicé qui insuffle de la chaleur, dissolvant la glace où peut se prendre l'âme, évoquant la capacité de sourire et d'aimer.

Frangipanier : charme sans égal. Extrait de la fleur de la plumeria, c'est un parfum résolu, voluptueux. Il est l'essence de la féminité qui éclôt et s'ouvre à la vie.

Genêt : courage. Riche comme la couleur de ses fleurs, c'est un parfum enivrant, frais, avec une note florale émouvante. Il annonce le printemps, le passage de l'ancien au nouveau. Il combat le découragement.

Géranium : intensité. Parfum concret, énergique, rappelle celui de la rose sans posséder son raffinement. Fleur féminine par excellence, il est symbole de beauté, d'allure et d'humilité.

Hélicryse : compassion. Doux comme le miel et amer comme une aube sans repos, le parfum est intense, puissant comme la bonté. À employer avec parcimonie, en le mélangeant à des senteurs délicates comme la rose, capables d'en accueillir le sentiment. Unit le cœur et l'esprit, la passion et le bon sens.

Iris : aie confiance en moi. Précieux et essentiel comme l'eau, l'air, la terre et le feu, c'est un parfum intense et lumineux. Chasse les tensions et renouvelle la confiance de l'âme.

Jasmin : sensualité. Fleur de la nuit, il ne prodigue son parfum qu'à l'aube ou au crépuscule. Enivrant, chaud, il évoque le monde magique, en amenuise les frontières. Sensuel, facilement adaptable. Le plaisir est caché dans les petits pétales blancs, le cueillir n'en est que les prémices.

Lavande : contre le stress. Ce parfum complexe séduit et envoûte. Rafraîchit et purifie l'esprit, chasse la fatigue, la peur et l'angoisse.

Magnolia : vérité. Un regard ne suffit pas, les yeux perçoivent rarement ce qui se dissimule derrière les apparences. Parfum intense, brillant, il éclaire l'esprit, favorisant la connaissance intérieure, libérant l'énergie nécessaire pour affronter les secrets, les mensonges, ce qui semble être mais en général n'est pas.

Mimosa : sois heureux. Intensément floral, le parfum des fleurs de mimosa donne joie et vitalité. Atténue la tristesse, incite au dialogue.

Narcisse : désir. Intensément sensuel et enivrant, c'est le parfum du plaisir et de l'érotisme.

Néroli : épouse-moi. Tiré des fleurs d'oranger, c'est l'essence céleste des pétales de cette fleur. C'est le parfum de la paix. Évoque les sentiments positifs. Ouvre la voie à l'amour.

Rose : amour. Essence difficile à obtenir, douce, légère, c'est le symbole des sentiments et des émotions. Favorise l'initiative personnelle et les arts.

Tubéreuse : n'aie pas peur de changer. Blanc, intense, doux et séduisant, c'est le parfum de l'audace et de la conscience. Stimule la créativité, évoque la force du changement.

Verveine : sois de bonne humeur. Chaud et enveloppant, le parfum de la verveine rassérène et réjouit. Favorise la socialisation.

Violette : élégance et discrétion. C'est le parfum de la féminité douce et délicate. Tranquillise et tonifie.

Ylang-ylang : libère les sentiments cachés. Chaud et féminin, il donne la capacité de surmonter la déception et les blessures. Aide, par sa nature, à exprimer la poésie qui habite l'âme.

Parfums de fruits, baies, herbes aromatiques

Basilic : sois content. Parfum royal, profondément aromatique, frais et épicé. Réconforte l'âme et l'esprit, libérant le cœur de la mélancolie.

Bergamote : espoir. Vive, pétillante, elle donne énergie et légèreté quand toute attente s'étiole sous le poids de la monotonie. Elle éclaire le chemin et aide à découvrir les solutions.

Cannelle : je te séduis. Parfum charnel, sensuel, profondément féminin. Exotique et épicé. Passionnel et chaud comme le soleil de ses lointains lieux d'origine.

Cardamome : attraction. Enveloppant, doux et légèrement épicé, c'est le parfum de l'éros. Stimule l'esprit et évoque le partage.

Citron : rationalité. Modère l'excès, incite à la réflexion. C'est le parfum de la raison. Intense, très frais, enveloppant. Il chasse l'instabilité. Repousse le poids obscur de l'âme.

Citronnelle : enthousiasme. Stimulant, canalise les énergies. Parfum de citron, aromatique et intense.

Clou de girofle : douceur. Épicé, doux et aromatique, c'est le parfum de la tendresse. Aide à supporter l'attente, favorise la transition.

Cumin : passion. Mystérieux, profond, délicat mais en même temps chaud et enveloppant. Incite à l'ouverture, renforce l'éros.

Fenouil : chasse les pensées négatives. Agréable, aromatique. Éloigne la peur, les doutes, et aide à affronter les situations difficiles.

Foin : calme. Parfum primitif, aussi ancestral que ceux du feu, de la mer et de la terre. Inscrit en profondeur dans l'âme primitive que nous possédons tous. Évoque la tranquillité.

Genièvre : purifie l'esprit. Intense et balsamique. Neutralise la négativité, rassérène, éloigne les malaises et les peurs. Purifie l'âme et les lieux.

Hysope : pureté. C'est le parfum doux et très frais d'une aube à peine apparue. Du matin, il garde la légèreté et l'insouciance. Stimule la concentration, éclaircit les idées. Comme toutes les herbes rituelles, il favorise la méditation.

Mandarine : insouciance. Délicate, pétillante et fraîche. Ramène à la naïveté de l'enfance. Donne gaieté et légèreté.

Marjolaine : contre la douleur. Adoucissante et réconfortante. Chasse la crainte de la solitude, renforce l'esprit, adoucit la souffrance de la perte.

Mélisse : réconfort. Soulage et dissipe la peur de l'inconnu. Aide à surmonter le déplaisir, porte à la conscience de soi-même.

Menthe : créativité. Frais et tonifiant, rassemble les idées et les éclaircit, stimule l'imagination, atténue l'arrogance et favorise le jugement.

Noix muscade : détermination. Parfum épicé, profond, piquant. Favorise la décision, stimule le courage, pousse à l'action.

Orange : gaieté. La pomme dorée du Jardin des Hespérides prospère au soleil et en garde lumière et chaleur. Son huile précieuse se concentre dans son écorce. Combat la tristesse.

Poivre noir : persévérance. Alerte les sens, rassemble la force intérieure. Enseigne que lorsque le chemin semble perdu, on n'a souvent fait que l'égarer.

Romarin : je prends soin de toi. Rosée de mer qui protège et rend courage, il stimule le courage, évoque la force d'âme. Porte à la perspicacité et la clarté.

Sauge : sagesse. Parfum frais et doux, chasse le doute. Favorise le bon sens, l'acuité des sens et la mémoire.

Thym : donne de l'énergie. Renforce. Dissipe la confusion, prédispose à la logique, dissout l'incertitude du rêve. Renouvelle la stabilité mentale.

Tonka, fève de : générosité. Gai comme un rayon de soleil, c'est un parfum chaud et doux. Détend l'âme la plus inquiète, incite à la souplesse et au partage.

Vanille : je te protège. C'est le parfum de l'enfance, doux et chaud. Il réconforte, met de bonne humeur, aide à affronter les difficultés, relâche les tensions. Se combine bien avec la peau. Quelques gouttes suffisent à rassembler et guider les gestes du cœur.

Parfums de bois, résines, feuilles

Benjoin : combat l'angoisse. Comme le grand arbre dont sa résine sombre est extraite, insuffle la sérénité, l'essence balsamique, dense et pénétrante, chasse les préoccupations. Permet à l'énergie spirituelle de trouver la force, prépare à la méditation.

Bois de rose : n'attends pas. Douce, fruitée, avec de légères traces d'épices, cette essence d'arbre tropical est le parfum de la confiance, de la sérénité. Évoque la douce douleur de l'attente et de l'espoir.

Bouleau : bien-être. Parfum intense et aromatique, enveloppant et thérapeutique. Libère la pensée du poids de la douleur, détend l'esprit, favorise la récupération physique et intellectuelle.

Camphre : sois décidé. Fort et balsamique, c'est le parfum du courage, de la fermeté. Renforce la volonté.

Cèdre : réflexion. Son essence extraite du bois est l'une des plus anciennes. Renforce l'esprit et le protège. Aide à garder lucidité, équilibre, sens des proportions. Évoque l'observation la plus profonde.

Cyprès : je te soutiens. Agréable, délicat, aromatique, le parfum de son bois rafraîchit, détend et chasse les ennuis. Aide dans tout changement, fortifie l'âme et la prépare à affronter les épreuves les plus dures.

Élémi : conscience. Parfum aromatique et puissant. Rééquilibrant, évoque la paix. Rassemble les peurs les plus cachées en les portant à la lumière. Chasse les illusions, ramenant à la réalité.

Encens : méditation. Son parfum est unique, frais, et doucement camphré. Ralentit la respiration, amenant à un état de calme et de sérénité, évoque la spiritualité.

Eucalyptus : positivité. Intense, végétal, purifiant. Chasse la négativité, incite à la respiration profonde, ramène à la raison.

Galbanum : harmonie. Intensément épicé, végétal, c'est le parfum de la nature et du bois. Calme la colère.

Musc de chêne : n'aie pas de regrets. Intense, pénétrant, ancestral, c'est le parfum de la constance et de la force. Chasse la déception qui alourdit l'âme quand la conscience de l'erreur filtre dans les certitudes illusoires. Atténue la nostalgie de ce qui pouvait être et n'a pas été.

Myrrhe : sûreté. Plus terrestre et concret que l'encens, c'est un parfum qui représente le lien entre l'esprit et la réalité. Fort, solide, sans aucune incertitude. C'est le parfum de la constance et de la transparence des sentiments.

Myrte : pardonne-moi. Semper virens, magique, merveilleux. Intense et profondément aromatique, il rassure l'esprit, chasse la rage et la rancœur. C'est le parfum de la sérénité, de l'essence même de l'âme.

Opoponax ou myrrhe douce : optimisme. Délicat, balsamique et floral, c'est le parfum de la sérénité.

Patchouli : sois mystérieux. Sensuel et exotique, c'est le parfum enivrant de la vie. Favorise la décision.

Petit-grain : concentration. Extrait des feuilles précieuses de l'oranger, ce parfum réveille l'esprit, éclaircit l'intellect, aide à prendre des décisions importantes.

Pin : fermeté. Solide et tenace, c'est l'arbre de la force d'âme. Il ne se plie ni ne se casse. Son parfum est balsamique, aromatique ; porte au courage, stimule la confiance en soi.

Santal : tentation. Puissant, mystérieux et enveloppant, c'est le parfum de l'éros. Extrêmement complexe, il avive les sens, ouvre le cœur et renouvelle les sentiments.

Vétiver : résistance. Tenace, invincible, c'est le parfum lourd et complexe de la terre. Frais, humide, végétal. Donne de la force, incite à l'ouverture envers le prochain, au pardon qu'on s'accorde à soi-même.

Parfums d'origine animale

Ambre gris : beauté. Doux et séduisant, c'est le plus ancien parfum aimé des femmes. Transporté par la mer qui le dépose sur les plages comme un don précieux, il en conserve l'attrait mystérieux. Évoque le réveil de la féminité, l'élégance, la chaleur d'une nuit d'été.

Cire d'abeille : délicatesse. Chaud et aimable, le parfum de la cire conserve en lui le pouvoir de la nature, des fleurs et des pollens.

Cuir : sois fort. Animal, intense, avec une vigoureuse personnalité, c'est le parfum de l'énergie primordiale et de la force virile.

Note de l'auteur

J'ai toujours aimé les parfums, mais à un moment donné ils sont entrés dans ma vie de façon irrésistible. Quand votre bien-être dépend des fleurs qui éclosent et offrent leur nectar aux abeilles dont on fait l'élevage, la perception de la nature change. Les floraisons et leur parfum scandent les jours et les mois, les subdivisent suivant les récoltes. C'est alors que j'ai commencé à respirer le monde qui m'entourait ; et l'idée d'un roman a pris vie.

Toutefois, parler de parfums n'est pas facile. Les concepts olfactifs sont très difficiles à exprimer. C'est néanmoins possible. Deux jeunes parfumeuses italiennes l'ont fait de façon magnifique : Marika Vecchiattini et Caterina Roncati, *fragrance designers* de la Farmacia del Castello de Gênes. Dans leur Profumificio[1], toutes deux créent des parfums sur mesure, les parfums de l'âme. Ainsi, un jour, après leur avoir parlé de mon livre, j'en ai reçu trois : le parfum de Beatrice, celui d'Aurore et le merveilleux parfum d'Elena. Ma surprise a été immense. Non seulement elles avaient répondu à mes questions avec patience et gentillesse, m'ouvrant toutes grandes les portes

1. Fabrique de parfums.

d'un monde que j'avais à peine entrevu, mais en utilisant mes descriptions, elles avaient créé les parfums des protagonistes. Ceux qui voudraient sentir les trois parfums peuvent donc le faire au Profumificio del Castello.

Marika a en outre écrit un essai, *Il linguaggio segreto del profumo, Le langage secret du parfum,* qui m'a été très précieux pendant la rédaction du roman, de même que son blog « Bergamote et Benjoin ». Un parcours olfactif continu, extrêmement suggestif, plein de professionnalisme et de magie. J'ai ainsi découvert une parfumerie différente de celle qui est plus connue et plus glamour : la parfumerie de niche. Pour tout cela, merci, Marika, et merci, Caterina.

Je tiens à préciser que, quoique utilisant des lieux et décors réels, *Le Parfum des sentiments* est une œuvre d'imagination, et use des licences propres au roman. Les grammes, comme les balances de précision, ont depuis longtemps remplacé les gouttes utilisées ici comme unités de mesure. Beatrice Rossini et ses descendantes, Caillen McLean et ses roses splendides, Absolue, Narcissus et La Fougérie sont le fruit de mon imagination, ainsi que la création la plus célèbre de Giulia Rossini. Si donc vous cherchez *Jardin enchanté* à l'Osmothèque de Paris, vous ne le trouverez pas, car il n'existe que dans ce roman.

Remerciements

Prononce le mot magique « merci ».
Dis-le à haute voix, crie-le sur les toits, murmure-le toi à toi-même,
déclame-le dans ta tête et puis sens-le dans ton cœur :
l'important est que, à partir d'aujourd'hui, tu le portes toujours avec toi.

Rhonda Byrne, *The Magic*

Merci à ma famille, parce qu'elle me supporte, m'accepte, m'aime telle que je suis. Merci à mon mari parce que lorsque j'écris il se charge de ma vie, de celle de nos enfants, et surtout s'assure que je mange comme il faut.

Merci à Silvia Zucca pour son amitié, pour m'avoir prêté ses livres sur les parfums et m'avoir parlé de Marika Vecchiattini, et pour me l'avoir présentée. Merci à Anna d'avoir toujours été près de moi, à Andreina de m'avoir communiqué sa gaieté, à Lory pour sa douceur, à Eleonora qui me fait toujours rire de bon cœur. Merci à Antonella de m'avoir soutenue quand je perdais courage, et pour s'être réjouie avec moi de chaque victoire. Merci de tout cœur à la maison Garzanti d'avoir voulu de moi, au staff qui s'est occupé de mon roman, à mon éditrice Elisabetta Migliavada pour laquelle les mots me manqueront toujours. Et enfin merci à l'agence qui me représente. À Laura Ceccacci, qui la première a cru en moi, qui est beaucoup plus qu'une amie et à laquelle je suis profondément reconnaissante. À Anna Chiatto qui m'a accueillie avec un merveilleux sourire, et à Kylee Doust qui m'a ouvert les portes d'un monde nouveau.

À vous tous, merci du fond du cœur.

Composition et mise en pages
Nord Compo à Villeneuve-d'Ascq

Achevé d'imprimer par N.I.I.A.G.
en avril 2016
pour le compte de France Loisirs, Paris

Numéro d'éditeur : 84939
Dépôt légal : avril 2016